14,95

Docteur Jean-Pierre POUJOL

ACUPUNCTURE

PRATIQUE

avec ou sans aiguilles

MONTRÉAL NEW-YORK PARIS

© 1985, Éditions GARANCIÈRE

© 1985, Éditions INTER
41, av. des Pins Ouest
suite 101
Montréal QC
H2W 1R3
(514) 843-5157

Tous droits de reproduction, de traduction
et d'adaptation réservés pour tous pays.

Distribution exclusive:
QUÉBEC LIVRES
4435, boul. des Grandes Prairies
Montréal QC
(514) 327-6900

Dépôt légal:
Bibliothèque nationale du Québec
2e trimestre 1985

I.S.B.N. 2-920670-35-2

Imprimé au Canada

PRÉFACE

Ce modeste ouvrage n'est pas un manuel destiné à l'enseignement de l'Acupuncture ou de l'Homéopathie. Sa seule ambition est de prouver aux Médecins praticiens que ces thérapeutiques ne sont pas des illusions, mais de réelles sciences capables d'augmenter dans des proportions énormes, l'arsenal thérapeutique dans des affections contre lesquelles la Médecine classique est désarmée. Je pense que sa prétention à la vulgarisation de ces sciences va choquer beaucoup de mes confrères. Je sais que pour pratiquer quelque métier que ce soit, il faut commencer par l'apprendre. Je suis conscient que cela est encore plus vrai en Médecine, Acupuncture, Homéopathie, Auriculopuncture, ayant moi-même commencé à étudier ces spécialités en 1939. J'ai été puriste. Mais tout évolue et les temps ont changé. Les constatations de l'effet de ces thérapeutiques illogiques, faites par un Ministre, les ont rendues fiables ; la radio et la télévision les ont confirmées.

Des médecins amis me demandent souvent de leur enseigner l'Acupuncture ; je leur dis qu'ils n'ont qu'à l'apprendre, qu'il y a des écoles. C'est ce que nous avons fait. Nous avons passé beaucoup de temps à emmagasiner dans notre mémoire des histoires de « méridiens », de « pouls chinois », de « similia - similibus », que moins il y a de médicament dans une pilule, plus elle est active, et lorsque il n'y a plus rien, elle devient explosive et est à manier avec précaution. Et pourtant, ça marche ! L'homéopathie n'est pas une plaisanterie. Une aiguille au petit orteil tue réellement les parasites intestinaux ; des aiguilles sur les seins, l'épigastre, les mollets font disparaître en 48 heures les vomissements dits « incoercibles » de la grossesse ; une aiguille à l'oreille, une autre au coccyx guérissent les coccygodynies...

En mon âme et conscience, je suis sûr que nous n'avons pas le droit de réserver ces « miracles » à la clientèle de quelques centaines de Médecins et de les refuser à celle de 100.000 Allopathes.

Ils n'ont qu'à l'apprendre, d'accord.

Mais voilà, ils n'ont ni le goût, ni la foi, ni le temps, ni la volonté.

Alors, tant pis pour eux et pour leurs malades !!

Nos patients sont quelques milliers, les leurs des millions.

PRÉFACE

Nous sommes des Médecins et notre vocation est de guérir. Nous n'avons pas le droit de priver des êtres de leur *Droit à la SANTÉ,* de les laisser souffrir pour des questions de doctrine.

Lorsque nous avons libéré notre esprit et notre activité praticienne de l'emprise exclusive de l'allopathie, nous avons fait preuve de largeur d'esprit. J'ai peur que nous ne nous enfermions à notre tour dans un bornage de tabous. La Médecine ne doit pas devenir une religion soumise à des dogmes intangibles. Nous ne devons avoir à l'esprit que la guérison du malade. Il est impensable que nous puissions préférer la mort dans les règles à la vie hors des règles.

C'est pourquoi, mes frères, je vous prie de me pardonner cette œuvre hérétique.

Surtout, je suis sûr qu'au vu des résultats de mes petits «tuyaux», même apparemment illogiques, nos confrères Médecins étant des gens sérieux, amoureux de leur métier et de leur art, beaucoup d'entre eux seront motivés pour en entreprendre une étude plus sérieuse.

En vulgarisant, c'est-à-dire en mettant à la portée de tous le savoir de quelques-uns, je reste dans la tradition chinoise. Les «Médecins aux pieds nus» ne sont pas de grands médecins puristes ; ce sont des ouvriers spécialisés qui apprennent en quelques mois des rudiments d'hygiène et d'acupuncture, puis sont lâchés dans les campagnes pour être mis au service de tous. Le peuple chinois utilise journellement une acupuncture et une auriculopuncture élémentaires, et ne s'en porte que mieux. J'ai lu que les grands Médecins chinois se bornaient à maintenir leurs rares et riches clients en bonne santé et ne s'abaissaient pas à guérir les malades, ces pratiques faciles et banales étant réservées aux sorciers de village.

Nous, petits «grands Médecins chinois» ne soignons que des malades car ce sont nos seuls patients. Mais notre action est limitée à un nombre de patients relativement petit par rapport à la population du pays, privée de ce fait de la guérison rapide de beaucoup d'affections parce que nous gardons nos «petits secrets». Ceux que je divulgue dans cet ouvrage, sont pratiquement à la portée de tous et relèvent surtout du massage du point chinois par l'ongle. L'usage des aiguilles, à action plus importante et plus rapide, est en principe réservée aux Médecins qui voudront bien lire ce livre et en mettre les conseils en pratique. Le grand public obtiendra beaucoup de bons résultats par le massage à l'ongle des points indiqués. Je suis sûr que les tuyaux de secourisme aideront à sauver des vies humaines et à soulager beaucoup d'affections, dites chroniques et incurables.

ACUPUNCTURE CHINOISE

L'origine de l'acupuncture se perd dans la nuit des temps. On pense qu'elle a une origine religieuse. Les chinois de la préhistoire croyaient que les douleurs et les maladies étaient dues à de mauvais génies cachés dans la peau. Tout comme ils chassaient les bêtes nuisibles avec des lances de pierre, de même ils chassaient les démons en les piquant avec des poinçons de pierre, des éclats de bambous... puis de métal, après la découverte de celui-ci. Au cours des siècles, quand ils cessèrent de croire aux démons, la puncture des points douloureux guérissait quand même. Ils en vinrent donc à la théorie moderne qui est celle de la régularisation de l'*Energie.*

Quelques renseignements chronologiques :

- L'empereur FOU-HI, à une époque très lointaine indéterminée, serait l'auteur du HI-HING, livre des transformations dans lequel il étudie les alternances dans la nature, constate que tout est double.

- De 3000 ans à 5000 ans avant J.C. se codifient les oracles et la pharmacopée chinoise.

- En 540 avant J.C. apparaissent les premiers textes médicaux sur les moxas et l'acupuncture.

- Au cours des siècles, les publications se multiplient et la médecine s'organise.

L'acupuncture est basée sur la circulation d'une énergie comparable à celle de l'énergie électrique et comprenant, comme tout ce qui existe dans l'Univers, un pôle positif et un pôle négatif.

La mort est l'arrêt de la circulation de l'énergie.

La maladie est un déséquilibre entre ces courants.

L'état de santé est un équilibre harmonieux entre les deux courants.

Ces courants d'énergie sont appelés «méridiens chinois». Sur ces méridiens, certains points ont une action particulière qui retire de l'énergie de certains endroits pour la diriger sur d'autres ; ils jouent en quelque sorte le rôle des interrupteurs dans une installation électrique.

On les appelle les «Points chinois».

Chaque méridien a un nom. L'énergie circule dans l'ordre suivant :

ACUPUNCTURE CHINOISE

Les méridiens : en majuscules sont YANG (positifs +), en minuscules INN (négatifs –).

Cœur (C), INTESTIN GRELE (IG), VESSIE (V), Reins (R), Maître du cœur (MC), TRIPLE RECHAUFFEUR (TR), VESICULE BILIAIRE (VB), Foie (F), Poumons (P), GROS INTESTIN (GI), ESTOMAC (E), Rate-Pancréas (RP).

Un méridien antérieur : le Vaisseau de conception ou JENN-MO

Un méridien postérieur : le Vaisseau gouverneur ou TOU-MO.

Il y a un millier de points dont je ne vous infligerai pas l'énumération.

J'arrête ici cet exposé théorique pour en venir à la pratique qui est le but de cet ouvrage.

Les points doivent être tonifiés : signe (+)
ou dispersés : signe (–)

Pour ne pas compliquer le travail et parce que cela n'a, à mon avis, que peu d'importance, je ne l'indique que rarement.

En général, laisser l'aiguille en place 3 à 5 minutes.

Quand il s'agit d'un massage, il doit être pratiqué avec un ongle assez long et assez pointu et durer le même temps, en effectuant une vibration. Il faut que le patient ressente une petite douleur.

Quel que soit le moyen utilisé, le but est d'exciter le point.

L'aiguille est en acier, très fine, la pointe très bien aiguisée à la pierre à huile (l'or et l'argent sont abandonnés).

La profondeur de l'aiguille varie suivant les endroits : 1 millimètre sur le doigt, 1 centimètre en pleine fesse.

Les Médecins Acupuncteurs connaissent l'emplacement exact du point et sa profondeur. Les Médecins «non acupuncteurs» qui désireraient utiliser les conseils donnés dans cet ouvrage,sont invités à consulter un traité plus complet sur l'acupuncture pour situer les points avec précision. Connaissant l'anatomie du corps humain,eux seuls peuvent utiliser les aiguilles sans danger.

Le *pouce chinois* est la longueur qui sépare les têtes des plis qui se forment sur la 2e phalange du médius du patient lorsqu'on le plie.

ACUPUNCTURE CHINOISE

LA PRATIQUE DE L'ACUPUNCTURE PAR LES AIGUILLES EST STRICTEMENT RÉSERVÉE AUX SEULS MÉDECINS.

Les «non médecins» peuvent utiliser les propriétés des points d'acupuncture de deux manières :

1) Masser avec l'ongle en effectuant une légère vibration.

2) Utiliser un «Vibro-puncteur»
Appuyer la pointe sur le point chinois concerné en effectuant une pression moyenne durant 2 à 3 minutes.

Se reporter au chapitre « VIBRATION »

Un problème important qui ne sera jamais résolu est le suivant : quel intervalle de temps laisser entre deux séances d'acupuncture ?

Il est très variable et dépend de la maladie, du malade, et de l'acupuncteur.

Personnellement mon schéma de base est le suivant :

1° Séance
2° Séance 1 semaine après le 1°
3° Séance 2 semaines après la 2°
4° Séance si besoin, un mois après la 3°.

Les suivantes sont décidées par le malade suivant ses besoins et son état.

Les principes généraux en sont :

Affections aiguës : rapprocher les séances (jusqu'à 1 par jour).

Affection chronique : espacer les séances.

Le malade revient quand la maladie revient.

Massages avec l'ongle et Vibro-puncture :

L'action étant moins puissante qu'avec les aiguilles, on peut les appliquer plus fréquemment.

AURICULOPUNCTURE

Depuis très longtemps, de nombreux peuples savaient que le fait de piquer ou brûler certains points de l'oreille, déclenchait certaines actions thérapeutiques. La Chine en connaissait trois.

Le Docteur P. NOGIER avait découvert que sur l'oreille, apparaissaient des points réflexes correspondant aux différentes parties et organes du corps humain. En 1956, il fit une conférence à Wiesbaden qui attira sur lui l'attention des savants du monde entier.

En 1957, la Chine entreprend systématiquement l'étude de l'Acupuncture de l'oreille.

Actuellement, on admet que le foetus «in utero» peut s'inscrire dans le pavillon de l'oreille. Au moment de l'embryogénèse, l'organisme envoie une émanation réflexe à l'oreille. En piquant l'emplacement théorique où s'inscrit le foetus, on agit sur la partie du corps correspondante. Le plus difficile est de trouver l'emplacement exact du point. Il existe des appareils de détection.

Un petit tuyau simple : rechercher à l'aide d'un stylo à bille, en appuyant d'une manière constante sur la partie correspondante, un point douloureux ou le «signe du godet» (léger enfoncement persistant quelques secondes), y enfoncer une aiguille d'une profondeur de 1mm., laisser en place 5 minutes.

Les résultats sont sensationnels.

Les non-médecins, ne pouvant utiliser les aiguilles, peuvent agir sur le point en appuyant 2 minutes avec la pointe d'un stylo à bille.

HOMÉOPATHIE

Le père de l'HOMÉOPATHIE est le Docteur HAHNEMANN.

Elle est basée sur deux principes :

1) *Loi des semblables.*

   Les semblables sont guéris par les semblables «Similia similibus curantur». Le semblable est le remède dont l'administration, à doses pondérales détermine chez le sujet sain des symptômes semblables à ceux que présente le malade à traiter.

2) *Loi des doses infinitésimales* qui est le corollaire de la précédente loi.

   La guérison des troubles causés par des doses pondérales dites «allopathiques», est obtenue par le même médicament à doses infinitésimales.

   Prenons un exemple :

   L'IPECA à doses pondérales fait vomir ; à doses infinitésimales il arrête les vomissements, quelle qu'en soit la cause.

   Moins il y a de médicaments, c'est-à-dire plus la dilution est élevée, plus grande est l'activité. Les dilutions très élevées sont à manipuler avec précaution et réservées aux praticiens avertis. Cela paraît aberrant et pourtant ça marche ! Pour l'admettre, imaginons que par dilutions on arrive à isoler un atome du médicament et que celui-ci, au contact de l'organisme, explose en libérant une quantité énorme d'énergie à l'échelon de l'atome. Dans les doses pondérales, les atomes comprimés ne peuvent pas exploser, donc ils libèrent peu d'énergie.

   Les dilutions s'expriment en décimales ou X
   ou en centésimales homéopathiques ou CH

   Le principe de la dilution est le suivant :

   Le produit de base est dit «teinture mère» ou TM

   1 goutte de TM dans 9 gouttes de solvant = 1ère décimale ou 1 X

   1 goutte de la dilution dans 9 gouttes de solvant = 2ème décimale ou 2 X

   1 goutte de la nouvelle dilution dans 9 gouttes de solvant = 3ème décimale ou 3 X

   etc... jusqu'à la 9ème décimale.

   Ce sont des doses semi-pondérales peu actives.

HOMÉOPATHIE

Les centésimales homéopathiques «CH» s'obtiennent ainsi :

1 goutte de TM dans 99 gouttes de solvant = 1ère CH

1 goutte de la nouvelle dilution dans 99 gouttes de solvant = 2ème CH

... et ainsi de suite ...

Les basses dilutions sont stimulantes (des décimales jusqu'à 5° CH)

Les moyennes dilutions sont équilibrantes (7° CH)

Les hautes dilutions sont freinatrices (9° CH et au-delà).

Après chaque dilution le récipient est secoué 100 fois.

3) *Présentations*

- *La dose* – se prend en une fois. Mettre la totalité du contenu du tube dans la bouche et sucer. Très petits grains de sucre, comme du sable.
- *Les granules* – grains de sucre ronds de la taille d'une grosse lentille. Se prennent par 2 ou 3. L'équivalent de la dose est 5 à 10 granules à la fois.

  Il est impératif de ne pas les toucher avec les doigts. Le médicament étant en très petite quantité et à la surface du granule, serait détruit au contact de la transpiration.
- *Les gouttes* – se prennent dans un peu d'eau ou mieux, directement sur la langue.
- *Les comprimés* – en général à sucer, quelquefois à avaler
- *Les ampoules* – injectables
  en absorption perlinguale (sous la langue)
- *Les ovules.*
- *Les suppositoires* – le soir au coucher.

– Les médicaments homéopathiques se prennent en dehors des repas (1 heure avant ou deux heures après).

– Il est recommandé de ne pas absorber de menthe, sous aucune forme ; utiliser un dentifrice homéopathique, les autres contenant du menthol.

– Les médicaments homéopathiques ont à leur base à peu près de tout : plantes, produits animaux, insectes, produits chimiques, hormones, etc...

– Les gouttes et granules peuvent contenir un seul produit (Unitaires) ou des formules composées à formuler ou en spécialités.

HOMÉOPATHIE

- La phytothérapie utilise des plantes.
- La gemmothérapie utilise des bourgeons, des racines, des radicelles.
- L'organothérapie utilise des organes.
- L'isothérapie utilise des secrétions du malade lui-même, différentes suivant l'affection en cause, en dilutions homéopathiques.
- On peut y intégrer l'aromathérapie.

Toutes ces doses inexistantes, ces produits bizarres peuvent paraître illogiques, mais c'est au contraire très sérieux et les résultats sont indiscutables.

Personnellement, j'utilise toujours l'association de base — acupuncture-homéopathie — avec, suivant les cas, l'adjonction de techniques diverses complémentaires : vertébrothérapie, ultraviolets, régimes alimentaires, etc...

MANIPULATIONS VERTÉBRALES

Cette technique a été mise au point par les Américains sous le nom de «chiropraxie». Elle consiste en grande partie à agir sur les vertèbres par pression ou percussion.

En France nous utilisons des méthodes plus douces, des torsions des segments du corps.

Je me garderai bien de donner le moindre « tuyau » pratique. Ces manipulations sont strictement réservées aux Médecins expérimentés. Pratiquées par des profanes, elles sont dangereuses.

L'homme est un quadrupède qui s'est relevé. La colonne vertébrale verticale est une aberration mécanique : 26 petits os mobiles posés les uns sur les autres et 4 à 5 os soudés, articulés sur le bassin, joints à des membres mobiles portant des charges énormes en des positions invraisemblables. Les parties de cet ensemble sont reliées entre elles et au reste du squelette,d'une manière très lâche,par des muscles plus ou moins mous et distendus et des articulations très souples.

Logiquement ça ne peut pas tenir, mais ça tient... en principe, car au cours de la vie, d'infimes déplacements se produisent (que nous appelons subluxations vertébrales, niées par la médecine officielle car non visibles à la radiographie).

Transigeons en admettant que tout se passe comme si elles existaient. En «remettant en place» ces subluxations, on entend un craquement et le malade est soulagé ou guéri. Plus le craquement est important, plus spectaculaire est la guérison.

Le principe de l'apparition des maladies à la suite des déplacements de vertèbres est le suivant :

Le cerveau est constitué par l'ensemble des cellules nerveuses. De ces cellules partent les cylindraxes que l'on appelle nerfs. Ceux-ci descendent à l'intérieur de la colonne vertébrale en constituant la moelle épinière. Au niveau de chaque vertèbre,les nerfs se séparent de la moelle par les trous de conjugaison et chacun va apporter à l'organe correspondant,l'influx nerveux qui est indispensable à son bon fonctionnement.

La vertèbre «déplacée» cause une souffrance locale des tissus environnants, des phénomènes congestifs apparaissent qui, comprimant le nerf, gênent le passage de l'influx nerveux.

MANIPULATIONS VERTÉBRALES

La partie du corps ne recevant pas assez d'énergie nerveuse souffre, son fonctionnement est altéré et ses tissus sont réceptifs à la prolifération des microbes.

Les manipulations vertébrales ont aussi un effet préventif et sont pratiquées systématiquement, une à deux fois par an, par certaines firmes américaines sur l'ensemble du personnel.

En prévenant les petites gênes circulatoires, les manipulations favorisent le maintien de la santé et diminuent l'absentéisme.

Des manipulations répétées à intervalles trop rapprochés me paraissent nuisibles. Personnellement, j'en fais 2 à 3 séances qui sont suffisantes pour assurer la guérison. A chaque séance, je manipule systématiquement toute la colonne vertébrale, ce qui procure des guérisons beaucoup plus stables.

CONDITIONNEMENT DE L'ORGANISME

La traduction pratique de ce mot est tout simplement SUGGESTION.
L'être humain est éminemment suggestionnable ; les entreprises de publicité ont été créés pour celà. On cherche de tous les côtés et à tous les niveaux à nous conditionner pour :

à un bas niveau, nous faire acheter tel dentifrice, détergent, véhicule...

à un niveau plus élevé, nous donner telle ou telle orientation sociale ou politique.

au plus haut niveau, à nous guider dans la bonne voie : religieuse, patriotique, humanitaire... etc...

Tout le monde connaît celà.
A peu près tout le monde ignore que le corps physique peut également être suggestionné.

Deux facteurs jouent dans ce sens :

1) Le psychisme.
2) La loi suivant laquelle toute action entraîne une réaction.

– Notre psychisme comporte trois étages.

1) L'étage supérieur ou *superconscient* (pensée, idéation, morale, affectivité, amour...)
   est un principe mâle, *fécondant*
2) L'étage moyen ou *conscient*
3) L'étage inférieur ou *subconscient*.
   Il préside à la vie végétative.
   Il représente l'élément femelle, *fécondable*

Toute excitation psychique retentit sur le physique.

Toute atteinte organique a une répercussion sur le psychisme.

PAVLOV, par ses célèbres expériences sur les réflexes conditionnés, a concrétisé cet effet.

En voici un bref résumé.
On introduit une sonde dans l'estomac d'un chien.
Si on lui présente une patée alléchante, il secrète du suc gastrique qui sort par la sonde et que l'on peut mesurer. Ensuite, chaque fois qu'on lui apporte de la nourriture, on produit un son, toujours le même.

Quelque temps après, la production de ce son, sans présentation d'aliment, déclenche la sécrétion du suc gastrique.

CONDITIONNEMENT DE L'ORGANISME

Si l'on veut se réveiller à une heure fixe, au coucher penser fortement à cette heure. Le subconscient nous réveillera à l'heure fixée.
Si vous n'êtes pas sûr de votre subconscient, achetez un réveil.

Quand on a une décision importante à prendre, y penser avec intensité, envisager tous les aspects, toutes les conséquences ; puis l'oublier.
Quelque temps après, la solution surgira toute seule du subconscient.

Quand on veut quelque chose avec la certitude absolue de l'obtenir et que l'on possède un psychisme très fort, on l'obtient... en principe.

UTILISATION DE LA LOI « ACTION – RÉACTION » EN VUE DE LA LUTTE CONTRE CERTAINES AFFECTIONS

LUTTE CONTRE LA SÉBORRHÉE DU CUIR CHEVELU

Le cuir chevelu est normalement un peu gras.

Le fait de le dessécher avec des shampoings fréquents, l'incite à augmenter sa production de sébum, ce qui augmente la séborrhée.

J'estime qu'en général le shampoing hebdomadaire est parfait.

Mon traitement de « CULTURE CAPILLAIRE » est très efficace.

CONDITIONNEMENT DE L'ORGANISME

LUTTE CONTRE L'ACIDITÉ GASTRIQUE

Le contenu de l'estomac est physiologiquement légèrement acide.

Quant il devient exagérément acide,le patient ressent des brûlures d'estomac. La réponse thérapeutique habituelle est de neutraliser cette acidité par une base.

Apparemment logique... en éprouvette , mais pas sur un organisme vivant ; l'estomac ne veut pas être basique, il réagit donc en fabriquant de l'acide mais comme la réaction dépasse toujours l'action,il en fabrique trop et quelques heures après il se retrouve encore plus acide; le malade retrouve ses brûlures d'estomac, reprend une base et le cycle infernal de la gastrite chronique est soigneusement entretenu.

Combien d'estomacs ont été délabrés par les innombrables tonnes de bicarbonate de soude, de lithinés, de magnésies... qui sont censés «faciliter» la digestion.

Combien de tonnes d'acide chlorhydrique ont été fabriquées par les malheureuses muqueuses gastriques humaines, ainsi surentraînées dans cette lutte *acide-base* ?

La logique ne serait-elle pas de traiter l'hyperacidité gastrique, les «brûlures d'estomac», par un acide léger (par exemple une pepsine acide). L'augmentation artificielle d'acidité inciterait alors l'estomac à ralentir sa fabrication. Les résultats immédiats seraient moins brillants, mais à longue échéance les petits inconvénients entraînés se révèleraient payants.

LUTTE CONTRE LA RÉTENTION D'EAU

Un grand nombre de femmes présentent cette forme particulière d'obésité due à la rétention d'une certaine quantité d'eau dans l'organisme.

Les facteurs qui règlent le métabolisme de l'eau sont multiples, complexes, mal connus. Notre action sur eux n'est pas très brillante. Je n'ai pas la prétention de solutionner ces problèmes, mais tout de même, un peu de logique et de bon sens devraient être à la base de toute thérapeutique, en particulier dans cette affection.

CONDITIONNEMENT DE L'ORGANISME

Deux traitements, contre lesquels je m'oppose vigoureusement, sont habituellement utilisés, combien largement et à grands renforts de publicité pour le premier :

Ce qu'il ne faut pas faire

1) Laver l'organisme à l'aide d'une énorme quantité d'eau.
Toute femme qui veut perdre du poids a bu, boit et boira 2 à 3 litres d'eau par jour pour laver les cellules de son organisme, pour en chasser les impuretés.

Le débarrasser des impuretés, des toxines d'accord, c'est indispensable, je donne divers conseils à ce sujet dans plusieurs chapitres ; mais soyons logiques, on veut obliger cet organisme qui ne peut pas éliminer une petite quantité de liquide superflu, à en ingurgiter quelques centaines de litres (2 à 3 litres par jour multipliés par X jours, mois, ou années).

On veut obliger ce rein fatigué à un travail énorme.

Je ne me souviens pas avoir entendu des voix autorisées s'élever contre cette pratique.

2) Il ne faut pas prendre des *diurétiques.* les attaques contre l'abus de cette pratique se font de plus en plus nombreuses.

L'organisme ne veut pas éliminer l'eau, on lui donne des produits étrangers qui l'obligent à le faire ; résultats, au premier verre d'eau il reconstitue ses réserves ; ce qui est plus grave, c'est que pour se prémunir contre cette agression, il augmente les réserves en question, garde encore plus d'eau.

Leur emploi doit être très rare et réservé à certains œdèmes particuliers.

Je n'ai malheureusement pas de solution miraculeuse à offrir, mais de petits moyens qui donnent souvent de très bons résultats, quelquefois sont inefficaces, mais toujours sans dangers.

Ce qu'il faut faire

1) Absorber en petite quantité les aliments, fruits ou légumes contenant de l'eau.

2) Boire l'eau en très petite quantité et très fréquemment, de l'ordre de grandeur suivant : une cuillerée à café toutes les demi-heures.

3) Mettre les reins au repos de temps à autre. Par exemple, faire 36 heures de lit (ne se lever que pour aller à la toilette), en absorbant le liquide par cuillerées à café.

4) Faire de temps à autres 3 jours de *jeûne* (voir chapitre correspondant).

5) On peut adjoindre de l'homéopathie qui n'est pas traumatisante : PILOSELLA – teinture mère 60 ml.

– 60 gouttes dans un verre d'eau à boire par cuillérées à café dans la journée.

LUTTE CONTRE LA GRAISSE

– Impérativement : suppression des lipides et des glucides.
C'est-à-dire des matières grasses, des sucres, et des aliments qui en contiennent.

– Manger peu.

«On creuse sa tombe avec ses dents».

Dans nos pays dits riches, nous mangeons trop et trop bien.

Manger beaucoup, ne faire aucune économie sur la nourriture, ne sont pas des remèdes de santé et de longévité ; bien au contraire.

– Augmenter la part des céréales dans l'alimentation (voir macrobiotique).

– Fractionner l'alimentation. Faire au moins 5 repas par jour (diviser en 5 parts inégales et non multiplier par 5).

Le repas unique est une hérésie, l'organisme sachant qu'il va jeûner pendant 23 heures fait des réserves. En lui donnant à manger toute la journée on le dégoûte et il élimine les réserves.

CONDITIONNEMENT DE L'ORGANISME

LUTTE CONTRE LA TEMPÉRATURE

La sensation de chaud et de froid est un phénomène subjectif. En dehors des chauffages et vêtements divers, voici quelques conseils pour être bien dans sa peau.

Lutte contre le froid

En hiver, quand on est resté longtemps immobile dans une pièce, il arrive que l'on ait une sensation de froid et que l'on soit obligé d'augmenter le chauffage.

- On peut, plus ou moins couvert, aller durant quelques minutes s'exposer à une température plus froide. Quand on revient, on trouve la pièce chaude. Cette sensation persiste longtemps.

- *Douche* – Douche écossaise ou douche simple, en commençant par une eau très chaude et finissant par une eau très froide.

Lutte contre le chaud

Il est plus difficile de lutter contre la chaleur que contre le froid.

- *Douche* – Faire l'inverse, commencer par le froid et terminer par le brûlant.

- Respiration rafraichissante – voir yoga –.

PRÉVENTION DE LA MALADIE

Ce chapitre est le plus important de l'ouvrage.
Il est à lire, relire... et à mettre en pratique.

Le meilleur moyen de ne jamais être malade est d'être toujours en bonne santé.

Cet axiome apparemment naif et évident,est au contraire plein de bon sens et constitue *la clef de la Santé.*

Celui qui en comprend le sens et le met en pratique a peu de chances d'être malade.

La maladie n'est pas un accident qui vous tombe dessus comme une cheminée un jour de grand vent, elle est longuement préparée. Même le microbe ne nous assaille pas brutalement, il ne colonise pas sur un organisme résistant et ne peut vivre que si celui-ci est affaibli.

Au lieu de contracter une «assurance maladie» il est préférable, par la pratique de petits et grands moyens dont je vous indique ici un certain nombre, d'acquérir une «immunité anti-tout», une «assurance santé».

Tout est énergie, l'énergie est tout

Cette LOI a été découverte par Hermes il y a quelques cinq mille ans et formulée ainsi : « Tout est esprit, l'esprit est tout » marquant bien la prédominence de l'esprit sur la matière. Celà ne paraissait être jusqu'à notre époque qu'une vue de l'esprit. La science moderne par l'étude de l'électricité, de l'électronique..., la découverte de la composition de l'atome (un noyau d'énergie positive autour duquel gravitent des noyaux d'énergie négative), a prouvé que l'énergie était bien le facteur commun reliant l'infinie diversité de l'Univers. Du minéral à la pensée créatrice, tout n'est que formes diverses de la seule énergie. Cet ouvrage étant un Mémento pratique et non une Encyclopédie Universelle, j'arrête là mon exposé car cette conception mériterait à elle seule un volume entier.

Tous les conseils qui vont suivre sont basés sur la manière d'utiliser l'énergie.

Il existe beaucoup d'autres méthodes très bénéfiques que je n'exclus nullement, mais que je ne citerai pas étant limité par le manque de place.

PRÉVENTION DE LA MALADIE

Schéma des différents exposés de ce chapitre

– Suivre les lois de l'*Harmonie Universelle*, de l'*Énergie Universelle.*

– Respecter la *Loi de Polarité.*

– *Renforcer l'organisme.* Le conditionner contre toutes les agressions. Le mettre à même de mieux assimiler l'énergie, de mieux l'utiliser.

– Dans notre ambiance de *pollution*, de *stress* externe et interne, la *désintoxication* de l'organisme est pratiquement indispensable.

– Essayer d'éviter autant que possible la maladie elle-même en soignant le malade dès les *premiers signes de dérèglement* ou mieux, en tentant de les précéder.

– *Guérir* le malade quand on n'a pas pu lui conserver la santé. Cet ouvrage donne quelques conseils sur un certain nombre de maladies.

Je détaillerai cet exposé à l'envers, en commençant par la partie matérielle qui est la plus facile.

GUÉRISON DE LA MALADIE

Les grands Médecins chinois ne s'occupaient pas, paraît-il, des malades ; ils abandonnaient cette vile activité, indigne de leur science, aux sorciers de village. La valeur d'un Médecin se prouvant par le maintien de la santé de ses clients, il allait les voir à leur domicile aux jours et heures fixés par leur thème astral..., pratique peu compatible avec la vie moderne. Je suis persuadé que les Médecins chinois actuels exercent rarement leur art de cette manière.

Les moyens les plus efficaces sont, d'après mon expérience personnelle, l'acupuncture, l'homéopathie, les manipulations vertébrales.

Je donne dans ce livre quelques « tuyaux » éprouvés, en précisant bien qu'ils ne constituent qu'un schéma et qu'on n'obtient souvent la guérison qu'en personnalisant le traitement.

Évidemment pas question d'exclure la chirurgie, les médicaments majeurs ou

GUÉRISON DE LA MALADIE

mineurs (des antibiotiques à l'aspirine), et autres techniques... quand ils sont nécessaires. Toutes les découvertes modernes dans le domaine médical sont valables mais on leur donne trop d'importance et on a trop tendance à confier le malade – diagnostic et traitement compris – aux machines, à tout mettre en équations. La Médecine n'est pas et ne sera jamais, dans l'état actuel de nos connaissances, une science exacte. C'est un art basé sur de solides connaissances. J'insiste simplement sur le fait que techniques et médicaments devraient être des auxiliaires du Médecin mais que, malheureusement, ils en sont devenus les maîtres ; que la personnalité morbide du malade est systématiquement méprisée, ignorée. Je veux attirer l'attention sur l'incroyable efficacité des méthodes que je préconise en donnant quelques conseils simples, efficaces, faciles à utiliser et qui, j'espère, donneront aux sceptiques l'envie d'étendre leurs recherches dans cette direction.

Ces thérapeutiques sont rapides ; nous pouvons parler souvent de guérisons réelles, pas à 100% mais dans des proportions très importantes. Les récidives ne surviennent qu'après un temps très long, le tout dépendant évidemment de chaque cas particulier.

SURVEILLANCE DE LA SANTÉ

ACUPUNCTURE

J'ai déjà signalé que par l'étude du thème astral on pouvait savoir quelle action la conjonction des astres exerçait sur un organisme humain déterminé, si elle était bonne ou mauvaise et sur quels organes elle agissait. Peu de Médecins sont à même de pratiquer cette méthode.

Un autre moyen de diagnostic, plus à notre portée, est la prise des «*pouls chinois*». En prenant le pouls au poignet, d'une certaine manière, on peut étudier quatorze pouls (7 à chaque poignet), chacun correspondant à un organe différent. Je crois, opinion strictement personnelle, que la pratique de la médecine journalière rend cette méthode de diagnostic aléatoire, ayant lu que les «pouls» devaient être pris au réveil, après une nuit calme... Pas très fonctionnel ! Je les prends rarement. Il est plus commode de voir périodiquement le patient, l'écouter parler, utiliser les moyens diagnostiques classiques, faire un examen clinique et traiter ce qui paraît déficient. Car *nous*, nous avons la possibilité de fortifier préventivement l'organisme, les organes... et éviter, dans une certaine mesure, l'apparition de la maladie.

SURVEILLANCE DE LA SANTÉ

ALIMENTATION (Voir chapitre correspondant).

Nous commettons d'énormes erreurs alimentaires : trop de nourriture et trop riche, trop de matières grasses, trop de sucre, trop d'alcool, pas assez de céréales et repas mal équilibrés. Donc beaucoup de mauvaises habitudes à corriger.

Il y a mieux : le régime céréalien d'origine japonaise «Macrobiotique» qui, suivi avec modération et non considéré comme une religion, est excellent au point de vue préventif et curatif (voir chapitre correspondant).

RENFORCEMENT DE L'ORGANISME

On peut fortifier l'organisme en le conditionnant, c'est-à-dire en l'entraînant contre le maximum d'agressions et en l'habituant ainsi à réagir. Quand il sera attaqué par un microbe ou une affection inattendue, ses possibilités de défense étant augmentées par un entraînement fréquent à réagir, seront à même de lutter plus efficacement contre le stress inattendu.

- Il n'est pas sain de «vivre dans du coton» en évitant toute sensation désagréable. Il faut avoir *chaud et froid, faim et soif,* ne pas craindre la fatigue...
- La *douche écossaise* constitue un excellent mode de conditionnement. La pratique de la *sudation,* du *sauna,* élimine les toxines dans la transpiration. A défaut de pouvoir se rouler dans la neige comme dans les pays nordiques, toute sudation ou excès de chaleur doit être suivi d'une douche froide (une douche chaude occasionnerait des malaises pouvant aller jusqu'à la perte de connaissance).
- Le *naturisme* lutte, en partie, contre la pollution.
- Le *nudisme* permet aux glandes génitales (dont l'importance est primordiale) d'assimiler directement l'énergie solaire.
- Les *exercices physiques, la gymnastique, le sport,* mais pas en compétition.
- *L'alimentation.*
  L'oignon est aussi donné comme agent de longévité. Un oignon cru tous les matins permettrait de vivre centenaire.
- Les exercices de la *respiration du yoga.*

RENFORCEMENT DE L'ORGANISME

– Il est connu que la *marche pieds nus* est un excellent défatigant. Certains disent qu'un des secrets de la santé est, au lever du jour, de se promener dans la rosée, nu sous une grande chemise blanche. L'explication de cette action est mise en évidence dans les ouvrages sur l'art du massage chinois, le «DO-IN». Tous les organes ont une correspondance sur la plante des pieds et le massage de celle-ci est bénéfique pour l'organisme entier.

Marcher dans la rosée est peu compatible avec les exigences de la vie moderne dans une ville. Le massage manuel de la plante des pieds par un amateur ou un professionnel est plus fonctionnel. On peut utiliser un *coussin vibrant*. Le massage par le Vibropuncteur a une action plus spécifique et plus énergique.

Il existe une solution récente qui mériterait d'être plus connue et utilisée, ce sont des sandales dont la semelle est constituée par un nombre important de petits ergots de caoutchouc qui, au cours de la marche, effectuent un massage de la plante des pieds qui réagit sur l'organisme entier d'une manière bénéfique.
Les correspondances du pied et de l'organisme sont détaillées au chapitre «Pied».

– De multiples parties du corps ont également une correspondance avec l'organisme entier :
  – la muqueuse endo-nasale, illustrée par les travaux du Docteur VIDAL.
  – l'auriculopuncture, mise au point par le Docteur NOGIER.
  – l'iris, comme diagnostic.
  – Pour mémoire, la lecture des lignes de la main.

HARMONISATION DES POLARITÉS

L'énergie est le facteur commun et l'essence même de l'Univers. Elle est bipolaire ; tout dans notre univers est bipolaire : chaud et froid, jour et nuit, bien et mal, lumière et obscurité..., positif et négatif de l'électricité.

Il y a 5.000 ans environ, les sages de la Chine antique avaient compris, par le raisonnement, que c'était là la LOI FONDAMENTALE de l'Univers et qu'elle ne pouvait pas ne pas s'appliquer au corps humain. L'énergie extraite des aliments, de la respiration, du soleil...,circule dans le corps sous forme de deux courants (méridiens chinois) de polarités contraires : positif ou IANG, négatif ou INN. L'arrêt de la circulation d'énergie constitue la mort ; le déséquilibre entre les polarités est générateur de désordres et constitue la maladie.

HARMONISATION DES POLARITÉS

L'harmonisation de l'énergie peut se faire par :

ACUPUNCTURE CHINOISE

Le diagnostic se fait par l'étude des pouls et de divers signes.

Le traitement s'exerce par excitation des points chinois au moyen de punctures par aiguilles ou massages. Ces points chinois jouent en quelque sorte le rôle d'interrupteurs distribuant l'énergie.

ALIMENTATION

Il y a des aliments positifs, d'autres négatifs ; un équilibre est indispensable entre les deux. Dans nos pays riches, l'alimentation est beaucoup trop négative, trop INN. Il faut la rendre plus positive, la IANGUISER. Par l'étude de l'alimentation macrobiotique, on apprend à utiliser les aliments de manière à obtenir cette harmonie. La pratique de la macrobiotique d'une manière raisonnable est un facteur de prévention et de guérison des maladies.

HARMONIE PAR LA FORCE DE LA PENSÉE

La matière est de l'énergie concentrée. Contrairement à ce que pensent la plupart des gens, la pensée peut agir énormément sur la matière car elle est beaucoup plus puissante. Plus l'énergie est subtile, plus elle s'éloigne de la matière et plus elle devient efficace.

L'application de cette loi en vue de la prévention et de la guérison des maladies est primordiale.

La méthode COUÉ qui consiste à répéter «je ne suis pas malade», a eu son temps de popularité ; elle est à mon sens illogique car négativant une affirmation, elle devient en principe inefficace. Il ne faut pas nier la maladie mais ne lui accorder aucune présence, aucune possibilité d'existence, la chasser de son esprit. Et surtout *ne jamais en parler.* Si on pense à la maladie ou si on en parle, si on la soigne ou si on s'en occupe plusieurs fois par jour, on lui façonne un socle en béton dont on ne pourra jamais la déboulonner. En conséquence, je suis farouchement contre la psychanalyse et toutes les méthodes à base de psy... quelque chose (opinion personnelle et je présente toutes mes excuses aux confrères concernés).

HARMONIE PAR LA FORCE DE LA PENSÉE

Ceci est de loin le meilleur conseil que je puisse donner et la page la plus sensée et la plus utile de tout l'ouvrage.

Quelques bien-portants me croiront, ne le mettront pas en pratique, l'oublieront dès les premiers symptômes d'une affection quelconque.

Quant aux malades, tous diront : je veux bien oublier mes maux, mais eux ne m'oublient pas car ils sont bien réels et non imaginaires.

C'est faux, c'est faux, c'est faux.

Je parle bien des vraies maladies, même microbiennes. J'affirme qu'un individu à psychisme élevé, à volonté forte, qui appliquera en gros les quelques conseils élémentaires que je viens de donner, résistera beaucoup mieux à toutes les agressions, évitera d'en contracter pas mal, et si, malgré tout, il est atteint d'une maladie, il en guérira beaucoup plus vite.

Tout le monde admet que lorsque l'on a le moral, on s'en sort plus vite, mais personne ne se doute à quel point c'est vrai. Quand on n'a pas le temps d'être malade, quand on n'y pense pas, quand on ne le veut pas, quand on ne s'écoute pas, le peu de chances qu'on a de contracter une affection quelconque est incroyable.

Voici un résumé de quelques conseils pratiques que personne ne suivra :

Ne jamais parler de maladie, n'en craindre aucune.

Traiter les affections graves ou sérieuses avec peu de médicaments, seulement les essentiels.

Vous, *petits malades,* comptez le nombre de gouttes, comprimés, sirops, tisanes... que vous absorbez régulièrement ou très fréquemment, pour : dormir, uriner, aller à la selle, fortifier, mettre dans divers orifices... et *fichez-les à la poubelle.*

Mais hélas vous ne le ferez pas.

Ce sont les autres qui se soignent abusivement, vous, vous êtes un vrai malade qui ne peut se passer de soins.
Moyennant quoi plus vous vous soignez et plus vous êtes malade.

DÉSINTOXICATION

En dehors des intoxications *accidentelles* ou *volontaires* :
Tabagisme, alcoolisme, drogues diverses, excès ou erreurs divers (alimentaires ou autres).

Endogènes : création d'endotoxines par les chagrins, les soucis de toutes sortes.

Exogènes : stress physiques et psychiques, et la *pollution* que nous mangeons, buvons, respirons...

Nous sommes tous indiscutablement des INTOXIQUÉS.

Les moyens de désintoxication seront :

– ALIMENTATION : voir chapitre correspondant et macrobiotique.
– DÉPURATION : "
– JEÛNE : "

Il existe un rythme de jeûne excellent qui est le suivant :

1 jour par semaine (le vendredi chrétien en est la correspondance religieuse)

2 jours par mois : au cours de la *4e semaine,* faire 2 jours de jeûne consécutifs, ainsi que la *8e semaine.*

3 jours par trimestre : la *12e semaine,* faire 3 jours de jeûne consécutifs.

Recommencer le cycle plusieurs fois par an, suivant les convenances et besoins personnels.

ALIMENTATION

La manière de se nourrir est extrêmement importante pour la santé. Les patients nous demandent continuellement des conseils à ce sujet. Il est difficile de répondre d'une manière précise, les goûts et les besoins de chacun étant extrêmement divers.

La misère physiologique, la famine endémique des pays pauvres, l'ascétisme... sont nocifs et incompatibles avec un travail productif et une longévité normale.

A l'opposé, l'alimentation des pays dits «riches» tels la France, est également trop «riche» en quantité et en qualité :

ALIMENTATION

– en quantité : les repas sont trop abondants ; les diverses boissons, autres que l'eau, aussi .

– en qualité : trop de matières grasses (beurre, huile, porc, charcuterie, mouton, peau de volailles, veau forcé, pâtisseries...)
trop de sucre (surtout le sucre raffiné) ; les sodas, limonades, jus de fruits en boîte en contiennent beaucoup, ... sucreries, pâtisseries, confitures, pain blanc...
trop d'alcool : apéritifs, digestifs, cocktails, vin en grande quantité.

On peut consommer de tout mais en quantités moindres que celles dont nous avons l'habitude.

– pas assez de *céréales complètes.*

Mâcher beaucoup, énormément : chaque bouchée 50 fois, dans le calme.

La mastication dissocie les aliments, les rend plus faciles à digérer par imprégnation des sucs digestifs de la salive et extrait l'énergie des aliments.

La mastication prolongée permet de manger moins, d'assimiler plus, d'avoir moins de déchets à éliminer et à stocker.

Un sage hindou disait que l'on pouvait vivre avec une seule arachide par jour, à condition de la sucer. Il est évident que même si un individu doté d'un gros appétit en suçait 4 à 5 par jour, il stockerait peu de graisse, de cellulite, de culotte de cheval. Mais quel travail serait-il capable de fournir ? Ce n'est pas cela que je conseille.

CURE DE DÉSINTOXICATION : jeûne, purges.

A faire de temps à autre.
Depuis Molière et Monsieur Purgon, aucun médecin sérieux n'ose ordonner purges et lavements à titre systématique.
C'est pourtant bien utile.

EXCITANTS – ÉPICES – CAFÉ

Doivent être peu utilisés.

EN RÉSUMÉ : Manger moins
Diminuer : sucres, graisses, alcool, épices, excitants
Augmenter la consommation de céréales complètes
Mâcher, Mâcher, Mâcher...

MACROBIOTIQUE

C'est une diététique issue de la philosophie extrême-orientale : le ZEN. Elle a été élaborée et divulguée par Georges OHSAWA.

A base de céréales, cette diététique a été connue et pratiquée par tous les peuples de la terre depuis les temps les plus reculés. J'en développerai surtout la partie diététique, ne parlant de la philosophie que le minimum nécessaire à la compréhension.

Je prie le lecteur de m'excuser si je répète dans plusieurs chapitres que l'Univers est basé sur l'ÉNERGIE, que celle-ci se présente sous deux formes : positive et négative (IANG et INN chinois).

Ces termes opposés ne sont pas des entités statiques mais un processus en évolution dynamique. Le plus produit le moins et le moins produit le plus.

Le INN est la force d'expansion : centrifuge.

Le IANG est la force centripète : de contraction.

La graine (+++) est ce qu'il y a de plus contracté, de plus Iang. Ensuite viennent les racines (+ +), puis les tiges (+−). Les feuilles sont Inn (−). Les fruits (−−) sont le plus Inn.

Ceux qui s'intéressent vraiment à la macrobiotique auront intérêt à lire des ouvrages spécialisés.

L'alimentation de nos pays dits «riches», est dangereusement INN (sucres, graisses, viande, légumes, fruits).

A ceux qui, sans faire de la vraie macrobiotique, désirent pratiquer une alimentation plus saine, je conseille tout simplement d'augmenter dans leur régime normal la proportion de céréales *complètes* (pain complet, riz complet, lentilles, pois chiches...).

A mon point de vue - et mes amis macrobiotiques voudront bien m'en excuser - j'estime que l'homme étant un omnivore, la pratique exclusive de l'alimentation macrobiotique est irrationnelle et ne convient pas à tout le monde. Elle doit faire l'objet d'un choix, d'une étude et, dans ses débuts, être surveillée par des professionnels.

Il est conseillé de supprimer les excitants : café, thé, boissons alcoolisées, boissons sucrées.

Les boissons autorisées sont : eau, café de soja, thé de trois ans, thé Mu.

En macrobiotique, la quantité de boisson doit être peu abondante.

Résumé :

Lire un ouvrage de vulgarisation.
Augmenter la quantité de céréales complètes.
Mâcher énormément : 50 fois chaque bouchée.

MEMENTO

DES POINTS

D'ACUPUNCTURE

UTILISES DANS

CE LIVRE

certains " **POINTS MAITRES** " sont toujours à faire avant les autres points pour une maladie déterminée

Le nom de ceux-ci est porté

en gris dans ce mémento

OREILLE

ASTHME
CHEVEUX
COUDE
ESTOMAC
EPAULE
HANCHE
INTESTINAL
MAMMAIRE

ALLERGIE
DIAPHRAGME
GENITAL
GENOU
LOMBAIRE
PLEXUS
POUMON
THYROIDE
18° - IG « TING-KONG »
20° - TR « TSIO-SOUN »

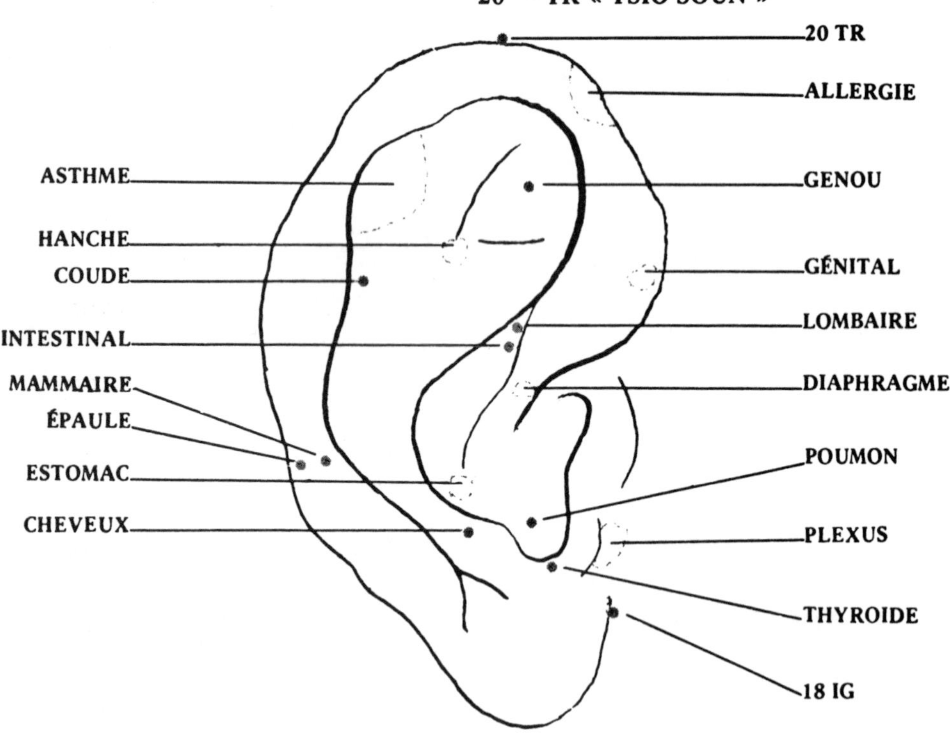

CRANE

2°	- E	« TCHRENG-TSRI »		3°	- E	« SE-PAE »
7°	- E	« TSIA-TCHRE »		6°	- E	« TI-TSRANG »
17°	- TR	« I-FONG »		20°	- GI	« ING-SIANG »
23°	- TR	« EL-MENN »		24°	- VC	« TCHRENG-TSIANG »
2°	- VB	« KRO-TCHOU-JENN »		22°	- VG	« CHANG-SING »
3°	- VB	« TRONG-TSE-TSIAO »		24°	- VG	« SOU-TSIAO »
8°	- VB	« CHOAE-KOU » (désintoxication)		25°	- VG	« CHOE-KEOU »
12°	- VB	« MOU-TCHROANG »		26°	- VG	« TOE-TOANN »

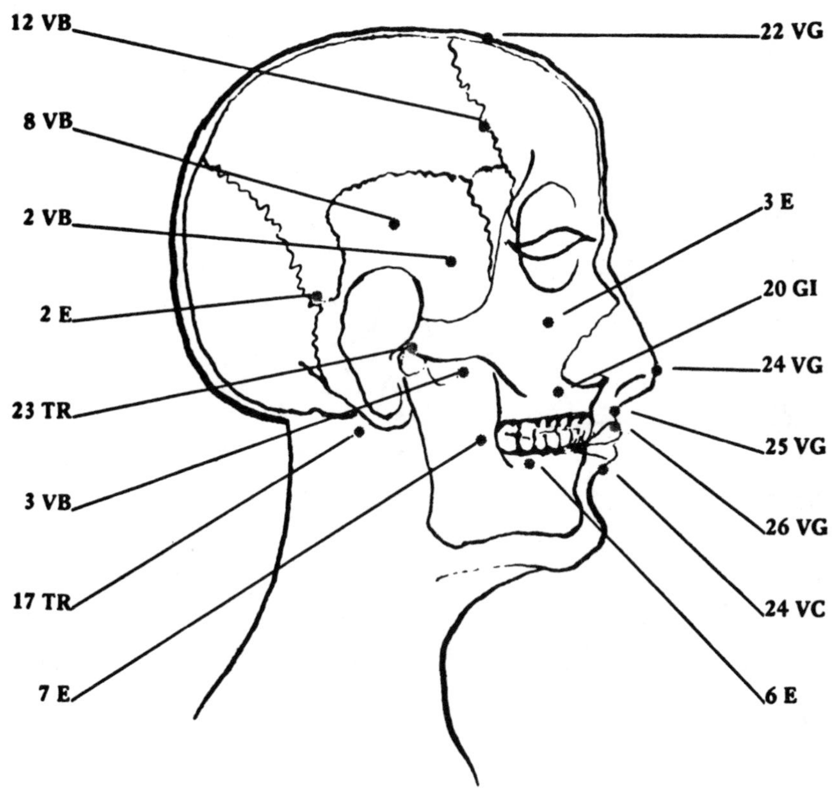

CORPS ANTÉRIEUR

15° - E	« OU-I »	15° - E	« OU-I »
28° - E	« CHOE-TAO »	28° - E	« CHOE-TAO »
1° - P	« TCHONG-FOU »	1° - P	« TCHONG-FOU »
12° - R	« TA-RO »	12° - R	« TA-RO »
4° - VC	« KOANN-IUANN » (fatigue)	3° - VC	« TCHONG-TSI »
		6° - VC	« TSRI-RAE » (fatigue)
9° - VC	« CHOE-FENN »	13° - VC	« CHANG-KOANN »
14° - VC	« TSIU-KOANN »	15° - VC	« TSIOU-OE » (fatigue)
		17° - VC	« TRANN-TCHONG » (respiration)

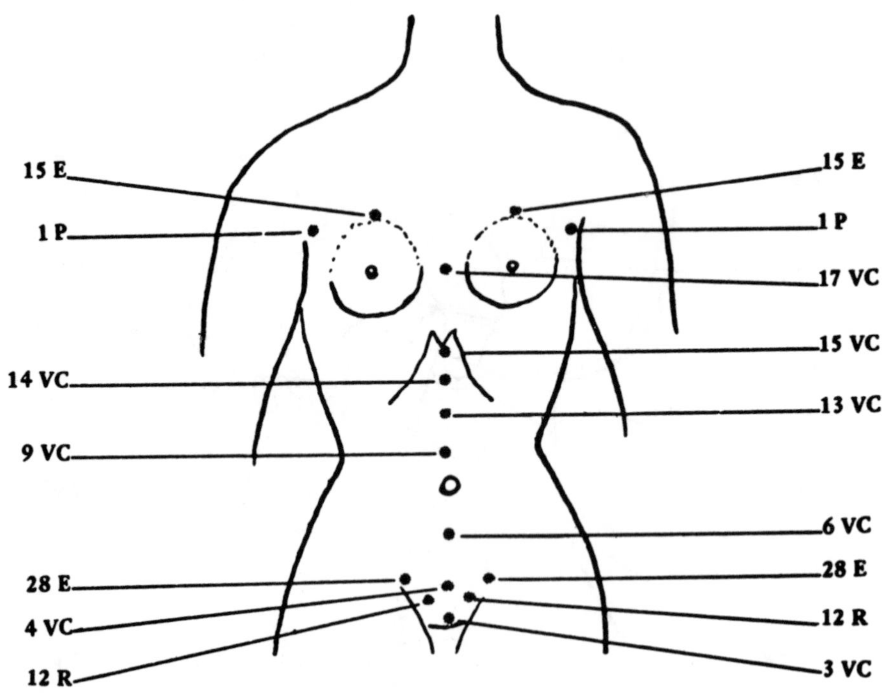

CORPS POSTÉRIEUR

8° - V « LO-TSRI »
13° - V « FEI-IU » (poumons. 100 maladies)
21° - V « OE-IU »
31° - V « CHANG-TSIAO »
38° - V « KAO-ROANG » (anémie, troubles endocriniens)
19° - VG « PAE-ROE » (nerfs, sommeil)

COCCYX

8° - V « LO-TSRI »
13° - V « FEI-IU » (poumons. 100 maladies)
21° - V « OE-IU »
31° - V « CHANG-TSIAO »
38° - V « KAO-ROANG » (anémie, troubles endocriniens)
1° - VG « TCHRANG-TSIANG »

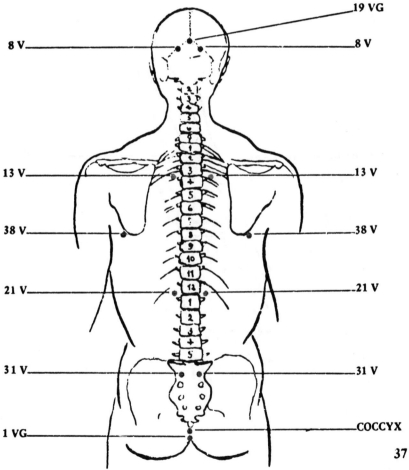

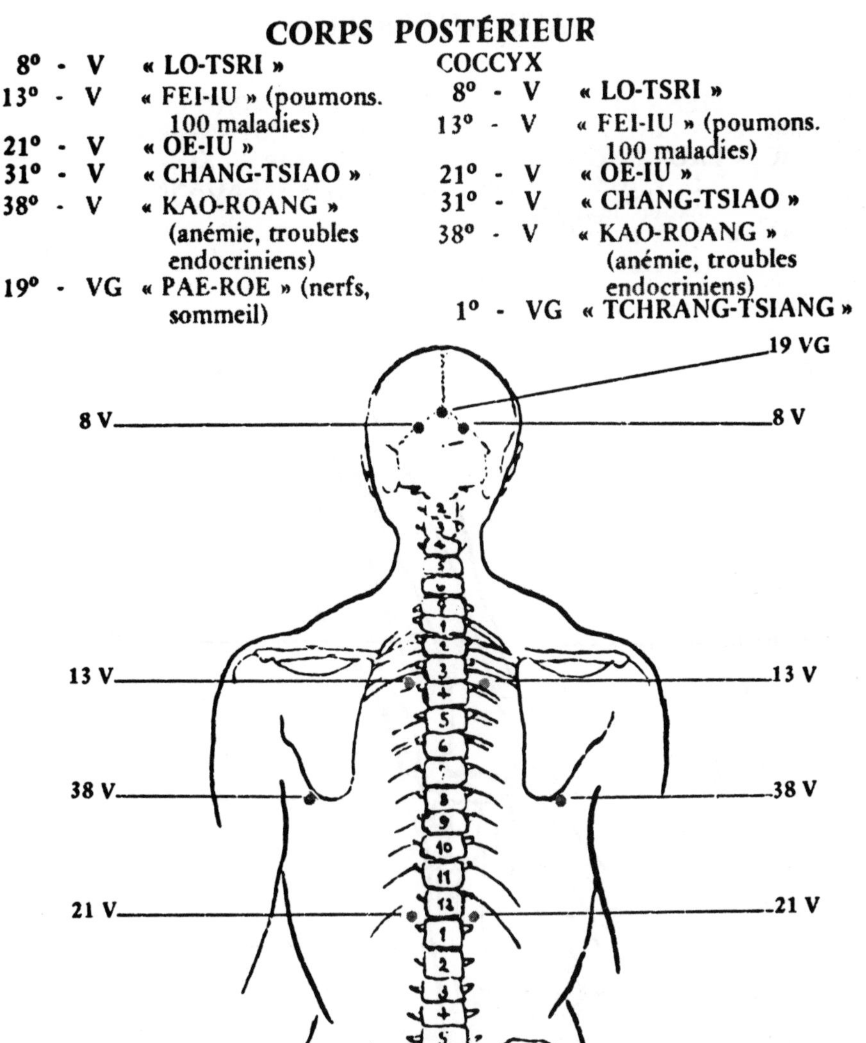

MAIN ANTÉRIEURE

6° - GI « PIENN-LI »
7° - MC « TA-LING »
8° - MC « LAO-KONG »
7° - P « LIE-TSIUE » (inflammation, brûlures)
9° - P « TRAE-IUANN » (artères)

5° - C « TRONG-LI »
7° - C « CHENN-MENN »
5° - IG « IANG-KOU »
6° - MC « NEI-KOANN »

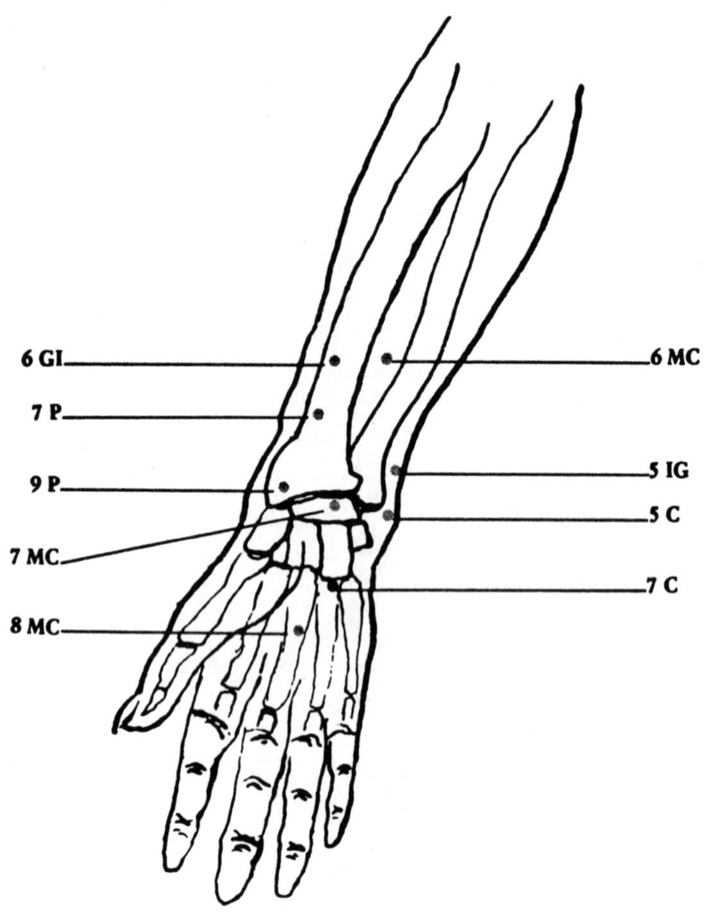

AVANT-BRAS ANTÉRIEUR

9° - P « TRAE-IUANN » (artères)

5° - P « TCHRE-TSRE »

7° - P « LIE-TSIUE » (inflammation, brûlures)

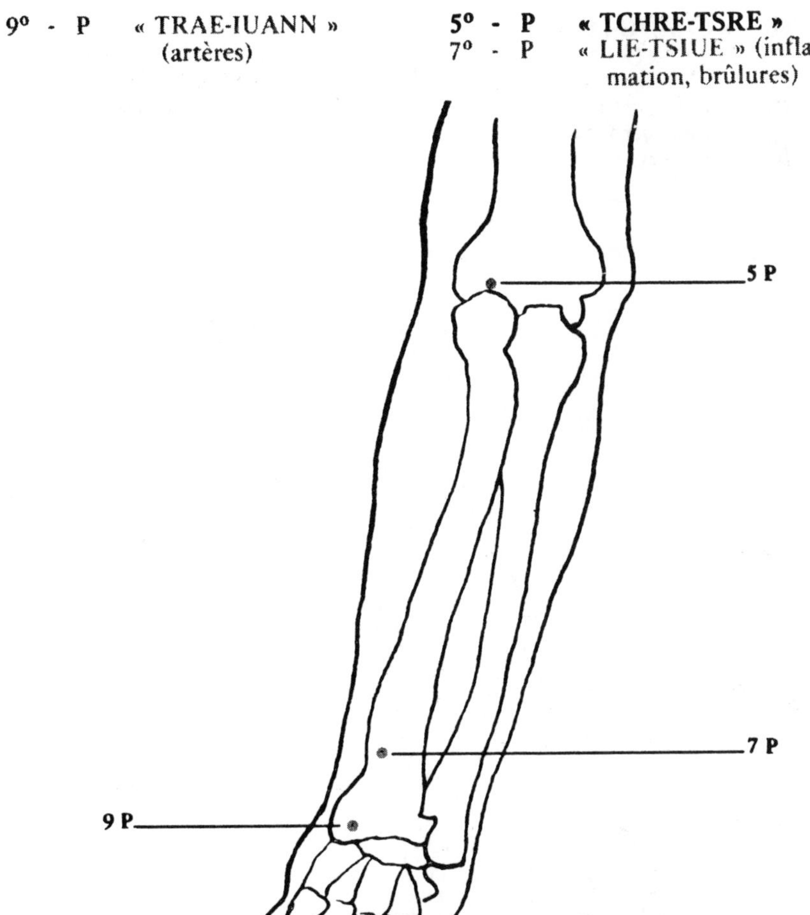

MAIN POSTÉRIEURE

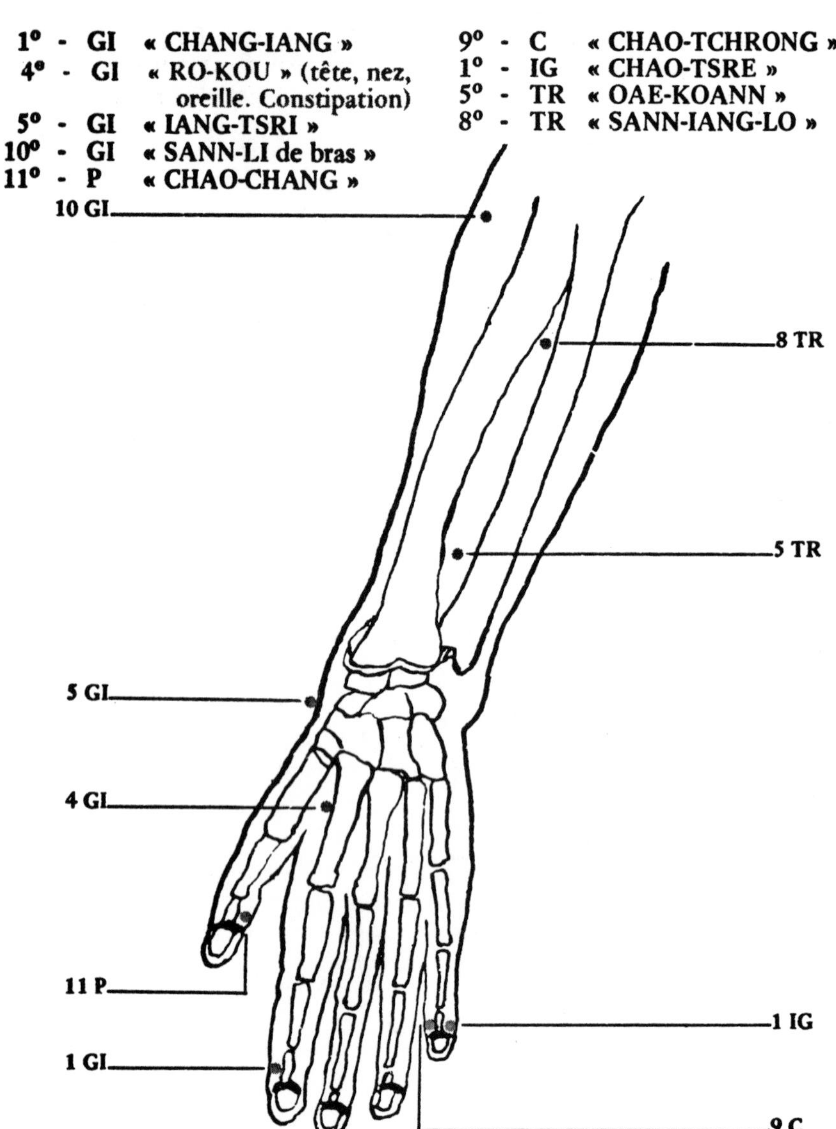
1° - GI « CHANG-IANG »
4° - GI « RO-KOU » (tête, nez, oreille. Constipation)
5° - GI « IANG-TSRI »
10° - GI « SANN-LI de bras »
11° - P « CHAO-CHANG »
9° - C « CHAO-TCHRONG »
1° - IG « CHAO-TSRE »
5° - TR « OAE-KOANN »
8° - TR « SANN-IANG-LO »
10 GI
8 TR
5 TR
5 GI
4 GI
11 P
1 IG
1 GI
9 C

AVANT-BRAS POSTÉRIEUR

10° - GI	« SANN-LI de bras »	3° - C	« CHAO-RAE »
11° - GI	« TSIOU-TCHRE »	7° - IG	« TCHE-TCHENG »
5° - TR	« OAE-KOANN »	11° - TR	« TSRING-LENG-IUANN »
8° - TR	« SANN-IANG-LO »		

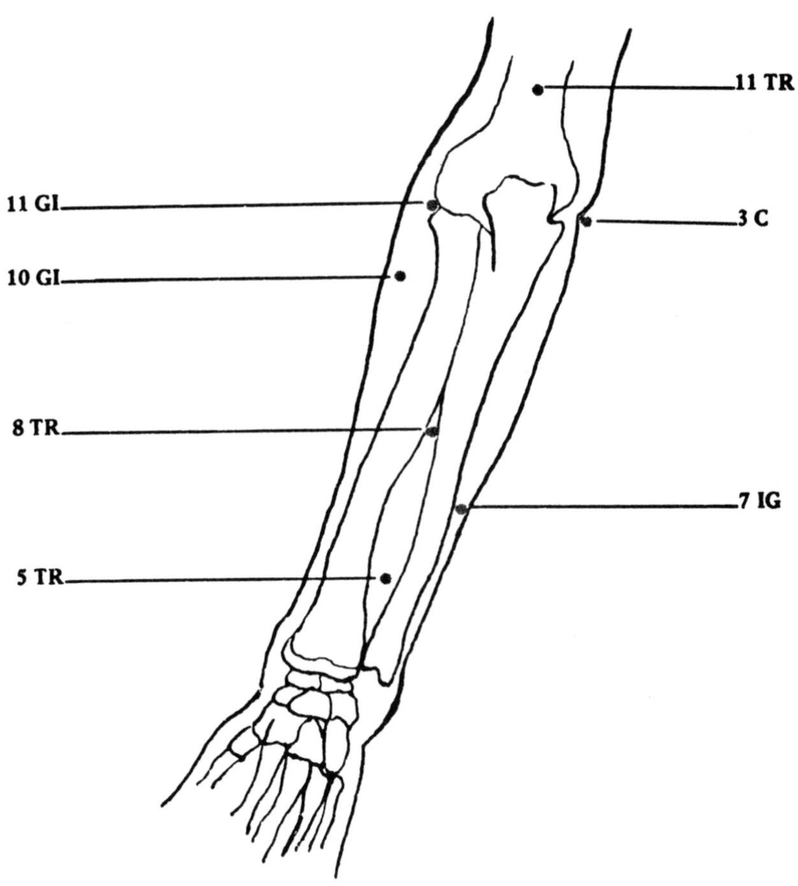

PIED EXTERNE

60° - V « KROUN-LOUN »
(maladies nerveuses)
62° - V « CHENN-MO »
65° - V « CHOU-KOU »
67° - V « TCHE-INN »

37° - VB « KOANG-MING »
38° - VB « IANG-FOU » (veines)
39° - VB « SIUANN-TCHONG »

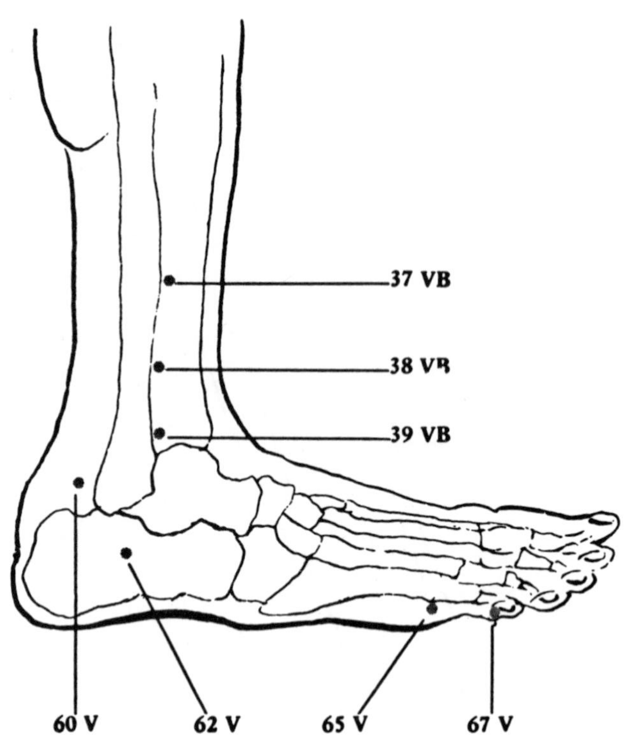

PIED INTERNE

9° - R « TSO-PINN »
6° - RP « SANN-INN-TSIAO » (nerfs)
7° - RP « LEOU-KOU »

2° - R « JENN-KOU » (sympathique)
6° - R « TA-TCHONG »
7° - R « FOU-LEOU » (tonique)

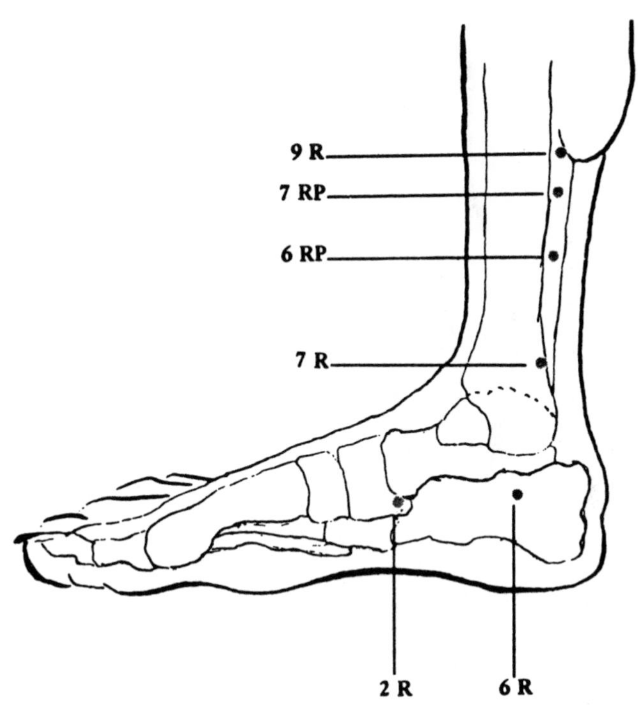

GENOU INTERNE

8° - F « TSIOU-TSIUANN »

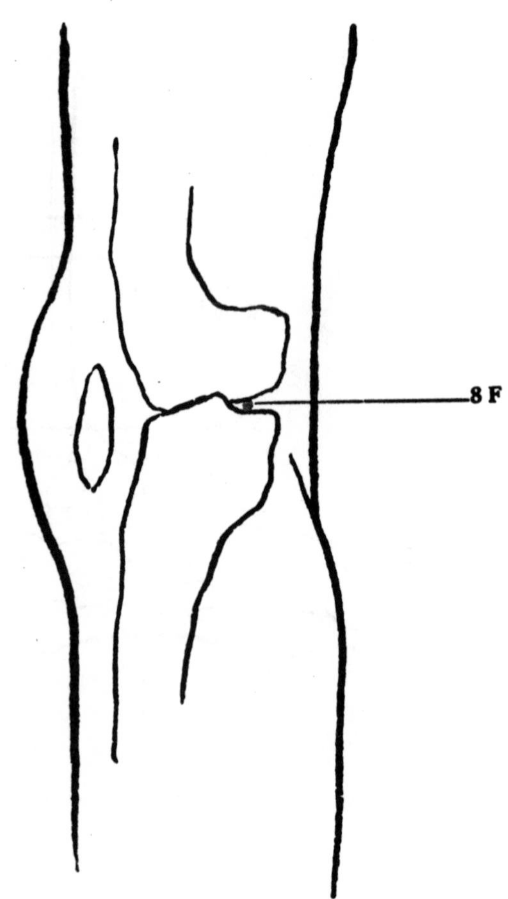

GENOU EXTERNE

34° - VB « IANG-LING-TSIUANN »

36° - E « SANN-LI de jambe » (fatigue, nerfs, céphalées)

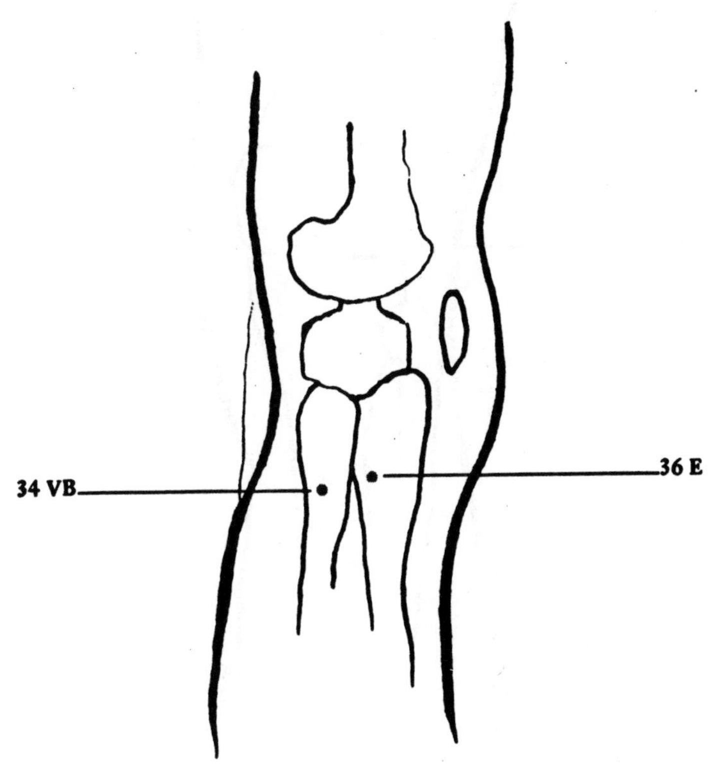

GENOU POSTÉRIEUR

54° - V « OE-TCHONG » (maladies de la peau)

52° - V « FEOU-TSRI »

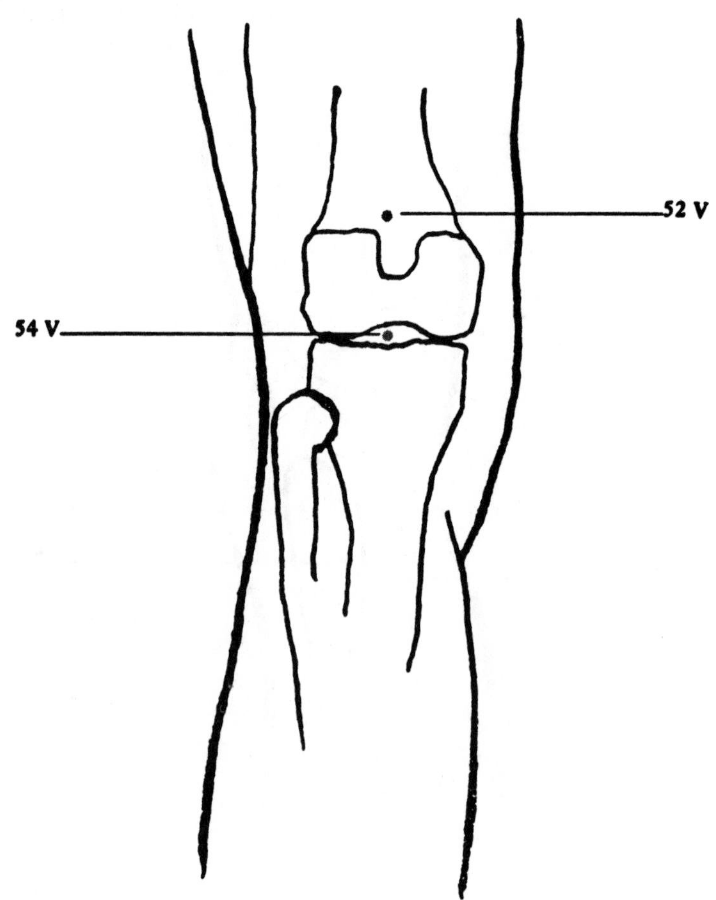

PIED ANTÉRIEUR

45° - E	« LI-TOE »		41° - E	« TSIE-TSRI »
65° - V	« CHOU-KOU »		2° - F	« SING-TSIENN »
67° - V	« TCHE-INN »		3° - F	« TRAE-TCHRONG »
			5° - RP	« CHANG-TSIOU du pied »

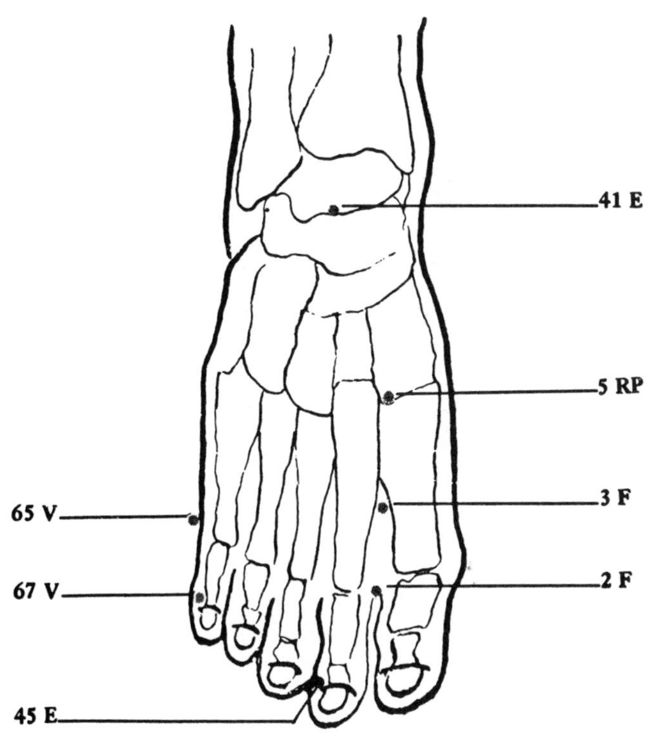

PLANTE DU PIED

1° - R « IONG-TSIUANN »

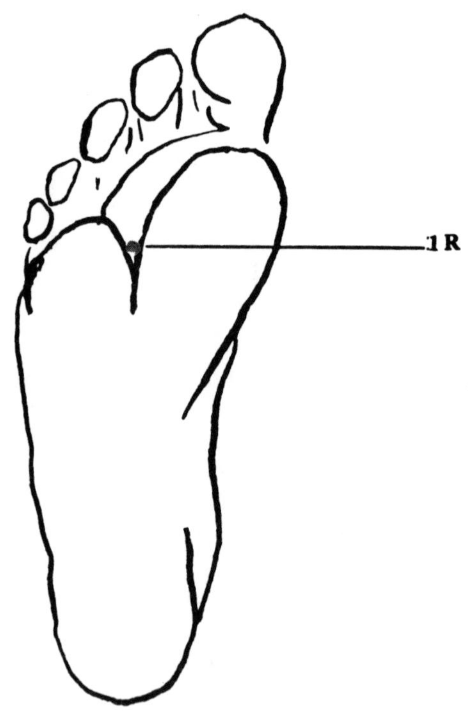

DICTIONNAIRE

DE

125 AFFECTIONS

ABCÈS

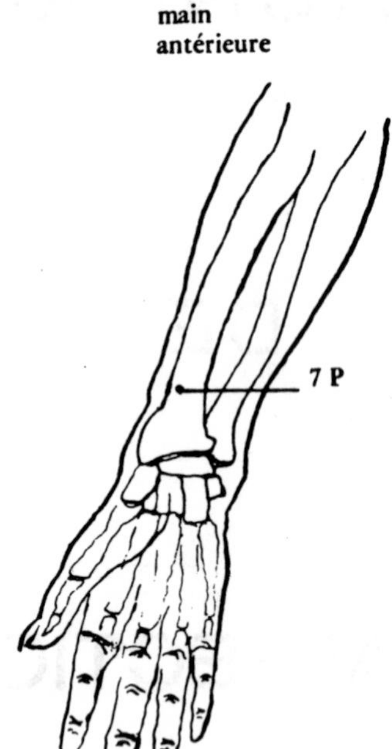

ABCÈS

Acupuncture

7° POUMONS « LIE-TSIUE » (Creux alignés)
Poignet, sur l'artère radiale, au bas de l'apophyse radiale.
Piquer entre peau et artère.

Homéopathie

ÉLECTROPHYTAL
Dose A : au lever
Dose B : 1/2h. avant le repas de midi
Dose C : au coucher

BIOTHÉRAPIQUE PYROGENIUM 5 CH
5 granules une fois par jour

Une heure après :

HEPAR SULFUR. 5CH
5 granules
à répéter toutes les 48 heures

Ce traitement est très efficace s'il est employé seul.

Il augmente l'action des antibiotiques quand ceux-ci s'avèrent indispensables.

ACNÉ

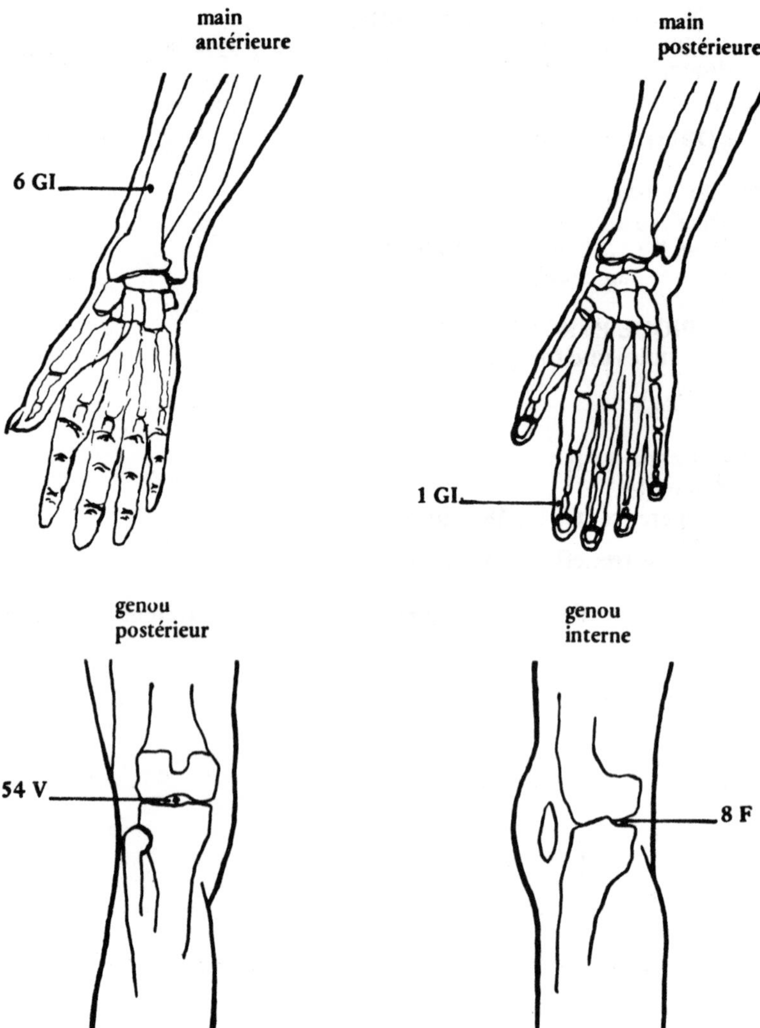
main
antérieure
main
postérieure
6 GI
1 GI
genou
postérieur
genou
interne
54 V
8 F

ACNÉ

Acupuncture

1° GROS INTESTIN « CHANG-IANG » (Iang des marchands)
2 millimètres en arrière de l'angle de l'ongle de l'index, côté pouce.

6° GROS INTESTIN « PIENN-LI » (Succession latérale)
Bord externe du radius, entre les deux radiaux, trois doigts sur tabatière anatomique.

8° FOIE « TSIOU-TSIUANN » (Source de la courbe)
Extrémité du pli de flexion du genou.

54° VESSIE « OE-TCHONG » (Médial du délégué)
Au milieu du creux poplité.

Homéopathie

DERMO-DRAINOL
10 gouttes sur la langue 3 fois par jour, loin des repas.

PRELE (poudre)
1 pincée aux repas.

— Filles à la puberté :

FOLLICULINUM 7 CH
1 suppositoire ou une ampoule perlinguale 2 fois par semaine.

Traiter, suivant les cas, l'état général et les émonctoires : règles, foie, constipation...

Après 2 à 3 séances d'acupuncture, faire un PEELING.

Puis un 2e PEELING six mois après.

Le PEELING stérilise localement et fait disparaître les petites cicatrices.

Très efficace ; spectaculaire en trois séances.

ALCOOLISME CHRONIQUE - MORPHINISME

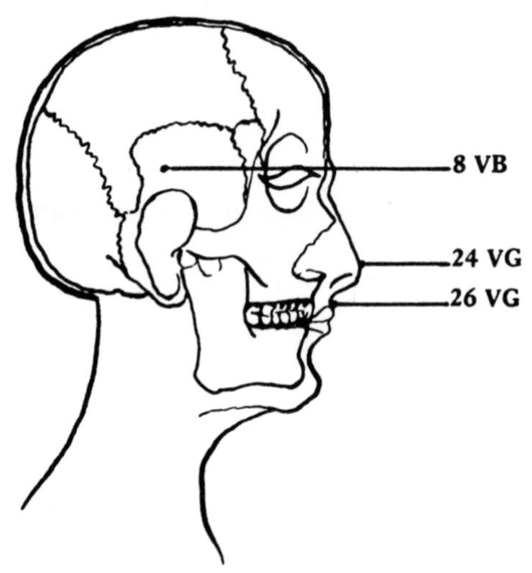

ALCOOLISME CHRONIQUE - MORPHINISME

(Alcoolisme aigu : voir IVRESSE)

Acupuncture

8° VESICULE BILIAIRE « CHOAE-KOU » (Vallée d'assemblée)
POINT PERSONNEL. Deux doigts au-dessus de l'oreille, dans l'axe.

24° VAISSEAU GOUVERNEUR « SOU-TSIAO » (Simple trou)
Au-dessus de la boule au bout du nez, ligne médiane.

26° VAISSEAU GOUVERNEUR « TOE-TOANN » (Extrémité saillante)
Lèvre supérieure, ligne médiane, à la limite de la muqueuse.

Homéopathie

– INTOXICATION ALCOOLIQUE
CAPSICUM TM 30ml
3 gouttes dans chaque litre de vin.

ANGUSTURA VERA. 4 CH 1 tube
Sucer 2 granules matin et soir.

– INTOXICATION ALCOOLIQUE ET MORPHINIQUE

GENTIANA	Complexe	Lehning N°	33	15 gouttes
LOBELIA	"	"	74	15 gouttes
LACHESIS	"	"	122	10 gouttes
NUX VOMICA	"	"	49	10 gouttes

Mélanger dans un grand verre d'eau ou dans la boisson habituelle.
A boire dans la journée par petites gorgées.

Désintoxiquer l'organisme (voir « Dépuration »)

Suivant les symptômes de chaque cas particulier, se reporter aux chapitres correspondants : nerfs, crampes...

Ce traitement sera insuffisant sans la collaboration du patient.
Il sera un adjuvant excellent des cures de désintoxication et dans les cas légers,

ALLERGIES RESPIRATOIRES

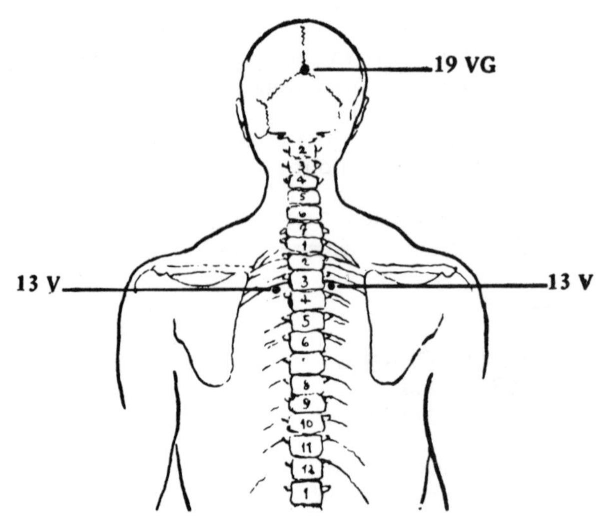

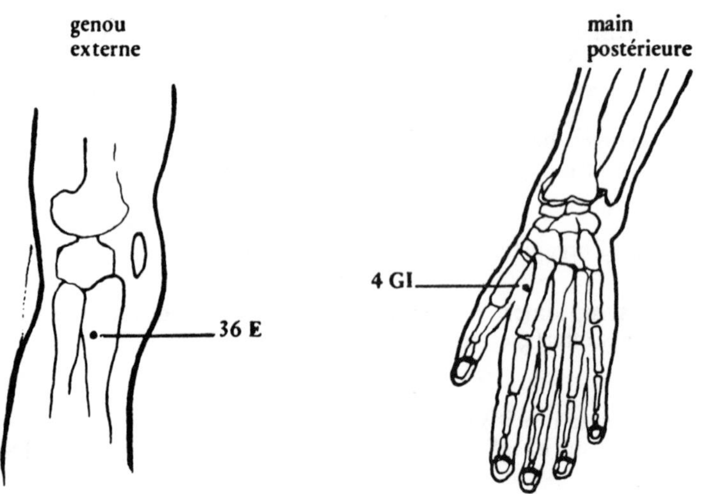

ALLERGIES RESPIRATOIRES

Acupuncture

13° VESSIE « FEI-IU » (Assentiment des poumons)
1 pouce et demi de la ligne médiane, au niveau de l'horizontale passant entre 3e et 4e vertèbres dorsales.

19° VAISSEAU GOUVERNEUR « PAE-ROE » (Les cent réunions)
Partie postéro-supérieure du crâne, limite du pariétal, dans un creux.

4° GROS INTESTIN « RO-KOU » (Fond de la vallée)
Dans l'angle formé par le métacarpien du pouce et le deuxième métacarpien, un peu en avant de la tête.

36° ESTOMAC « SANN-LI de jambe » (Divine indifférence)
Face externe de la jambe, 1/3 entre arête du tibia et tête du péroné.

Homéopathie

POUMON-HISTAMINE 7 CH
5 granules une fois par semaine.

ALLIUM CEPA COMPOSÉ
3 granules trois fois par jour, loin des repas.

AROMASOL
Quelques gouttes sur un mouchoir , respirer souvent.

IPECA 9 CH
5 granules une fois par semaine.

Ce schéma de traitement, très simplifié, réussit dans beaucoup de cas.

Si les résultats ne co-respondent pas à votre attente, consultez votre Acupuncteur.

ANÉMIE

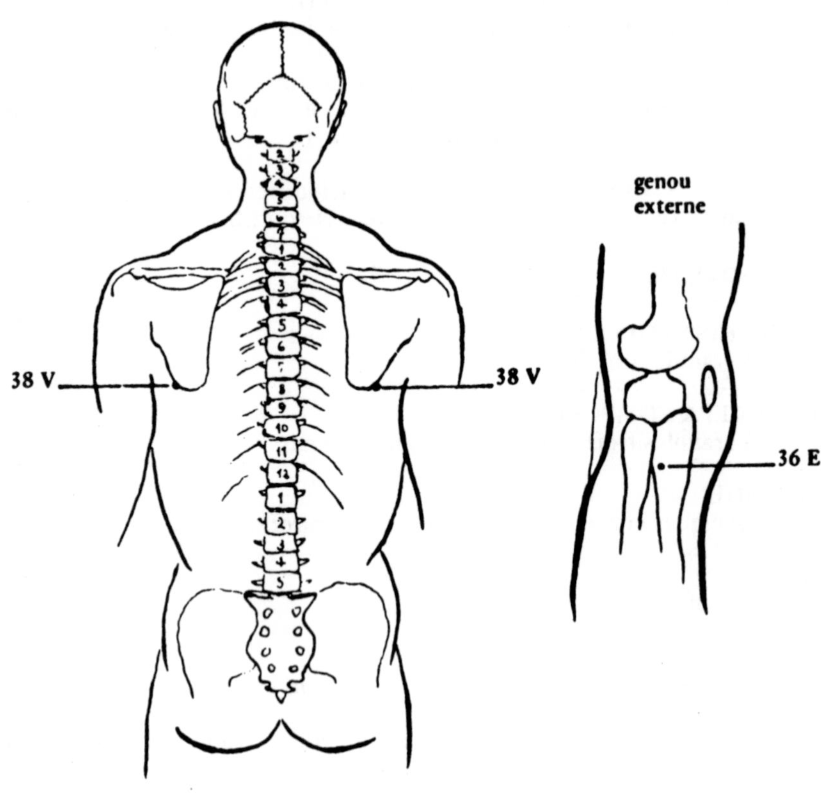

38 V
38 V
genou
externe
36 E

ANÉMIE

Voir « ASTHÉNIE »

Acupuncture

38° VESSIE « KAO-ROANG (Centres vitaux)
Bras croisés, faire le gros dos , angle externe de l'omoplate.

36° ESTOMAC « SANN-LI de jambe » (Divine indifférence)
Face externe de la jambe, 1/3 entre arête du tibia et tête du péroné.

Homéopathie

VITODRAINOL
10 gouttes sur la langue trois fois par jour, une demi-heure avant les repas.

GINSENG (Laboratoires Dietaroma)
Une à deux ampoules par jour.

Les résultats sont excellents, souvent spectaculaires.

La puncture du KAO-ROANG augmente le nombre des globules rouges de plusieurs centaines de mille. La vérification de cette assertion est facile par examen de la formule sanguine.

ANGINE

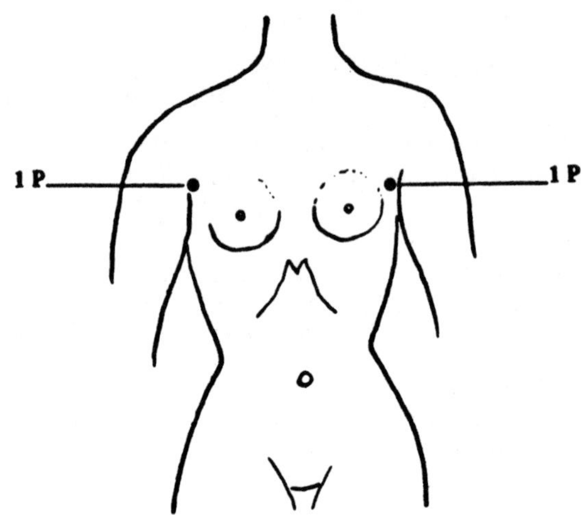

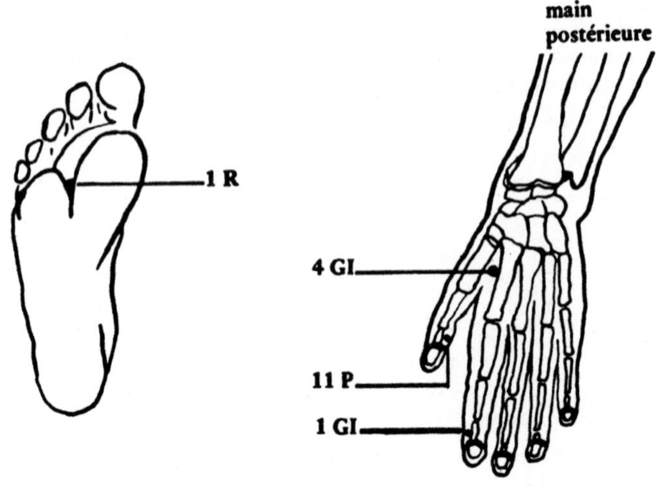

ANGINE

Acupuncture

1° POUMONS « TCHONG-FOU » (Atelier central)
Extrémité 2e côte, à la verticale de l'aisselle.

11° POUMONS « CHAO-CHANG » (moindre marchand)
2 millimètres en arrière de l'angle interne de l'ongle du pouce (côté index).

1° GROS INTESTIN « CHANG-IANG » (Iang des marchands)
2 millimètres en arrière de l'angle de l'ongle de l'index (côté pouce)

4° GROS INTESTIN « RO-KOU » (Fond de la vallée)
Angle métacarpien du pouce et 2e métacarpien, un peu en avant de la tête.

1° REINS « IONG-TSIUANN » (Source bouillonnante)
Sous le pied, dans le creux fait en pliant les doigts du pied, au milieu et en avant de la plante du pied.

Homéopathie

SULFUR 7 CH
Une dose.

MERCURIUS CYANATUS 5 CH
2 granules matin et soir.

PHYTOGARGARISME
30 gouttes dans 1 verre d'eau chaude.

Ce traitement est très efficace.

Cette affection est généralement considérée comme « bénigne ». Au contraire, elle présente une gravité exceptionnelle du fait des répercussions cardiaques et articulaires qu'elle engendre. Une guérison extrêmement rapide doit donc être obtenue.

Il est indispensable de consulter d'urgence son Médecin qui jugera de la nécessité d'un traitement antibiotique.

Mon attitude personnelle est la suivante : toute angine à points blancs avec fièvre élevée, non guérie en 24 heures, est systématiquement « matraquée » par antibiotiques durant 48 heures.

ANGOISSES

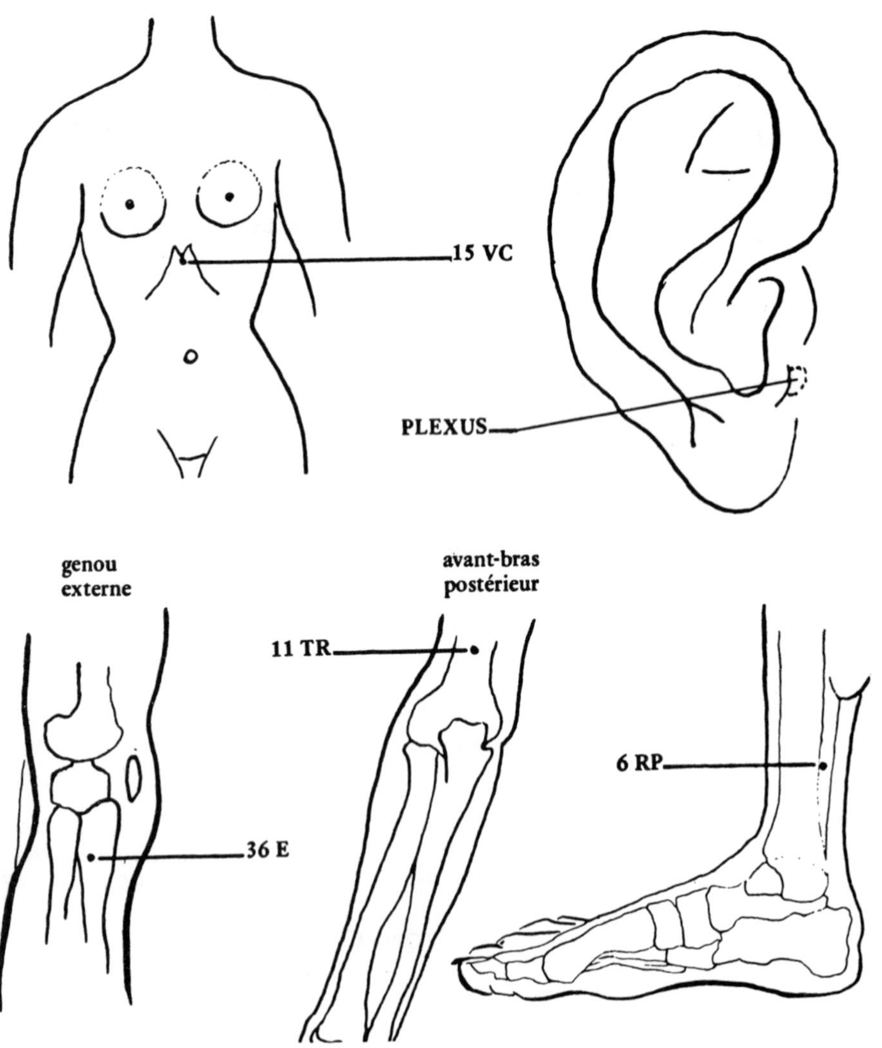
15 VC
PLEXUS
genou
externe
avant-bras
postérieur
11 TR
36 E
6 RP

ANGOISSES

Auriculopuncture

Point du plexus.

Acupuncture

15° VAISSEAU DE CONCEPTION « TSIOU-OE » (Queue de pigeon)
Extrémité de l'appendice xyphoïde.

11° TROIS RÉCHAUFFEURS « TSRING-LENG-IUANN »
(Abîme de froid limpide)
Bras plié, 2 pouces au-dessus de la tête de l'olécrane.

36° ESTOMAC « SANN-LI de jambe » (Divine indifférence)
Face externe de la jambe, 1/3 arête du tibia – tête du péroné.

6° RATE-PANCRÉAS « SANN-INN-TSIAO » (Réunion des trois inn)
Face interne de la jambe, quatre doigts au-dessus de la malléole interne, sur le bord postérieur du tibia.

Homéopathie

TARENTULA CUBENSIS 7 CH
5 granules le matin à jeun tous les 3 jours.
Espacer suivant l'amélioration.

TILIA TOMENTOSA 3e DÉCIMALE
30 gouttes au lever et au coucher.

HOMÉOGENE 46
Sucer 2 comprimés 3 fois par jour loin des repas.

Très efficace mais doit être personnalisé et renforcé suivant les cas.

Lire les paragraphes : Nerfs, déséquilibre nerveux
Généralités thérapeutiques.

ANURIE
(Troubles urinaires)

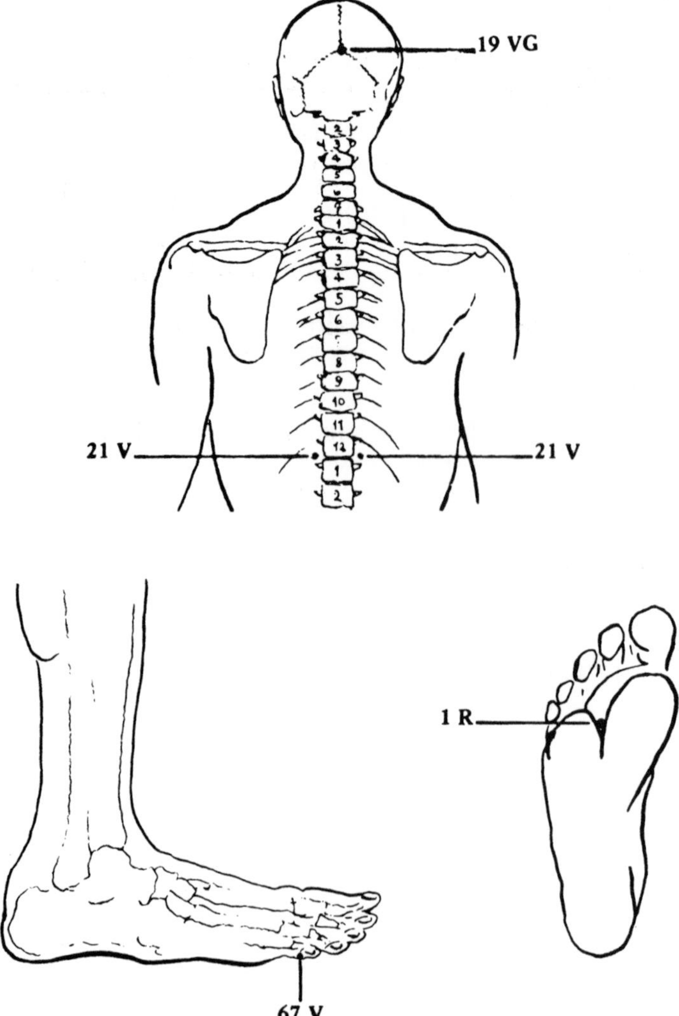

ANURIE
(Troubles urinaires)

Acupuncture

1° REINS « IONG-TSIUANN » (Source bouillonnante)
Sous le pied, dans le creux fait en pliant les doigts de pied, au milieu et en avant de la plante.

67° VESSIE « TCHE-INN » (Inn extrême)
2 millimètres de l'angle externe de l'ongle du petit orteil.

19° VAISSEAU GOUVERNEUR « PAE-ROE » (Les cent réunions)
Partie postéro-supérieure du crâne, limite du pariétal, dans un creux.

21° VESSIE « OE-IU » (Assentiment d'estomac)
Angle 12e côte, muscles paravertébraux.

Homéopathie

RÉNO-DRAINOL
10 gouttes sur la langue 3 fois par jour, loin des repas.

Plus ou moins efficace suivant les cas.

Très bon adjuvant des traitements classiques.

APHONIE

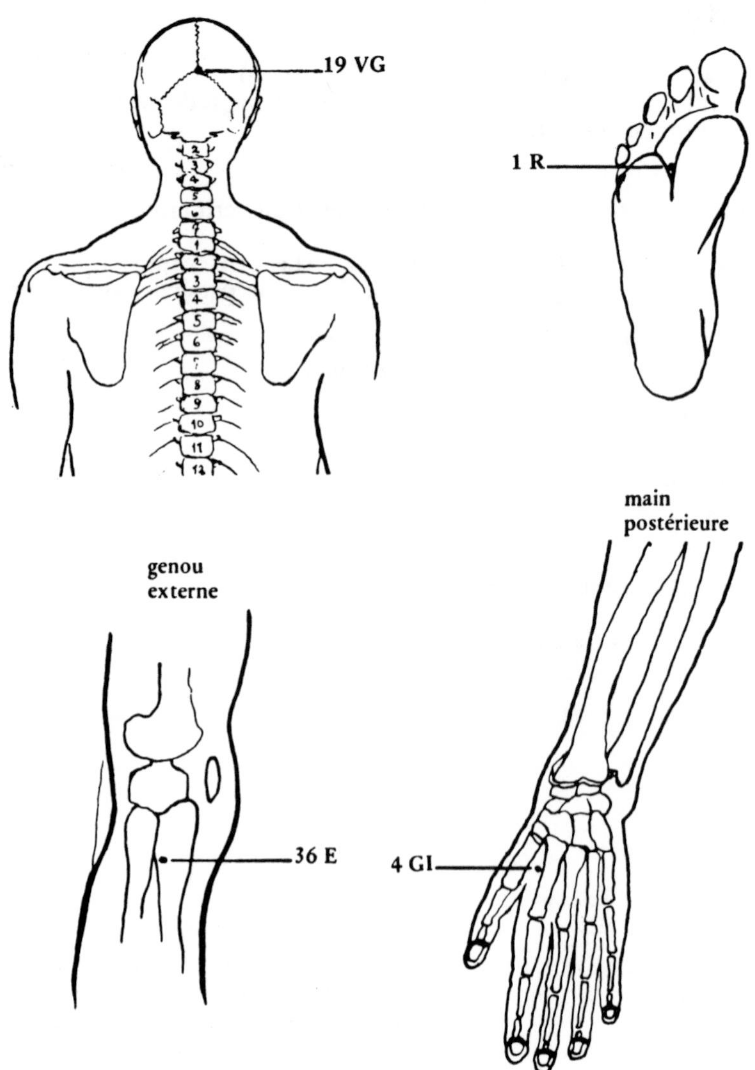

APHONIE

Acupuncture locale

1° REINS « IONG-TSIUANN » (Source bouillonnante)
Plante du pied, au milieu et en avant, dans le creux fait en pliant les doigts.

4° GROS INTESTIN « RO-KOU » (Fond de la vallée)
Angle métacarpien du pouce et deuxième métacarpien contre la tête de celui-ci.

36° ESTOMAC « SANN-LI de jambe » (Divine indifférence)
Face externe de la jambe, 1/3 arête du tibia – tête du péroné.

19° VAISSEAU GOUVERNEUR « PAE-ROE » (Les cent réunions)
Ligne médiane du crâne, au niveau de la fontanelle postérieure.

Homéopathie

ARUM TRIPHYLUM COMPOSÉ – Gouttes – 1 flacon
5 à 10 gouttes 3 fois par jour

FERRUM PICRICUM 5 CH
ARNICA MONTANA 5 CH
2 granules de chaque tube 1 fois par jour

– CHANTEURS :

HOMÉOGENE 9
Préventif : sucer 1 comprimé 3 fois par jour

ARNICA 7 CH
Une dose

AESTUS P.C.
ARGENTUM NITRICUM 5 CH
Sucer 2 granules au réveil, en alternant chaque jour.

J'ai, dans ma clientèle, un chanteur d'opéra qui vient me consulter quand il ne se sent pas en voix. Il pousse alors des vocalises au fur et à mesure des punctures, pour vérifier leur efficacité et le bon fonctionnement de ses cordes vocales..., ce qui procure une certaine perturbation dans le silence de l'immeuble !

APPENDICITE

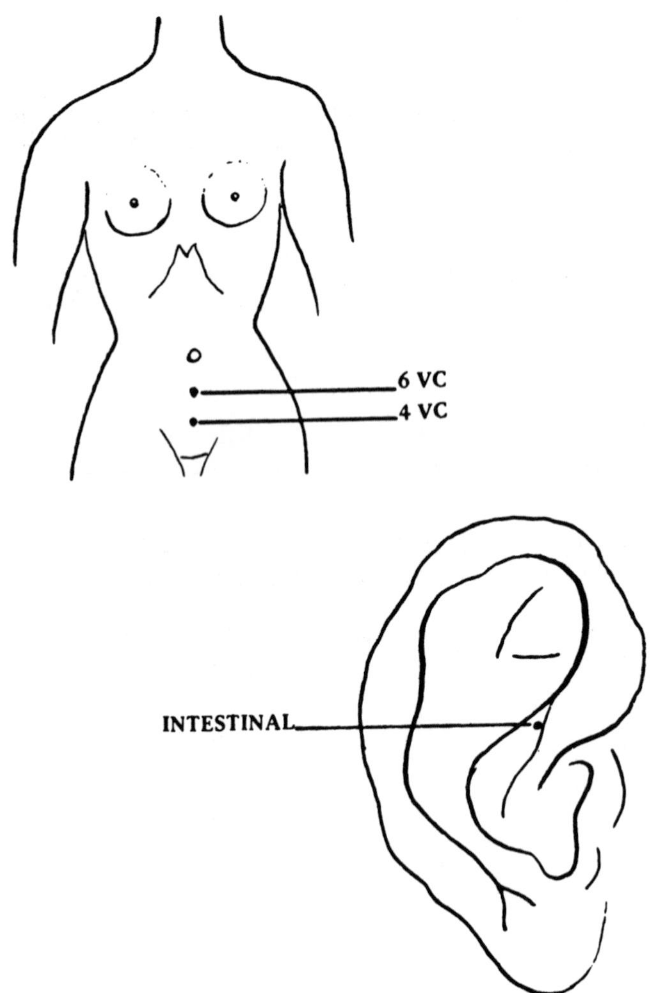

APPENDICITE

Auriculopuncture

Point intestinal

Acupuncture locale

Aiguilles enfoncées d'un centimètre sur les points douloureux à la pression. Laisser en place 5 minutes. (En particulier sur les points de LANGS et MAC-BURNEY).

Acupuncture

4° VAISSEAU DE CONCEPTION « KOANN-IUANN » (Origine de barrière)
3/5 entre l'ombilic et le dessus du pubis.

6° VAISSEAU DE CONCEPTION « TSRI-RAE »
(Océan d'énergie chez les mâles)
1/5 ombilic – rebord supérieur du pubis.

Toute douleur abdominale droite qui se reproduit souvent doit être soumise à un examen médical.

L'appendicite n'est pas une maladie à prendre à la légère ; il ne faut pas attendre que « ça passe ». Elle est excessivement déroutante.

Toute appendicite diagnostiquée doit être opérée. Le traitement ci-dessus ne doit être employé que si l'intervention chirurgicale, pour des raisons diverses, doit être retardée.

Une surveillance médicale continue est indispensable.

APPÉTIT
(manque)

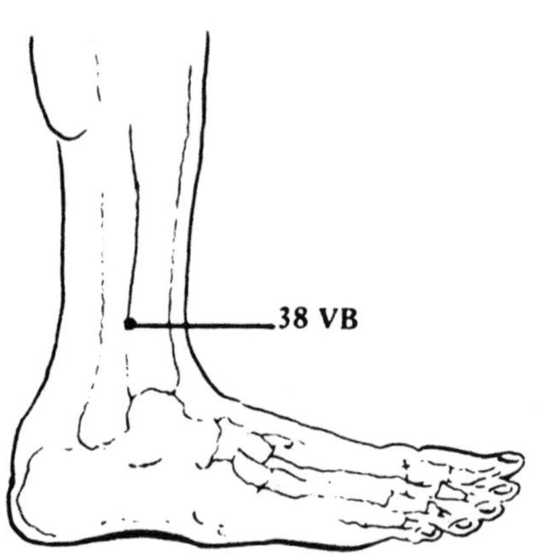

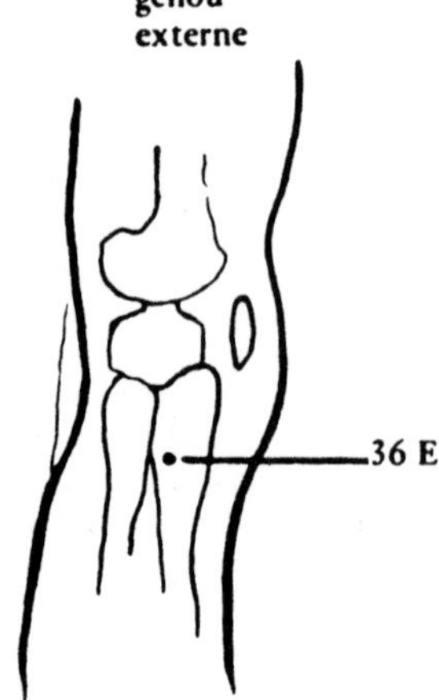

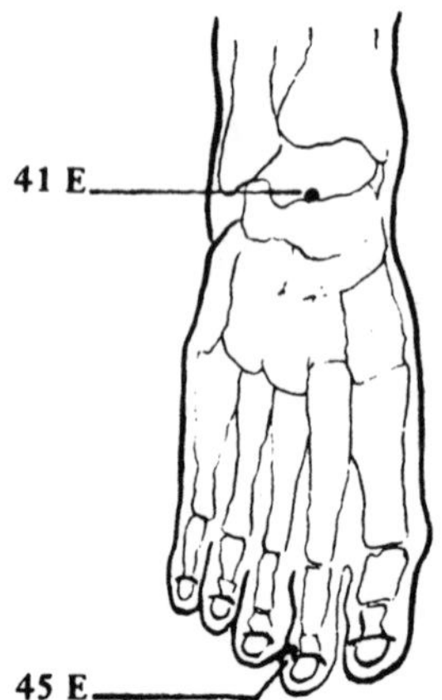

APPÉTIT
(manque)

Acupuncture

36° ESTOMAC « SANN-LI de jambe » (Divine indifférence)
1/3 arête du tibia, tête du péroné.

41° ESTOMAC « TSIE-TSRI » (Vallée s'élargissant)
Dessus du pied, milieu du pli de flexion.

45° ESTOMAC « LI-TOE » (Payement cruel)
2 millimètres de l'angle de l'ongle du 2e orteil, côté 3e.

38° VÉSICULE BILIAIRE « IANG-FOU » (Aide au Iang)
Quatre pouces au-dessus de la cheville, milieu tibia.

Homéopathie

VITODRAINOL
Sucer 3 granules 3 fois par jour, loin des repas.

CÉRÉALES GERMÉES – 1ère Décimale – gouttes 30ml
5 à 20 gouttes suivant l'âge, 1/2h avant les deux principaux repas.

Rayons ultraviolets
(Voir chapitre correspondant)

Ces merveilleux rayons ultraviolets, si oubliés de nos jours.

Toujours très efficace. Souvent spectaculaire.

Rares sont les enfants qui, dès la sortie de mon cabinet, ne prononcent pour la première fois de leur vie la phrase merveilleuse « j'ai faim ». Ceux qui sont plus lents à réagir attendent d'être dans la rue. Les plus coriaces tombent en arrêt devant le premier patissier... où tous choisissent la brioche la plus indigeste !!

ARTHROSE

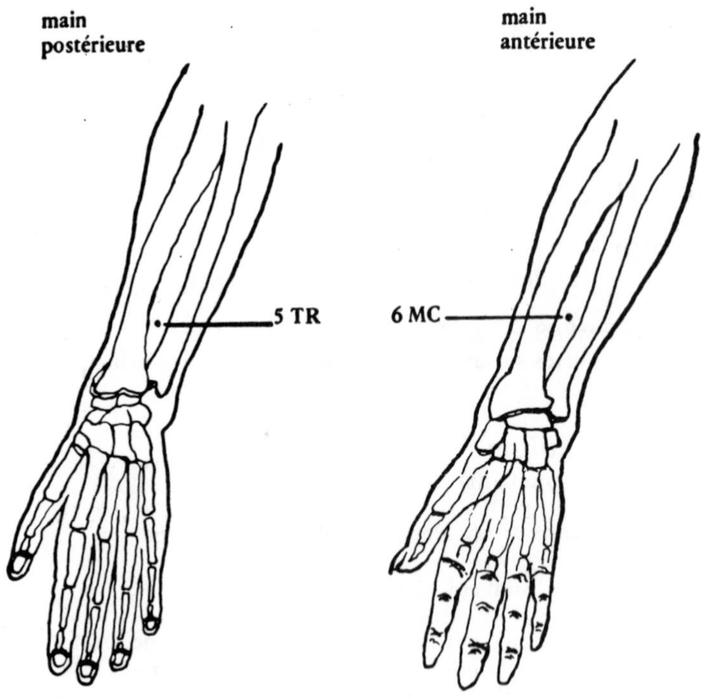

ARTHROSE

Acupuncture

6° MAITRE DU COEUR « NEI-KOANN » (Barrière interne)
Face antérieure de l'avant-bras, au milieu, 3 doigts sur poignet.

5° TROIS RÉCHAUFFEURS « OAE-KOANN » (Barrière des Iang)
Face postérieure avant-bras, 3 doigts sur poignet, partie interne du radius.

Acupuncture locale

Une dizaine de punctures rapides sur la partie douloureuse.

Homéopathie

SUPPOSITOIRES

Cartilage Ligaments Moelle osseuse	7 CH aa q.s.p. un suppositoire n° 24

3 suppositoires par semaine au coucher

ARTHRO-DRAINOL
10 gouttes sur la langue, 3 fois par jour, loin des repas.

Il existe d'autres traitements homéopathiques très importants que je ne puis citer, étant donné leur nombre.

Les résultats sont toujours très importants et conditionnés par la gravité de l'affection et l'âge du sujet.

Le traitement doit, de toutes manières, être essayé dans tous les cas ; il guérit quelquefois, soulage toujours.

Quand une seule articulation est touchée, utiliser dans la formule des suppositoires, le cartilage correspondant (cartilage du genou, du coude, de la hanche, dorsal, cervical...).

ARTHROSE

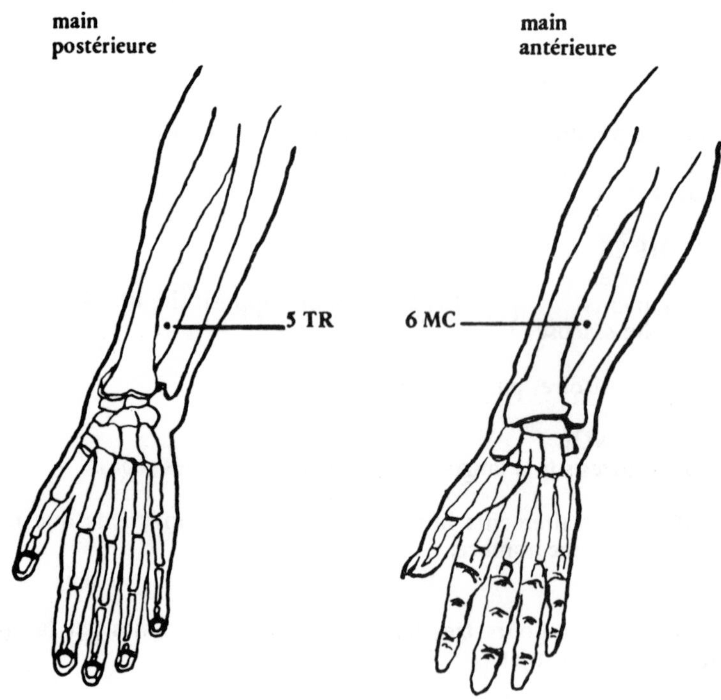

ARTHROSE DES DOIGTS

Nodosités des articulations : interphalangiennes
et
phalango-phalangiennes

Acupuncture

Traiter l'arthrose (voir ARTHROSE)

Acupuncture locale

Enfoncer une petite aiguille de quelques millimètres dans chaque nodosité de chaque côté de l'articulation.
Laisser en place 3 minutes.

Homéopathie

SUPPOSITOIRES

Cartilage du doigt
Ligaments
Moelle osseuse } 7 CH aa q.s.p. un suppositoire n° 24

3 suppositoires par semaine au coucher.

ARTHRO-DRAINOL

10 gouttes sur la langue 3 fois par jour, loin des repas.

Guérison spectaculaire en très peu de séances.

La douleur s'atténue dès la première séance, disparaît à la deuxième. Le volume des nodosités diminue.

Cette amélioration est tenace et dure des années.

Cette petite intervention peu douloureuse, seulement sensible, sans aucun inconvénient, d'une efficacité tellement importante, doit toujours être appliquée.

ARTHROSE DE LA HANCHE

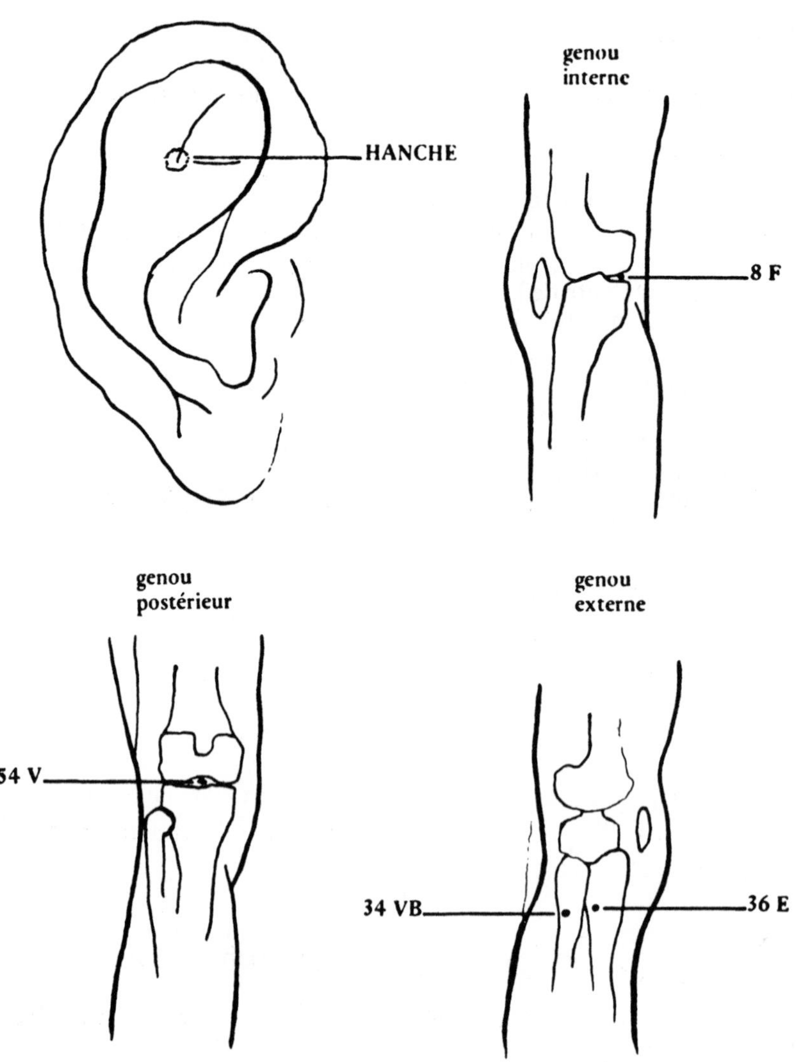

ARTHROSE DE LA HANCHE

Traiter l'ARTHROSE

Auriculopuncture

Placer une aiguille sur le point de hanche de l'oreille correspondante.

Acupuncture

36° ESTOMAC « SANN-LI de jambe » (3e village)
Face externe de la jambe, 1/3 arête du tibia – tête du péroné.

54° VESSIE « OE-TCHONG » (Médial du délégué)
Milieu du creux poplité.

8° FOIE « TSIOU-TSIUANN » (Source de la courbe)
Extrémité interne du pli de flexion du genou.

34° VÉSICULE BILIAIRE « IANG-LING-TSIUANN »
(Source du plateau externe)
Face externe du genou, dans la dépression, sous la tête du péroné, en avant du côté du tibia.

Acupuncture locale

Punctures locales sur les points douloureux.
Laisser les aiguilles en place 3 minutes.

Homéopathie

SUPPOSITOIRES

Cartilage de la hanche
Ligaments
Moelle osseuse
} 7 CH aa q.s.p. un suppositoire n° 24

3 suppositoires par semaine au coucher.

ARTHRO-DRAINOL
10 gouttes sur la langue 3 fois par jour, loin des repas.

Très bons résultats. Dépendent évidemment de la gravité de l'affection et de l'état de la hanche.
On a tout à gagner à l'essayer et rien à perdre.

ASTHÉNIE

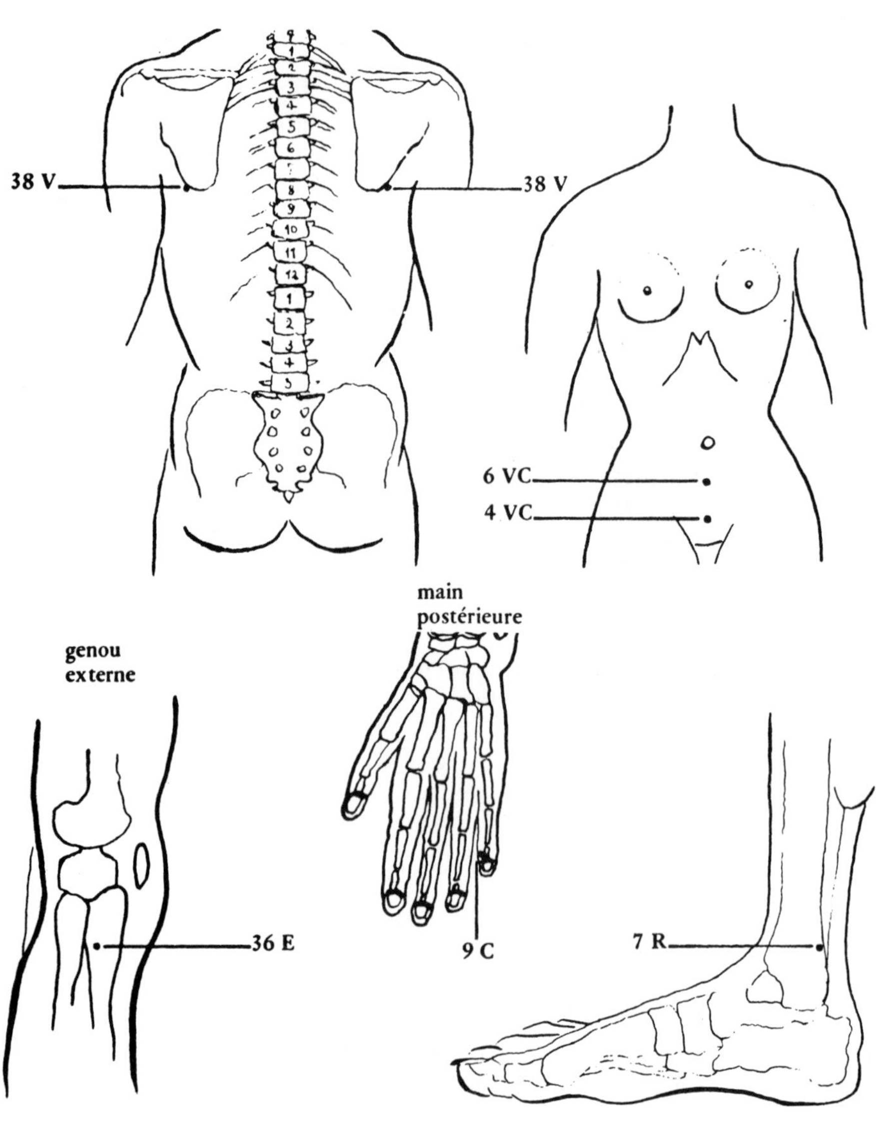

ASTHÉNIE

Traiter une affection causale éventuelle.
Désintoxiquer si besoin (voir « DÉPURATION »).

Acupuncture

38° VESSIE « KAO-ROANG » (Centres vitaux)
Faire le gros dos, les deux bras fortement croisés.
Contre le bord de l'omoplate.

36° ESTOMAC « SANN-LI de jambe » (3e village)
1/3 entre arête du tibia et tête du péroné.

7° REINS « FOU LEOU » (Sourdre de nouveau)
2 doigts au-dessus de la malléole interne du tibia et en arrière.

9° COEUR « CHAO-TCHRONG » (Moindre assaut)
2 millimètres de l'angle externe de l'ongle de l'auriculaire.

POINTS SPÉCIFIQUES POUR :

HOMME

6 VAISSEAU DE CONCEPTION « TSRI-RAE »
(Océan d'énergie chez le mâle)
1/5 au-dessous de l'ombilic, sur la ligne,
partie supérieure du pubis – ombilic.

FEMME

4° VAISSEAU DE CONCEPTION « KOANN-IUANN » (Origine de barrière)
3/5 au-dessous de l'ombilic.

ASTHÉNIE

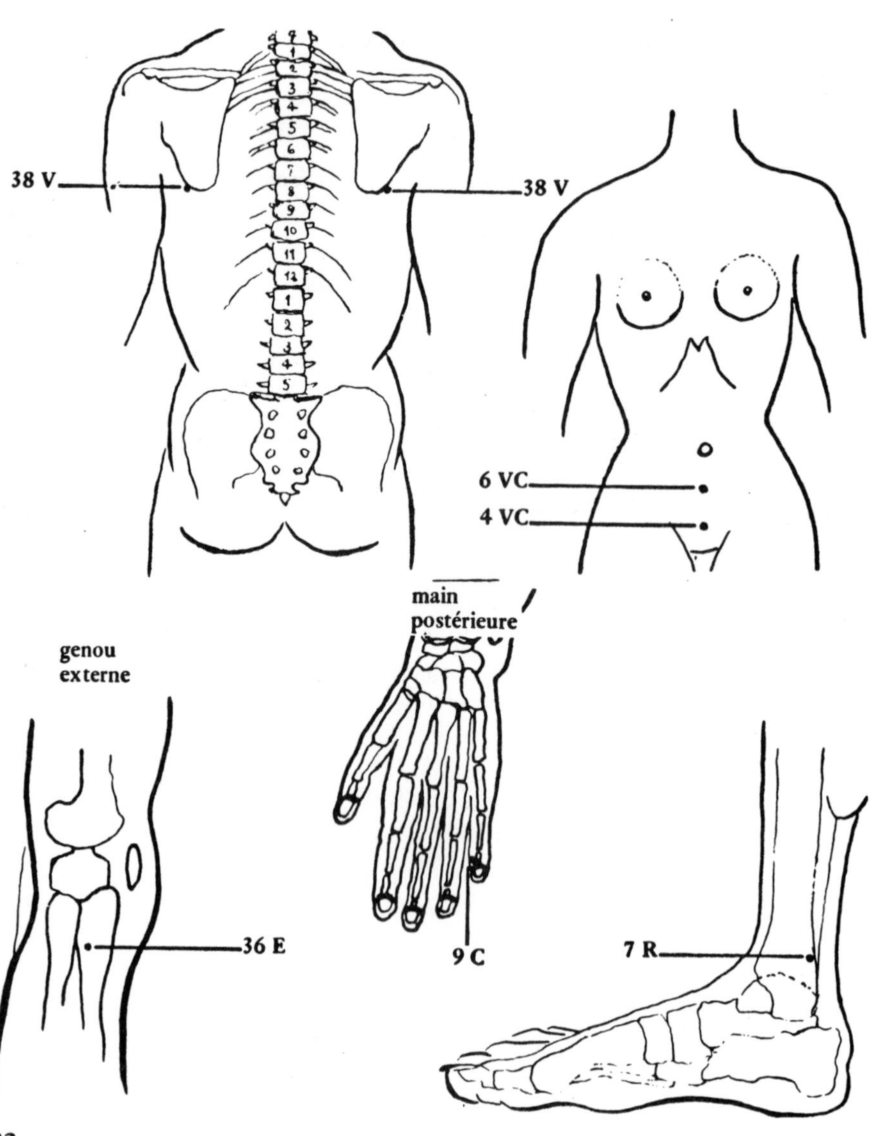

Homéopathie

VITODRAINOL
3 granules 3 fois par jour, loin des repas.

PRÊLE (poudre)
1 pincée sur la nourriture aux repas.

TONIQUE VÉGÉTAL (Lehning)
1 cuillerée à café après le repas.

CHLORO-DRAINOL
10 gouttes sur la langue 3 fois par jour, loin des repas.

GINSENG (Laboratoires Dietaroma)
2 ampoules par jour.

Et toujours les merveilleux ULTRAVIOLETS (voir chapitre correspondant).

Toujours très efficace.
Souvent spectaculaire.
Et tellement inoffensif.
Ne fait pas grossir, à l'inverse des fortifiants classiques.

ASTHME

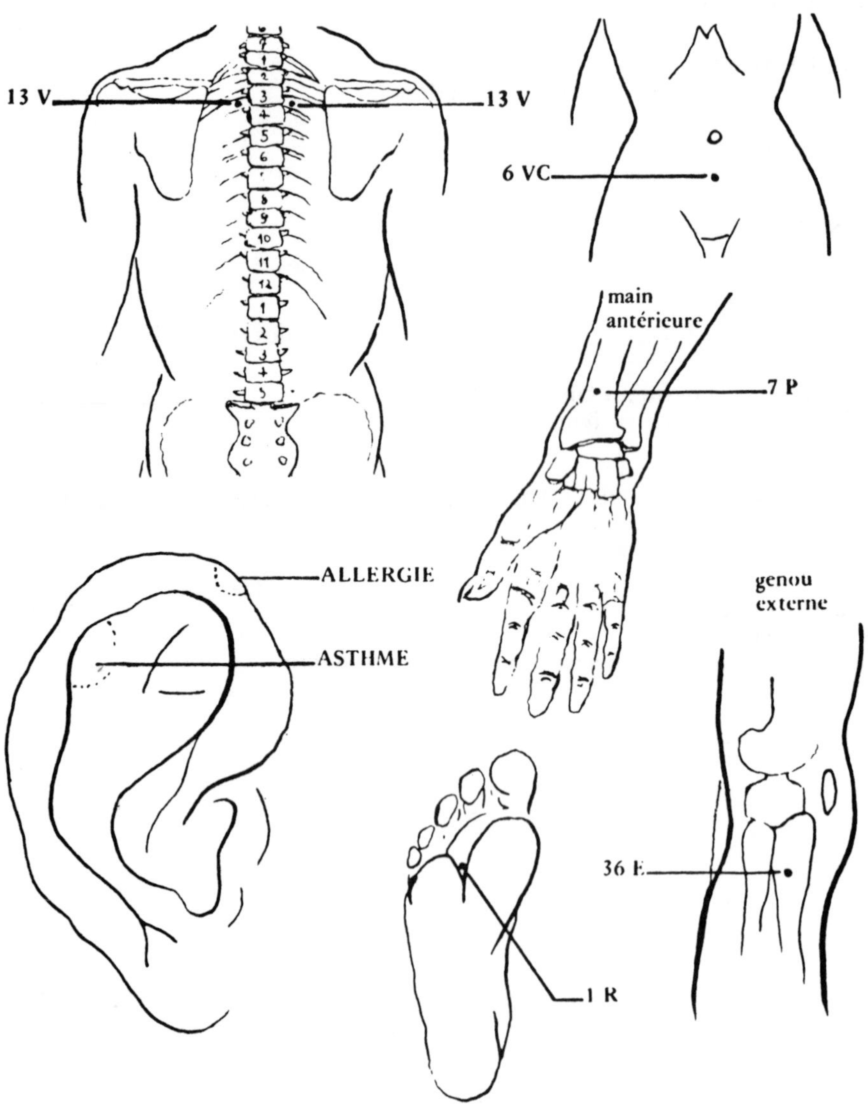

13 V
13 V
6 VC
main
antérieure
7 P
ALLERGIE
ASTHME
genou
externe
36 E
1 R

ASTHME

Auriculopuncture

Point d'asthme
Point d'allergie

Acupuncture

13° VESSIE « FEI IU » (Assentiment des poumons)
Colonne dorsale, extérieur des paravertébraux, sur ligne 3e-4e dorsale.

7° POUMONS « LIE TSIUE » (Creux alignés)
Bord interne du radius à l'angle de la tête.

1° REINS « IONG TSIUANN » (Source bouillonnante)
Sous le pied. Dans le creux fait en pliant les orteils.
Au milieu et en avant de la plante du pied.

6° VAISSEAU DE CONCEPTION « TSRI RAE »
Océan d'énergie chez les mâles)
1/5 sous ombilic, sur ligne, ombilic – partie supérieure du pubis.

36° ESTOMAC « SANN LI de Jambe » (Divine indifférence)
Face externe de la jambe – 1/3 entre arête du tibia et tête de péroné.

Homéopathie

POUMON-HISTAMINE 7 CH
5 granules 1 fois par semaine.

ALLIUM CEPA COMPOSÉ
3 granules 3 fois par jour, loin des repas.

IPECA 9 CH
5 granules 1 fois par semaine.

Affection très tenace et à causes multiples.

Les traitements sont très nombreux, dont aucun n'est vraiment efficace. Celui que je vous propose aide souvent. Allez consulter votre Acupuncteur, c'est le plus qualifié pour vous guérir.

BALLONNEMENTS

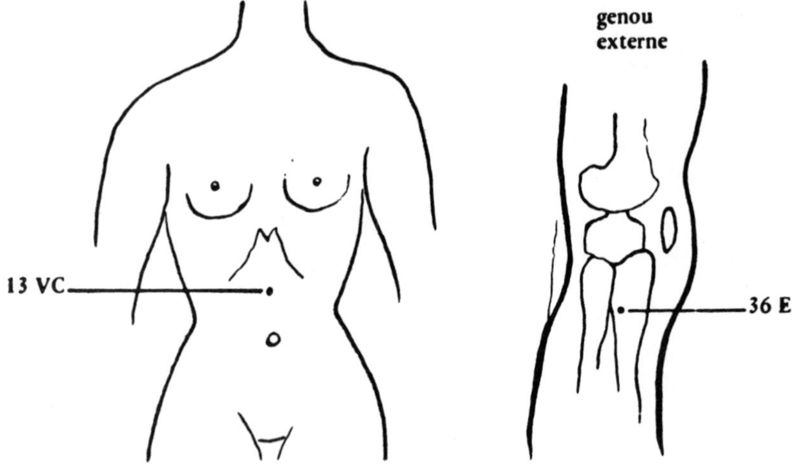

BALLONNEMENTS

Acupuncture

36° ESTOMAC « SANN-LI de jambe » (3e village)
Extérieur de la jambe – 1/3 entre arête du tibia et tête du péroné.

13° VAISSEAU DE CONCEPTION « CHANG-KOANN » (Estomac supérieur)
1/2 ombilic – appendice xyphoïde.

Homéopathie

BORIASE
3 granules 3 fois par jour, loin des repas.

CARBO VÉGÉTALIS 5 CH granules
CHINA 4 CH granules
KALI CARBONICUM 5 CH granules
NUX MOSCHATA 5 CH granules
2 granules de chaque tube 1 fois par 24 heures.

Traiter le foie :

HÉPATO-DRAINOL
10 gouttes sur la langue 3 fois par jour, loin des repas.

Réussit souvent.

Ne pas oublier de traiter le système nerveux et surtout le plexus solaire (voir chapitres correspondants).

BRONCHITE

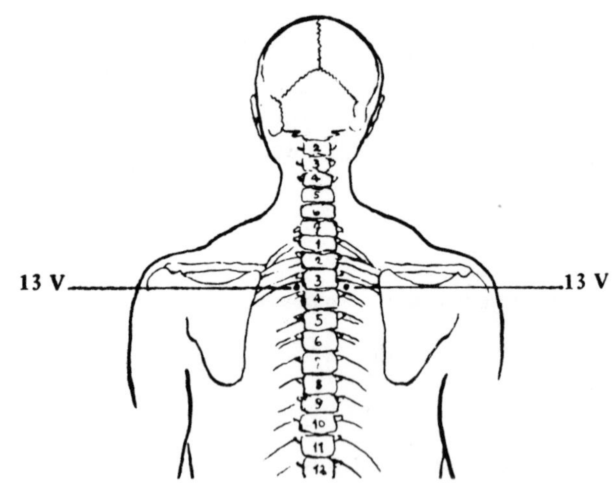

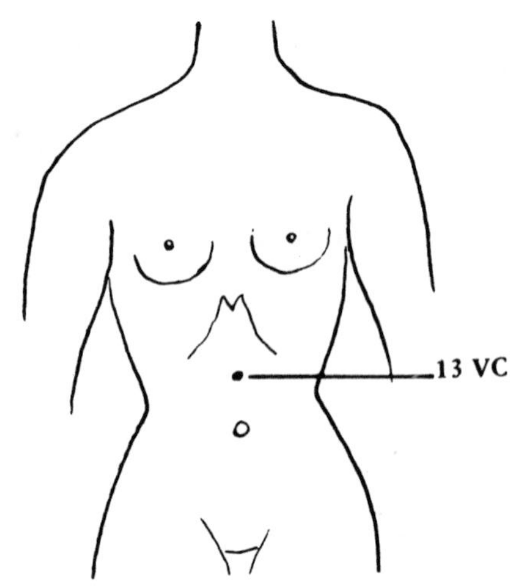

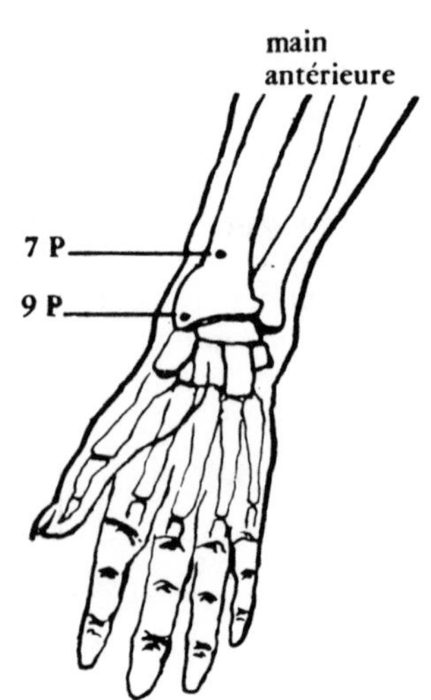

BRONCHITE

Acupuncture

13° VESSIE « FEI-IU » (Assentiment des poumons)
1 1/2 pouce de la ligne médiane, au niveau de l'horizontale passant entre les 3e et 4e vertèbres dorsales.

7° POUMONS « LIE-TSIUE » (Creux alignés)
Au poignet, sur l'artère radiale, au bas de l'apophyse radiale, piquer entre peau et artère.

9° POUMONS « TRAE-IUANN » (Gouffre suprême)
Extrémité externe du pli du poignet, sur l'artère radiale, dans la cavité à l'union du radius et du scaphoïde et de l'os du pouce.

13° VAISSEAU DE CONCEPTION « CHANG-KOANN » (Estomac supérieur)
1/2 ombilic – appendice xyphoïde.

Homéopathie

PULMO-DRAINOL
10 gouttes sur la langue, 3 fois par jour, loin des repas.

SIROP STODAL
4 cuil. à soupe.

PHOSPHORUS TRIIODATUS 5 CH
5 granules toutes les 48 heures.

Très bon.

BRULURES

(légères, coups de soleil, coups de chaleur)

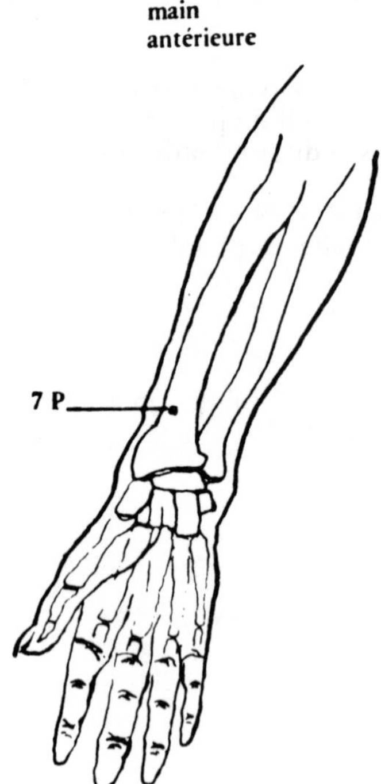

BRULURES
(légères, coups de soleil, coups de chaleur)

C'est une découverte personnelle faite en 1947.

– Exposée à une réunion chez de LA FUYE en 1949.

– Communiquée au Congrès de 1950.

– Partie de la théorie que le LIE TSIUE 7° du poumon étant donné comme « La mère des INN » ; en l'excitant, on jetait de l'eau sur le feu et il s'éteignait.
Depuis ce temps, les résultats ont confirmé la théorie.

Acupuncture

7° POUMONS « LIE-TSIUE » (Creux alignés)
Au poignet, sur l'artère radiale, au bas de l'apophyse radiale, piquer parallèlement entre peau et artère.

Homéopathie

Au cours d'une réunion chez le Docteur de LA FUYE, le Docteur DANO dit avoir ressuscité son chien oublié dans une voiture au soleil, par une dose de PHOSPHORUS qui serait l'équivalent homéopathique de LIE-TSIUE.

Le Docteur de LA FUYE donne également IPECA.

PHOSPHORUS 7 CH 1 tube
Sucer 10 granules. Prise unique.

Deux heures après :

IPECA 7 CH 1 tube
Sucer 10 granules. Prise unique.

Résultats spectaculaires.

BRULURES
(Grands brûlés)

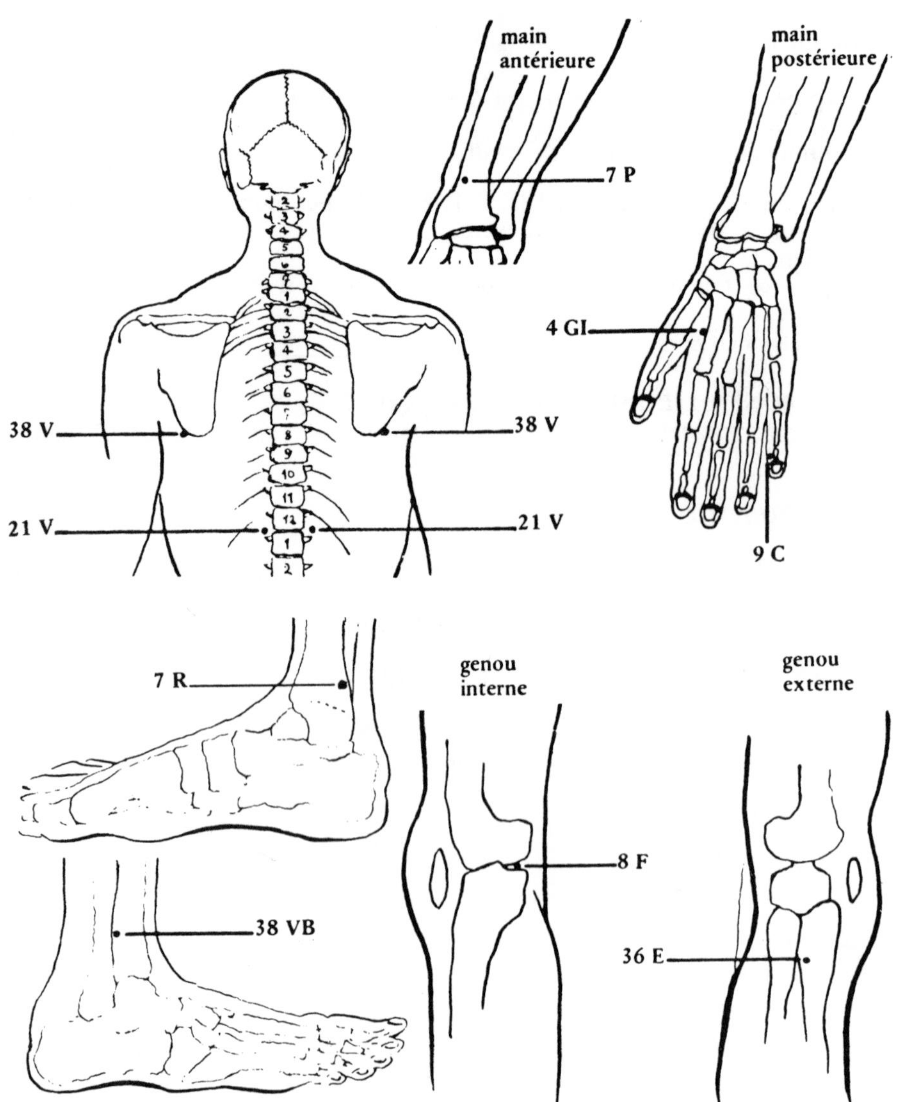

BRULURES
(Grands brûlés)

Faire tous les jours, pendant quelques jours, le 7° POUMONS.

Je ne pense pas que le 7° du Poumon ait été utilisé dans ce cas.

A l'époque de sa publication, l'acupuncture était considérée comme une plaisanterie et ignorée des hospitaliers qui, seuls, traitent ces accidents graves.

Une application précoce, puis quotidienne, aurait certainement des effets très précieux.
Faciliter les émonctoires et augmenter les moyens de défense par :

Acupuncture

21° VESSIE « OE-IU » (Assentiment d'estomac)
Angle 12e côte – muscles paravertébraux.

8° FOIE « TSIOU-TSIUANN » (Source de la courbe)
Genou plié, angle interne du pli de flexion.

38° VÉSICULE BILIAIRE « IANG-FOU » (Aide au Iang)
Extérieur cheville, 4 doigts au-dessus, au milieu du tibia.

9° COEUR « CHAO-TCHRONG » (Moindre assaut)
Angle interne de l'ongle de l'auriculaire.
Tonifie le cœur.

38° VESSIE « KAO-ROANG » (Centres vitaux)
Bras croisés, dos rond, pointe de l'omoplate.
Augmente le nombre des globules rouges.

36° ESTOMAC « SANN-LI de jambe » (3e village)
Extérieur jambe – 1/3 entre arête du tibia et tête du péroné.

4° GROS INTESTIN « RO-KOU » (Fond de la vallée)
Angle métacarpien du pouce – deuxième métacarpien, un peu en avant.
Facilite les selles.

7° REINS « FOU LEOU » (Sourdre de nouveau)
2 doigts au-dessus de la malléole interne du tibia et en arrière.
Facilite la diurèse.

BRULURES
(Grands brûlés)

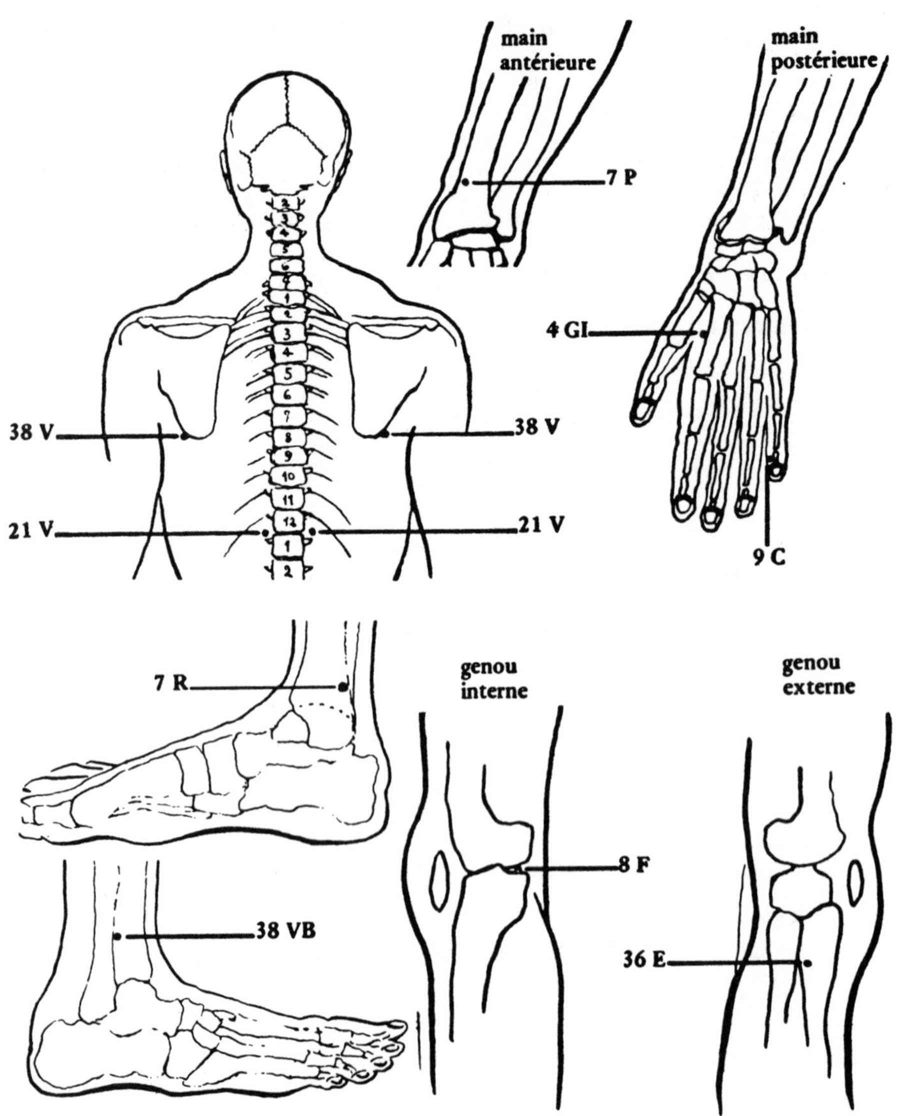

BRULURES
(Grands brûlés)

Homéopathie

Voir chapitre « Brûlures légères ».

J'espère, grâce à la diffusion de cet ouvrage, que les grands brûlés pourront bénéficier d'un traitement aussi efficace contre la douleur et l'intoxication générale. De plus, ce traitement active les processus de cicatrisation.

Je supplie les chirurgiens et hospitaliers de le prendre au sérieux.

BRULURES D'ESTOMAC

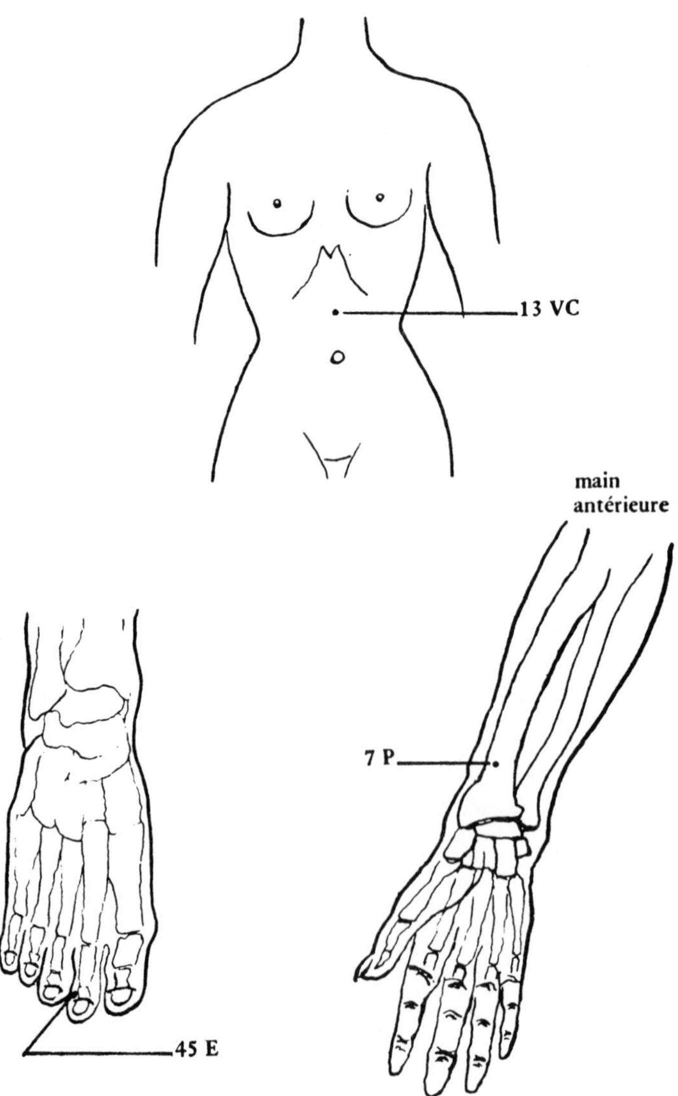

BRULURES D'ESTOMAC

Acupuncture

7° POUMONS « LIE-TSIUE » (Creux alignés)
Face interne du poignet. Angle tête du radius – face interne du radius. Piquer parallèlement entre peau et artère.

45° ESTOMAC « LI-TOE » (Paiement cruel)
Angle de l'ongle du 2e orteil (côté 3e orteil)

13° VAISSEAU DE CONCEPTION « CHANG-KOANN » (Estomac supérieur)
1/2 ombilic – appendice xyphoïde.

Homéopathie

GASTRO-DRAINOL
10 gouttes sur la langue 3 fois par jour, loin des repas.

ESTOMAC 4 CH 24 suppositoires
2 à 3 par semaine au coucher.

Je suis personnellement contre les alcalins et partisan d'utiliser un acide léger tel que la pepsine acide.

La guérison sera souvent difficile à obtenir ; les causes sont multiples et l'appel à un Acupuncteur sera en général indispensable pour l'application d'un traitement personnalisé.

CANCER

Je ne possède aucune recette miraculeuse pour prévenir ou guérir le cancer.

Nous avons peu de connaissances sérieuses sur l'origine de cette affection. Les causes sont certainement multiples. Il y a des cancers d'origine infecticuse, cela est prouvé, mais certainement pas tous.

Certaines théories occultistes, adeptes de la réincarnation, incriminent le KARMA (somme des erreurs, des péchés commis dans des existences antérieures à la vie actuelle sur terre).

Les harmonistes pensent à un déséquilibre entre les forces positives et négatives.

A ma connaissance, ni l'acupuncture, ni l'homéopathie n'émettent une théorie quelconque.

Certaines irritations facilitent l'apparition de cancers : tabac sur poumon, goudron sur peau..., mais elles sont peut-être plus localisatrices que créatrices.

Et combien d'autres encore.

Les conseils que je donne au chapitre concernant la prévention de la maladie, seraient peut-être utiles. Ces conseils, mis en pratique, n'immunisent probablement pas contre le cancer mais ne le provoquent certainement pas.

En même temps, il y a quelque chose que l'on *doit* faire : c'est *l'alimentation Macrobiotique.*

Pour le diagnostic et le traitement d'un cancer, une seule attitude rigoureusement obligatoire : *se confier au médecin.*

Les macrobiotes prétendent pouvoir ainsi guérir tous les cancers. Étant opposé à tous les fanatismes, j'estime que cette affirmation est très exagérée et cette attitude néfaste.
Par contre, bien que mon expérience statistique ne soit qu'extrêmement modeste, j'ai vu quelques améliorations par la macrobiotique qui donnent à réfléchir. Je crois qu'une étude sérieuse devrait être faite dans ce sens, obligatoirement sous surveillance médicale, et combien cela serait souhaitable *par des cancérologues !*

Les jeûnes prolongés auraient, paraît-il, également une action efficace. Mêmes objections, mêmes souhaits.

CÉPHALÉES

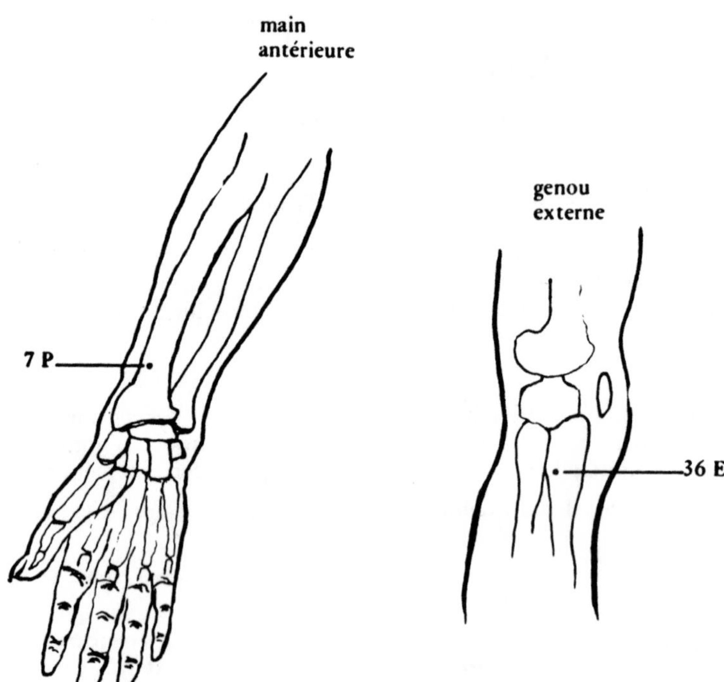

CÉPHALÉES

Les causes en étant très nombreuses (foie, migraines...), aucun traitement standard ne peut être indiqué. Il faut d'abord traiter la cause.

Ensuite rétablir l'équilibre de l'énergie dans le corps et surtout, pour les céphalées tenaces, voir un Acupuncteur.

Dans les maux de tête bénins, occasionnels, on peut utiliser :

Acupuncture

36° ESTOMAC « SANN-LI de jambe » (3e village)
Face externe de la jambe – 1/3 entre arête du tibia et tête du péroné.

7° POUMONS « LIE-TSIUE (Creux alignés)
Face interne du poignet. Angle tête du radius – face interne du radius. Piquer parallèlement entre peau et artère.

Homéopathie

CEPHYL
Un à deux comprimés 3 fois par jour.

CHEVELURE

(Entretien – Chute – Repousse – Calvitie)

A ma connaissance, parmi les innombrables traitements capillaires, rares sont ceux qui présentent une efficacité réelle, plus rares encore ceux qui puissent garantir des *résultats* rapides et pratiquement constants.

Je puis dire, sans aucune forfanterie, que j'ai mis au point un traitement dit de « Culture Capillaire », qui arrête vraiment et vite la chute des cheveux et provoque la repousse partout ou il y a encore des cellules germinatives vivantes.

Ce traitement est basé sur les principes de la culture.

Pour avoir une bonne récolte il faut préparer le terrain : labourer, arroser, apporter les principes nutritifs. Mon traitement résout tous ces problèmes. Les résultats sont une chevelure saine et vigoureuse. Les cheveux plats, ternes, qui cassent, qui fourchent,... deviennent brillants, gonflants, solides.

La chute exagérée s'arrête en général très rapidement.

(Il faut savoir qu'un cheveu qui tombe, est mort depuis 2 à 8 mois ; la chute augmente en général au début du traitement durant quelques jours à quelques semaines, jusqu'à disparition complète des cheveux morts ou très malades).

Pendant cette période intermédiaire, quand un cheveu tombe, il en repousse plusieurs.

Puis la repousse continue ; toute cellule germinative vivante, même malade, se régénèrera et un jour ou l'autre, donnera un cheveu.

Ce procédé de Culture Capillaire n'est pas une potion magique capable de faire pousser instantanément des cheveux sur n'importe quelle matière. C'est un revitalisant du cuir chevelu qui est, *à ma connaissance,* beaucoup plus efficace que ce qui nous est proposé dans le commerce.

Le début des recherches date d'une vingtaine d'années. Ce procédé est basé sur les principes généraux de la culture. Il ne s'occupe pas du cheveu mais uniquement du terrain, en quelque sorte l'irrigue, le nourrit. Il excite les cellules germinatives saines, revitalise les malades, réveille celles qui sont en sommeil depuis des années, voire des décades. Il est sans effet sur les cellules mortes, les tissus cicatriciels et les endroits où il n'y a pas de cellules. Son efficacité est d'autant plus rapide et importante que le sujet est jeune et les dégâts minimes. Il est axé sur deux grandes composantes :

1. Un mélange de plantes.

Apportant du soufre colloïdal assimilable et des glucosides sulfureux. Attaquant la barrière sébacée et pénétrant dans le follicule pileux. Les glandes sébacées décongestionnées produisent moins de sébum. Stimulant la circulation sanguine locale avec action trophique sur la cellule dermo-épidermique et activation du métabolisme dermique. Procurant une légère action cicatrisante et stimulante.

2. Un composé de biostimulines, levures, acides aminés et hormones végétales à doses semi-homéopathiques et un apport complémentaire pour conservation, isotonisation et acidification. Aucun produit toxique, allergisant, alcoolique, ni colorant artificiel.

Il se présente sous six formes :
Lotion - Shampooing - Crème anti-pelliculaire - Injections intradermiques - Complexe super irrigant - Lotion super nourrissante.

1. LOTION DE CULTURE CAPILLAIRE

Liquide ambré, d'une légère odeur de plante agréable et discrète, présenté en flacons compte-gouttes. 20 à 30 gouttes suffisent, à répartir sur l'ensemble du cuir chevelu en insistant sur les endroits les plus atteints. Une fois par jour, le soir de préférence. Une légère irritation (brossage avant et après, vibration, massage, chaleur) facilite la pénétration. Il n'y a aucun inconvénient à en mettre quelques gouttes sur la chevelure (le démêlage en est facilité) pas plus qu'à l'inonder. Un simple brossage le matin en utilisant la même brosse qui ne sera pas lavée trop souvent car elle contient encore beaucoup de principe actif. Cette lotion doit être employée dans tous les cas, seule ou en association avec les autres formes.

Adultes : Traitement d'attaque : 20 à 30 gouttes tous les jours. Traitement d'entretien dégressif : trois à une fois par semaine après le shampooing. Le traitement d'entretien prévient toute chute exagérée, la calvitie et retarde l'apparition des cheveux blancs.

Enfants : 5 à 10 gouttes une fois par semaine après le shampooing.

CHEVELURE

2. SHAMPOOING DE CULTURE CAPILLAIRE

C'est à la fois un shampooing de nettoyage très doux, non décapant, non agressif et un shampooing traitant spécialement actif contre la séborrhée. Mouiller la chevelure à l'eau tiède. Appliquer en faisant mousser abondamment. Attendre 3 minutes. Rincer. Une seule application suffit. Le cuir chevelu et le cheveu étant normalement un peu gras, le décapage augmenterait la production de séborrhée.

3. CREME ANTI PELLICULAIRE AU PLACENTA

Faire 1 ou 2 applications de shampooing de manière à bien dégraisser le cuir chevelu. Rincer abondamment. Tamponner légèrement avec une serviette l'excès d'eau. Appliquer la crème en grande quantité sur l'ensemble du cuir chevelu en massant 2 ou 3 minutes. Laisser agir pendant 10 minutes. Rincer abondamment à l'eau tiède.

4. INJECTIONS INTRADERMIQUES

Injections multiples du liquide spécial dans le derme par pression d'air, sans aiguille. Rapides, peu sensibles, elles apportent le produit actif directement là où il est nécessaire ; c'est en quelque sorte un engrais du cuir chevelu enfoui directement dans le terrain. Elles sont en principe réservées aux cas graves, aux chutes ou aux calvities importantes, mais peuvent être utilisées à tout âge, même chez les enfants. Les résultats sont plus rapides. Ne peuvent être faites que par les médecins.

5. COMPLEXE SUPER IRRIGANT

Une semaine sur deux, après le shampooing.
Sécher la chevelure. Mettre sur le crâne une petite quantité de complexe (2 millilitres environ) – Masser avec vigueur – Mettre sur le crâne une petite quantité de lotion super nourrissante (2 millilitres environ) – Masser.

6. LOTION SUPER NOURRISSANTE

Destinée à l'utilisation indiquée ci-dessus. Elle graisse très légèrement les cheveux. La laisser en place le plus longtemps possible pour qu'elle ait le temps d'agir – au moins 48 heures. L'idéal est d'attendre le shampooing suivant.

CHEVELURE

INDICATIONS ET EFFETS

Séborrhée.

Son amélioration est très rapide. Les glandes sébacées continuent à produire la légère quantité de sébum physiologiquement indispensable à une chevelure saine.

Chute.

Généralement ralentie dans un délai très bref, souvent en quelques jours ; variable suivant les sujets, mais jamais très long. Durant les premiers jours du traitement il y a en général une augmentation de la chute, normale quand on sait qu'un cheveu qui tombe est mort depuis deux à huit mois ; la nouvelle pousse accélérant la chute des cheveux morts. La vie d'un cheveu n'excède pas 3 à 4 ans.

Chevelure malade.

Consécutive à : maladie, grossesse, convalescence, mauvais état général, teintures, indéfrisables... Elle se normalise rapidement, aucune cellule n'étant morte. Le procédé de CULTURE CAPILLAIRE lui rend sa vitalité et l'augmente même.

Rapidité de la pousse.

Elle est augmentée par la lotion. Les cheveux longs dont la croissance est arrêtée recommencent à pousser.

STIMULATION DE LA REPOUSSE-CALVITIE

C'est le résultat le plus spectaculaire du procédé. S'il y a dans le cuir chevelu des cellules germinatives encore vivantes – et il y en a toujours, même en sommeil depuis des années ou des décades – elles redonnent un cheveu (vrai, solide, ne passant généralement pas par le stade du duvet).

Le résultat sera d'autant meilleur que le sujet sera plus jeune, l'alopécie moins importante et moins grave.

Elle va de quelques dizaines de cheveux chez un chauve âgé à la restitution intégrale chez un sujet jeune, avec tous les intermédiaires. J'ai constaté par expérience que la tonsure se regarnit plus rapidement et plus complètement que la partie frontale.

Le traitement doit être important, complexe et poursuivi longtemps. Il comprend :

Un *Shampooing* une fois par semaine : antiséborrhéique, traitant, revitalisant.
Une *Crème au placenta* antipelliculaire.
Une *Lotion,* partie la plus active du traitement. Une vingtaine de gouttes par jour, en frictions.
Des *Injections intradermiques* dans le cuir chevelu. Toutes les deux à dix semaines. Indispensables dans les cas graves. Ne peuvent être pratiquées que par un Médecin.
Le *Traitement Super* par Complexe super Irrigant et Lotion Super Nourrissante, tous les quinze jours.
Des *Traitements externes* complémentaires ; vibrations, massages, décollement du cuir chevelu, chaleur...

Cheveux blancs.

Un traitement d'entretien pendant des années, en revitalisant le cuir chevelu, retarde le vieillissement et par conséquent l'apparition des cheveux blancs.

Pellicules.

Si dues à la séborrhée, elles disparaissent en quantité plus ou moins importante. Très souvent causées par une dermatose, genre eczéma, elles sont plus ou moins sous la dépendance du foie qui est traité. Le traitement local avec notre crème spéciale anti pelliculaire donne de très bons résultats.

Contre indications.

Aucune. Ce traitement de CULTURE CAPILLAIRE peut être utilisé à tout âge.
Les composants étant fortifiants et eutrophiques, si une action sur l'état général se produisait elle serait très faible et dans un sens favorable.

RÉSULTATS

Enfants.

CHEVELURE

Spectaculaires dans les cas bénins.

Adultes jeunes.

L'utilisation régulière de la dose d'entretien : Procure ou maintient une chevelure belle, souple et gonflante. Évite l'apparition de cheveux ternes, cassants, fourchus, mous, sans ressort, ainsi que toute chute anormale. Retarde l'apparition des cheveux blancs.

En cas de chevelure malade ou pour inciter à la repousse, le traitement d'attaque journalier par la lotion est indispensable avec shampooing hebdomadaire. Les injections intradermiques accélèrent l'évolution favorable. Le traitement super, espacé, est conseillé.

Femmes âgées.

Avec chevelure clairsemée, un résultat intéressant est obtenu en un à deux ans. Les injections sont très utiles. Avec la lotion seule, il y a diminution progressive de la chute. Le traitement super est indispensable.

Hommes.

Avant la quarantaine, une tonsure peu étendue peut disparaître en six mois.

Je pensais que mes nouvelles conceptions sur le traitement du cuir chevelu intéresseraient les dermatologues et le monde de la coiffure, mais le scepticisme est une telle puissance que personne ne daigne se déranger pour en tester l'efficacité. Il est vrai que le gros problème expérimental dans ce domaine est d'avoir la patience d'attendre des mois que la pousse soit vérifiable. A ce moment-là on a oublié comment était la chevelure plusieurs mois avant ; la photographie n'est pas probante. Je suis prêt à me soumettre à toute expérimentation.

Il est certain que des dermatologues et des cosmétologues professionnels orientant leurs recherches dans cette nouvelle voie obtiendraient de meilleurs résultats. Le public serait très intéressé.

Ce qui est certain, c'est que mes clients sont ravis.

J'ai des résultats.

COCCYGODYNIE

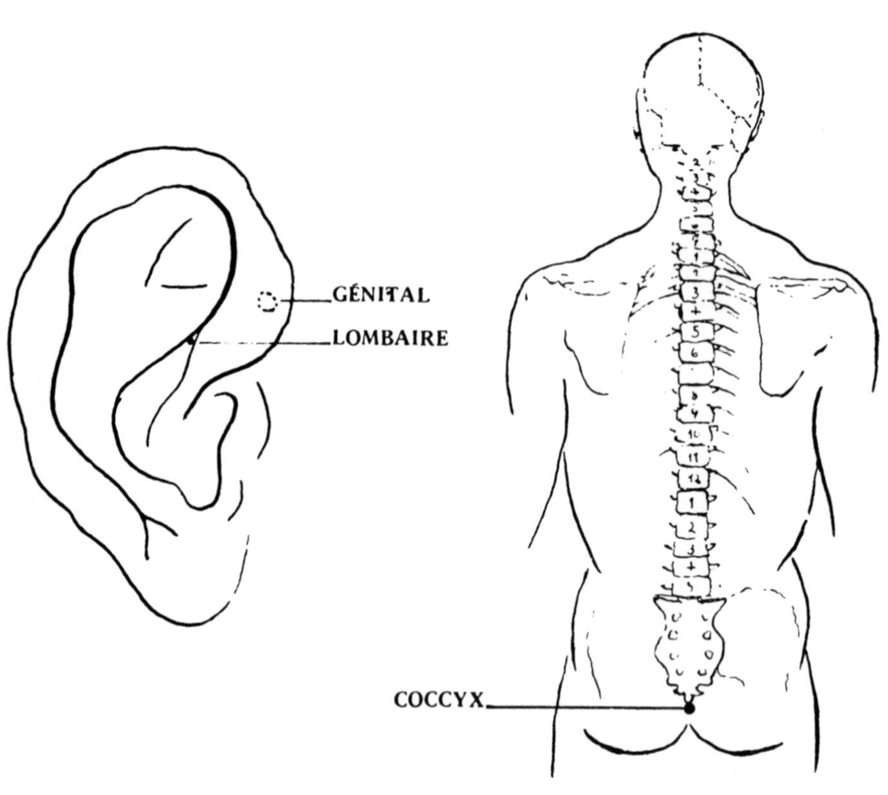

COCCYGODYNIE

Auriculopuncture

Point lombaire
Point génital

Acupuncture

1 aiguille placée au niveau de la pointe du coccyx.
Laisser en place 5 minutes.

Je n'ai traité que peu de cas, mais le résultat a été instantané.

A essayer toujours dans cette affection tenace. En effet, on n'a pas le droit par scepticisme, de laisser souffrir un malade toute sa vie en le privant d'un traitement aussi facile à appliquer, aussi bénin et aussi efficace.

CŒUR
(Arythmie)

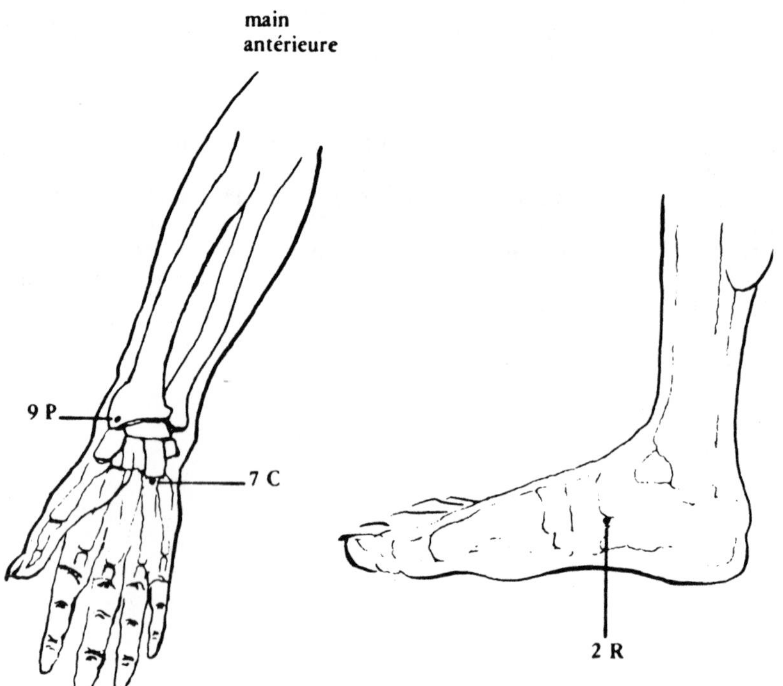

CŒUR
(Arythmie)

Acupuncture

9° POUMONS « TRAE-IUANN » (Gouffre suprême)
Extrémité externe du pli du poignet, sur l'artère radiale.

7° COEUR « CHENN-MENN » (Porte de l'évolué)
Bord antéro-interne du pisiforme.

2° REINS « JENN-KOU » (Vallée d'approbation)
Face interne du pied, sous la saillie et en arrière du scaphoïde, un pouce et demi en avant de la malléole interne.

Homéopathie

DIGITALIS 4 CH
NAJA 4 CH
2 granules de chaque tube 1 fois par 24 heures.

Ne pas oublier de traiter le système nerveux (consulter le chapitre correspondant).

Toujours consulter un cardiologue.

Considérer ce traitement comme un adjuvant puissant.

CŒUR
(Insuffisance)

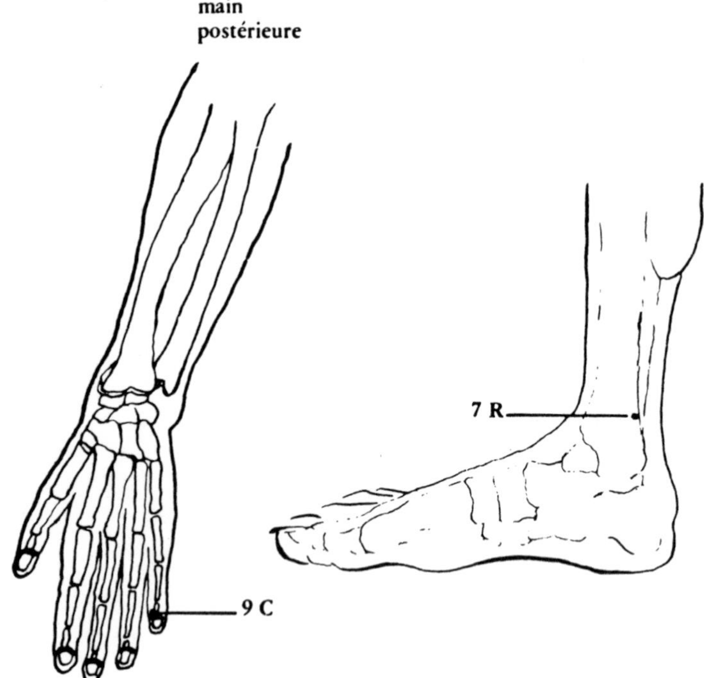

CŒUR
(Insuffisance)

Acupuncture

9° COEUR « CHAO-TCHRONG » (Moindre assaut)
Extrémité de l'auriculaire, côté annulaire, 2 millimètres de l'angle externe de l'ongle.

7° REINS « FOU-LEOU » (Sourdre de nouveau)
Deux pouces et demi au-dessus de la malléole interne, un demi-pouce en arrière du tibia.

Homéopathie

MYOCARDE 5 CH 24 suppositoires
2 suppositoires par semaine.

PHOSPHORUS TRIIODATUS 7 CH
5 granules 2 fois par mois.

Adjuvant du traitement classique prescrit par le cardiologue.

CŒUR
(Séquelles d'infarctus)

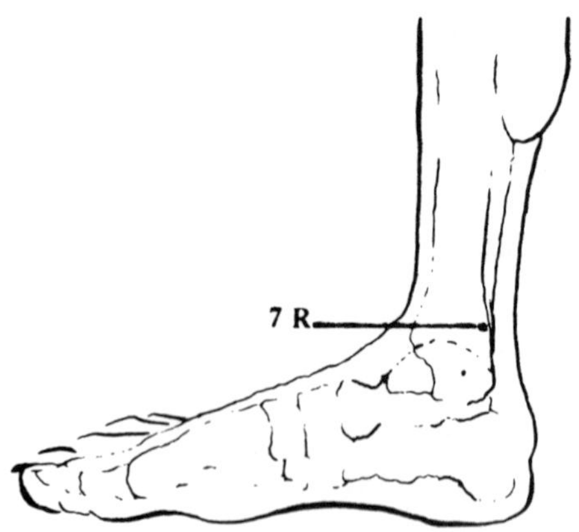

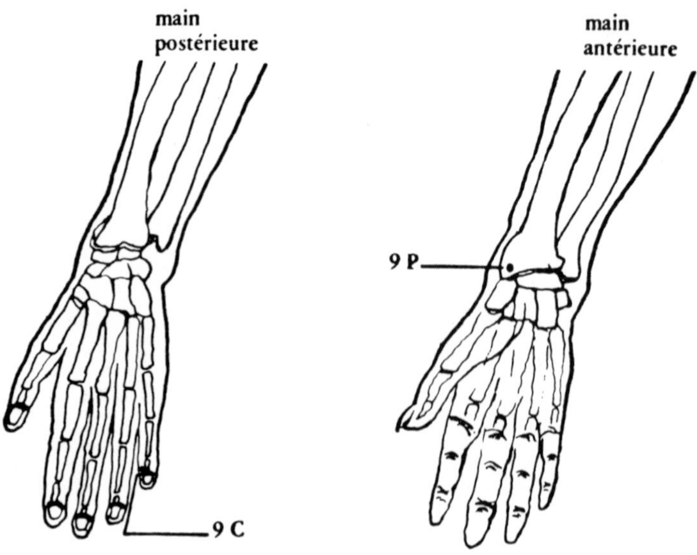

CŒUR
(Séquelles d'infarctus)

Acupuncture

9° COEUR « CHAO-TCHRONG » (Moindre assaut)
Extrémité de l'auriculaire, côté annulaire, deux millimètres de l'angle externe de l'ongle.

7° REINS « FOU LEOU » (Sourdre de nouveau)
Deux pouces et demi au-dessus de la malléole interne, un demi-pouce en arrière du tibia.

9° POUMONS « TRAE-IUANN » (Gouffre suprême)
Extrémité externe du pli du poignet, sur l'artère radiale.

Acupuncture locale

Au niveau de la région précordiale, puncturer les points douloureux. Laisser en place 3 minutes.

Homéopathie

MYOCARDE 7 CH 24 suppositoires
ARTERE 7 CH 24 suppositoires
Mettre un suppositoire le soir, l'autre le lendemain soir – un jour de repos – et recommencer.

Les résultats sont extrêmement efficaces, souvent spectaculaires.

Doit toujours être appliqué conjointement ou après le traitement classique prescrit par le cardiologue.

Étant donné la gravité exceptionnelle et la fréquence de cette affection, ne pas négliger, par scepticisme, ce traitement.

J'ai vu des malades entrer dans mon cabinet, souffrants, dyspnéiques, invalides, et sortir en disant « vous m'avez enlevé la douleur ».

Depuis des années ils mènent une vie active normale sans aucun traitement.

COLIBACILLOSE

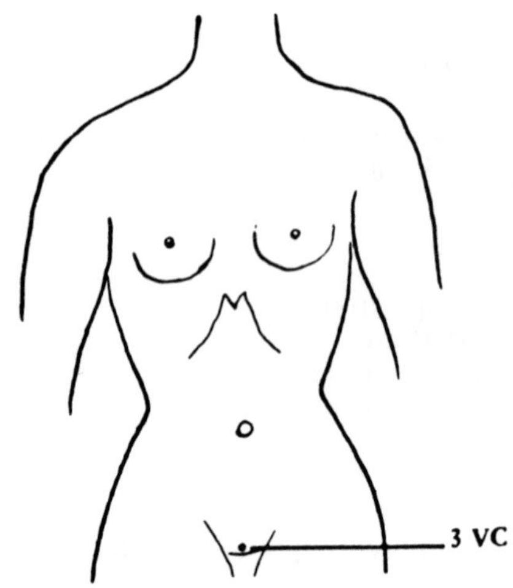

COLIBACILLOSE

Acupuncture

3° VAISSEAU DE CONCEPTION « TCHONG-TSI » (Axe central)
Un peu au-dessus et au milieu du pubis.

Homéopathie

BIOTHÉRAPIQUE COLIBACILLINUM 7 CH 6 ampoules buvables
1 ampoule perlinguale tous les 15 jours.

Voir : Cystite
Cystalgies

Un traitement complexe sera en général nécessaire.

Consulter un Acupuncteur et un Homéopathe.

CONSTIPATION

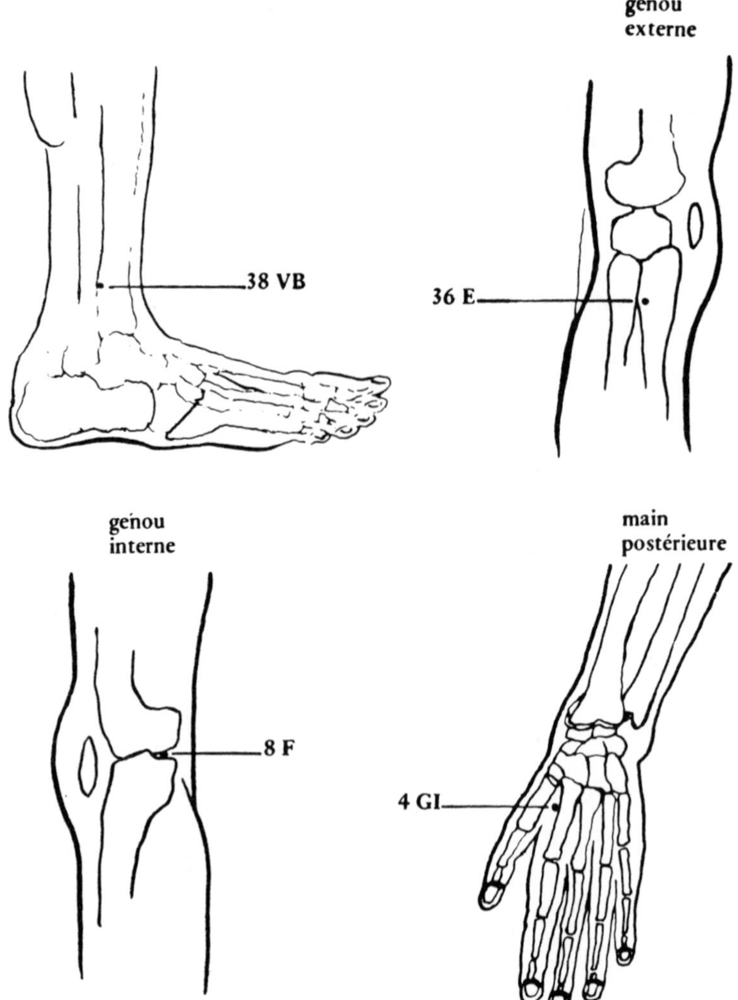

CONSTIPATION

Acupuncture

4° GROS INTESTIN « RO-KOU » (Fond de la vallée)
Angle métacarpien du pouce et deuxième métacarpien contre la tête de celui-ci.

36° ESTOMAC « SANN-LI de jambe » (3e village)
Face externe de la jambe, 1/3 entre l'arête du tibia et la tête du péroné.

8° FOIE « TSIOU-TSIUANN » (Source de la courbe)
Extrémité interne du pli de flexion du genou.

38° VESICULE BILIAIRE « IANG-FOU » (Aide au Iang)
Quatre pouces au-dessus de la cheville, dépression sur le bord antérieur du péroné.

Homéopathie

DEPURATUM LEHNING
1 à 5 comprimés au coucher.

HEPATO-DRAINOL
10 gouttes sur la langue 3 fois par jour, loin des repas.

Conditionner l'organisme à l'évacuation des selles en se présentant à la toilette tous les jours à la même heure, même si on ne ressent aucun besoin.

Résultat inconstant. Les causes de la constipation sont multiples. On n'a rien à perdre à l'essayer. En cas d'insuccès, consulter un Acupuncteur.

CONTUSIONS

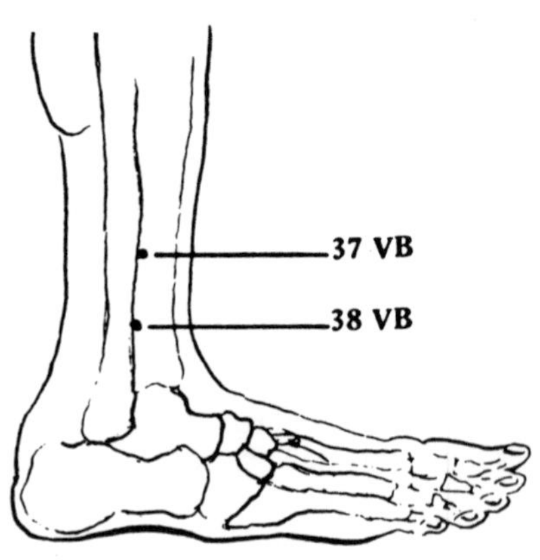
37 VB
38 VB

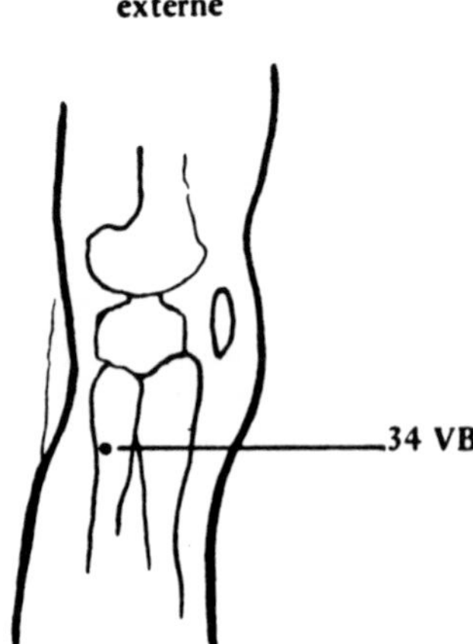
genou
externe
34 VB

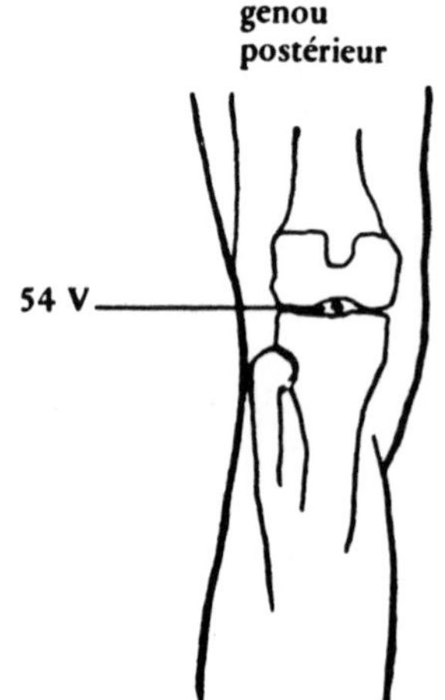
genou
postérieur
54 V

CONTUSIONS

Acupuncture

34° VÉSICULE BILIAIRE « IANG-LING-TSIUANN »
(Source du plateau externe)
Face externe du genou, dans la dépression, sous la tête du péroné, en avant, du côté du tibia.

37° VÉSICULE BILIAIRE « KOANG-MING » (Lumière brillante)
Un pouce au-dessus de 38° V.B. 5 travers de doigt au-dessus de la malléole externe.

38° VÉSICULE BILIAIRE « IANG-FOU » (Aide au Iang)
Quatre pouces au-dessus de la cheville, dépression sur le bord antérieur du péroné.

54° VESSIE « OE-TCHONG » (Médial du délégué)
Milieu du creux poplité.

Puncture locale

Superficielle.
Laisser en place 3 minutes.

Homéopathie

ARNICA TM
5 gouttes dans un verre d'eau, à boire matin et soir.

CALENDULA 5 CH
HYPERICUM 4 CH
2 granules de chaque tube 1 fois par 24 heures.

ARNICA 5 CH
BELLIS PERENNIS 4 CH
2 granules de chaque tube 2 fois par 24 heures, en alternant.

LOCALEMENT :

CALENDULA TM en compresses
ARNICA TM en compresses (s'il n'y a ni écorchures, ni plaies).

Très utile.

En cas de contusions multiples graves, faire ce traitement complet.

Dans les contusions légères, utiliser l'homéopathie seule.

CONVULSIONS

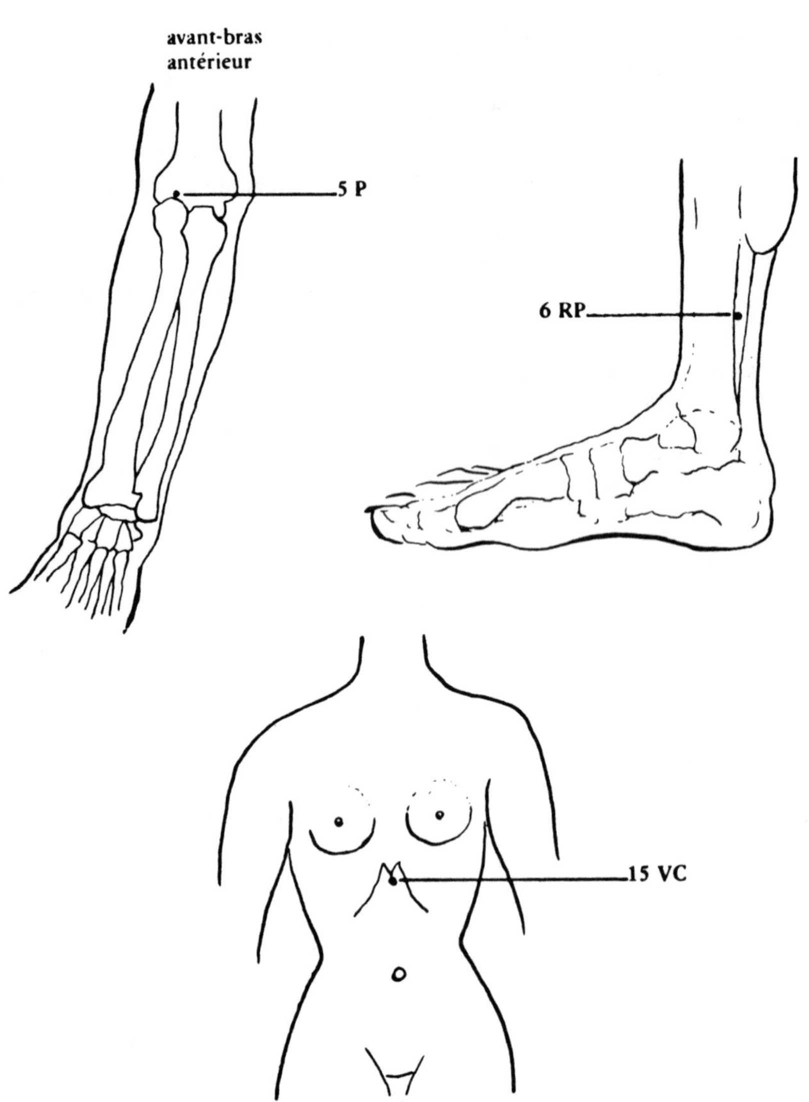

CONVULSIONS

Acupuncture

5° POUMONS « TCHRE-TSRE » (Marais du pied)
Un peu au milieu du pli du coude, à l'extérieur du tendon du biceps.

6° RATE - PANCRÉAS « SANN-INN-TSIAO » (Réunion des trois Inn)
Face interne de la jambe, 3 pouces au-dessus de la malléole interne, bord postérieur du tibia.

15° VAISSEAU DE CONCEPTION « TSIOU-OE » (Queue de pigeon)
Extrémité de l'appendice xyphoïde.

Homéopathie

CUPRUM METAL 5 CH
ZINCUM MÉTAL 5 CH
2 granules de chaque tube toutes les heures, en alternant.

Ne concerne évidemment pas l'épilepsie.

Surtout ne pas oublier de traiter le système nerveux (voir chapitre correspondant).

COQUELUCHE

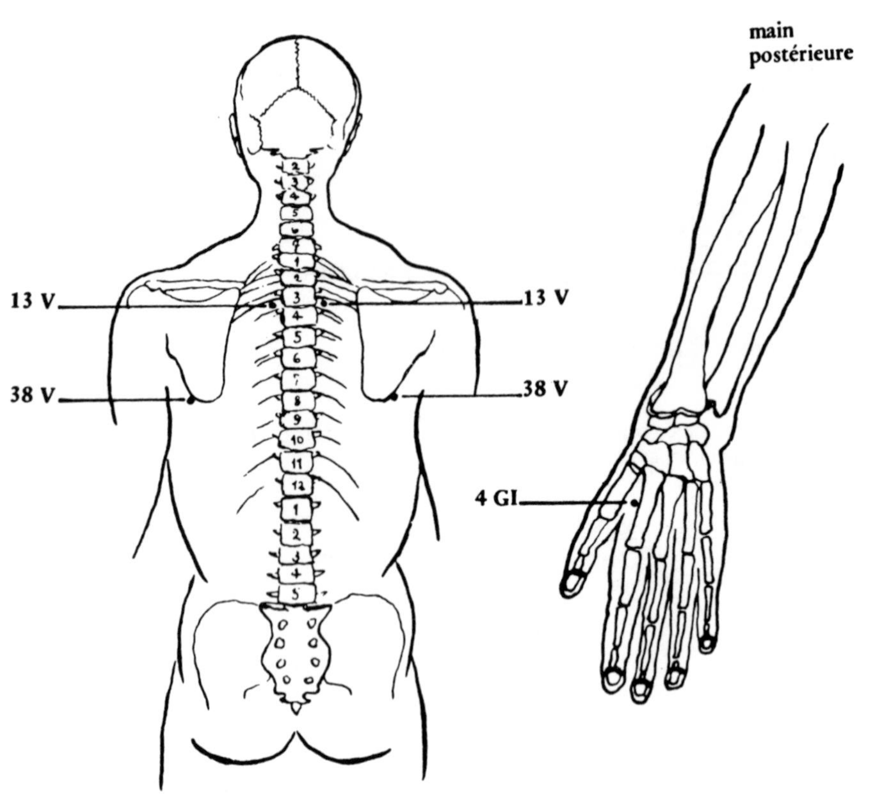

COQUELUCHE

Acupuncture

13° VESSIE « FEI-IU » (Assentiment des poumons)
Un pouce et demi de la ligne médiane, au niveau de l'horizontale passant entre la 3e et 4e vertèbres dorsales.

38° VESSIE « KAO-ROANG » (Centres vitaux)
Bras croisés, faire le gros dos, angle externe de l'omoplate.

4° GROS INTESTIN « RO-KOU » (Fond de la vallée)
Angle métacarpien du pouce et deuxième métacarpien contre la tête de celui-ci.

Homéopathie

BIOTHÉRAPIQUE PERTUSSINUM 7 CH
Une dose

Une heure après :

SULFUR 5 CH
Une dose

Continuer par :

PERTUSSI-DRAINOL
6 gouttes dans un peu d'eau 3 fois par jour.

On diminue la gravité et la durée de l'affection.

CRAMPES

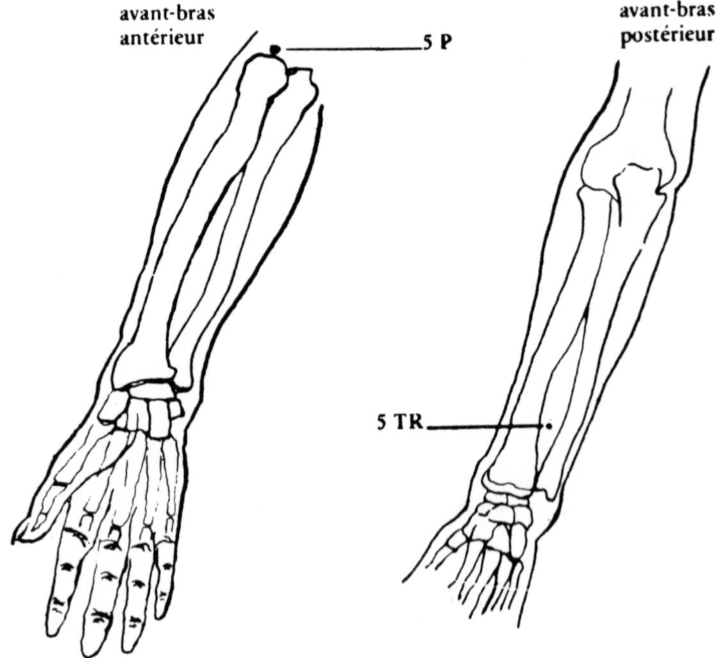

CRAMPES

Traiter éventuellement la cause.

Acupuncture

Une aiguille sur les malléoles externe et interne du pied.

5° TROIS RÉCHAUFFEURS « OAE-KOANN » (Barrière des Iang)
Main en pronation, deux pouces et demi du pli du poignet, bord du cubitus côté radius.

5° POUMONS « TCHRE-TSRE » (Marais du pied)
Un peu au milieu du pli du coude, à l'extérieur du tendon du biceps.

Homéopathie

CUPRUM MÉTAL 5 CH
ZINCUM MÉTAL 5 CH
Sucer 2 granules de chaque tube matin et soir, en alternant.

En général très efficace.

A essayer dans la « Maladie des jambes sans repos » (impatiences) pour laquelle les traitements sont tellement décevants.

Ne pas oublier de traiter le système nerveux.

CYSTALGIES

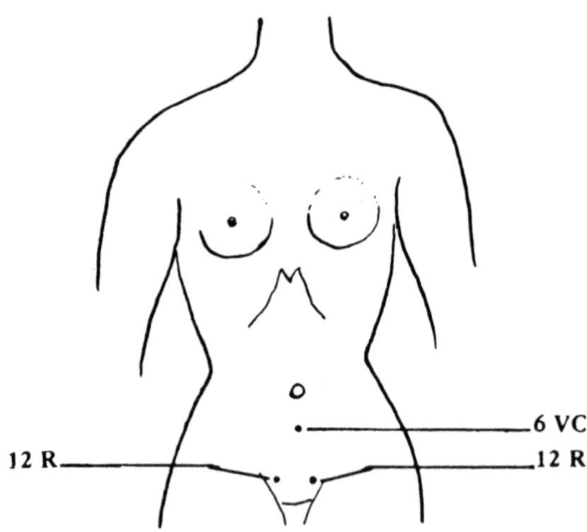
6 VC
12 R
12 R

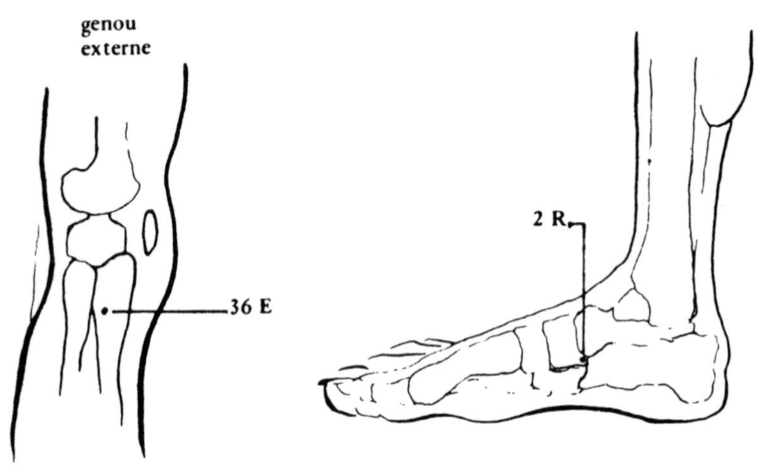
genou
externe
36 E
2 R

CYSTALGIES

Acupuncture

36° ESTOMAC « SANN-LI de jambe » (3e village)
Face externe de la jambe, 1/3 entre arête du tibia et tête du péroné.

2° REINS « JENN-KOU » (Vallée d'approbation)
Face interne du pied, sous la saillie et en arrière du scaphoïde, un pouce et demi en avant de la malléole interne.

12° REINS « TA-RO » (Grande respectabilité)
Un pouce et demi au-dessus du pubis, un pouce en dehors du milieu.

6° VAISSEAU DE CONCEPTION « TSRI-RAE »
(Océan d'énergie chez les mâles)
1/5 sous ombilic, sur la ligne, ombilic – partie supérieure du pubis.

Homéopathie

CANTHARIS 4 CH
2 granules

Une heure après :

MERCURIUS CORROSIVUS 5 CH
2 granules

Une heure après :

TEREBENTHINEA 4 CH
2 granules

Une heure après :

CANNABIS SATIVA 4 CH
2 granules

Renouveler ce traitement une fois par jour.

Les résultats sont en général bons et rapides.
En cas d'insuccès, voir un Acupuncteur.

CYSTITE

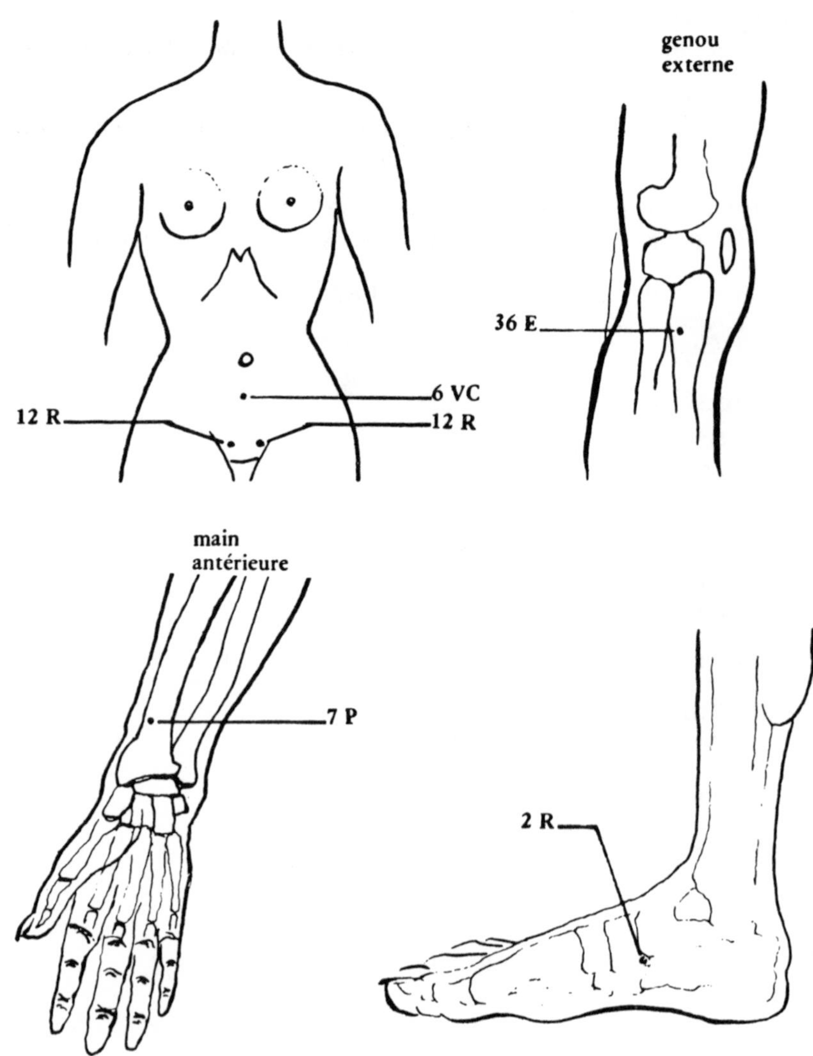

CYSTITE

Acupuncture

36° ESTOMAC « SANN-LI de jambe » (3e village)
Face externe de la jambe, 1/3 entre arête du tibia et tête du péroné.

2° REINS « JENN-KOU » (Vallée d'approbation)
Face interne du pied, sous la saillie et en arrière du scaphoïde, un pouce et demi en avant de la malléole interne.

12° REINS « TA-RO » (Grande respectabilité)
Un pouce et demi au-dessus du pubis, un pouce en dehors du milieu.

6° VAISSEAU DE CONCEPTION « TSRI-RAE »
(Océan d'énergie chez les mâles)
1/5 ombilic – rebord supérieur du pubis.

7° POUMONS « LIE-TSIUE » (Creux alignés)
Face interne du poignet. Angle tête du radius – face interne du radius.
Piquer parallèlement entre peau et artère.

Homéopathie

VESSIE 7 CH 24 suppositoires
3 suppositoires par semaine.

FORMICA RUFA COMPOSÉ
10 gouttes matin et soir.

Traiter la colibacillose si nécessaire.
Pour les cystites douloureuses, voir « Cystalgies ».

Très bons résultats – Parfois insuffisant.
Voir un Acupuncteur pour un traitement personnalisé.

DÉCHIRURE MUSCULAIRE_CLAQUAGE

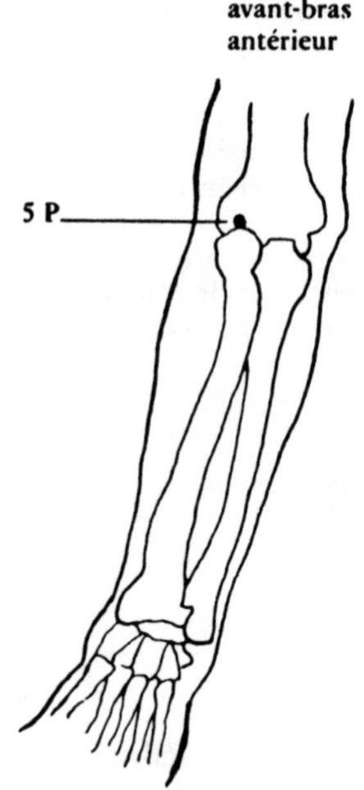

DÉCHIRURE MUSCULAIRE _CLAQUAGE

La vraie déchirure musculaire avec épanchement de sang est rare. La plupart du temps, ce que les patients appellent ainsi est une contracture spasmodique du muscle.

Mettre le muscle au repos.

Acupuncture

5° POUMONS « TCHRE-TSRE » (Marais du pied).
Un peu au milieu du pli du coude, à l'extérieur du tendon du biceps.

Punctures locales

Placer une aiguille à chaque extrémité du muscle, au niveau du tendon, et une au milieu du muscle.

Laisser en place une dizaine de minutes jusqu'à disparition de la contracture.

Massages

Effleurage doux en remontant. Ou mieux, vibration douce.

Homéopathie

CUPRUM MÉTAL 5 CH
ZINCUM MÉTAL 5 CH
Sucer 2 granules de chaque tube matin et soir en alternant.

DÉFENSE

Cas d'urgence, de détresse, noyade, asphyxie...
Intoxication par barbituriques, comas.

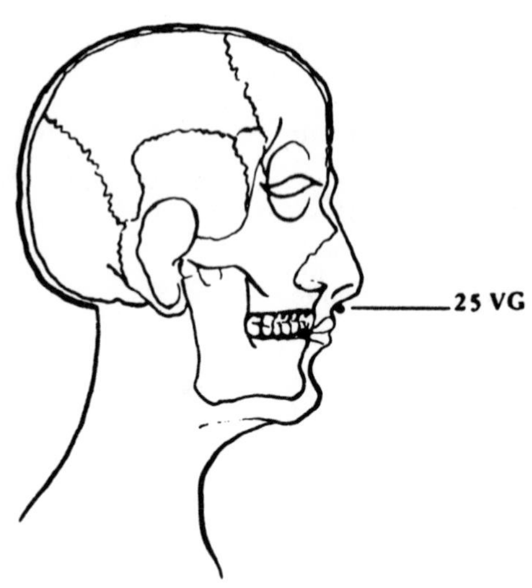

DÉFENSE

Cas d'urgence, de détresse, noyade , asphyxie...
Intoxication par barbituriques. comas.

Acupuncture

DIX FÉES

Puncturer rapidement, sans laisser l'aiguille en place, la pulpe de l'extrémité des 10 doigts.

Ce traitement m'a été indiqué au Congrès de 1950 par le Ministre de la Santé du Vietnam.

25° VAISSEAU GOUVERNEUR « CHOE-KEOU » (Fossé pour l'eau)

Milieu de la lèvre supérieure, à la base du nez.

Avec les Dix fées, j'ai obtenu des résultats spectaculaires dans les suicides aux barbituriques. J'étends actuellement ce traitement à de multiples affections avec de bons résultats. Ceci est logique, car il augmente les défenses de l'organisme avec une grande puissance.

DÉMINÉRALISATION

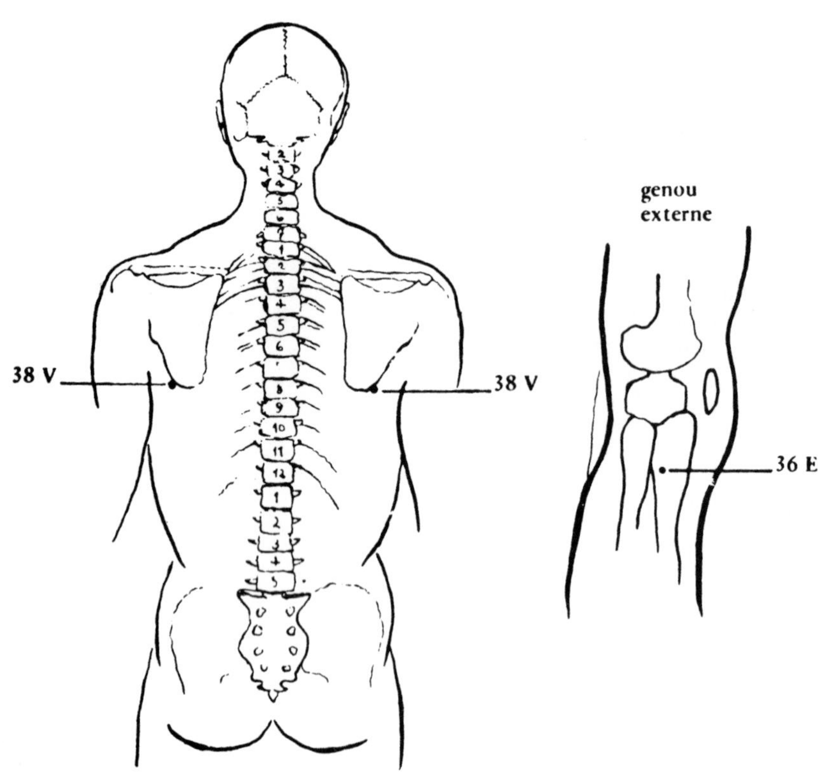

DÉMINÉRALISATION

Voir : ANÉMIE
ASTHÉNIE

Acupuncture

38° VESSIE « KAO-ROANG » (Centres vitaux)
Bras croisés, faire le gros dos, angle externe de l'omoplate.

36° ESTOMAC « SANN-LI de jambe » (3e village)
Face externe de la jambe, 1/3 entre arête du tibia et tête du péroné.

Pour fixer les sels minéraux ajouter au traitement :

Homéopathie

NATRUM MURIATICUM 7 CH
5 granules tous les 15 jours.

SILICEA 5 CH
2 granules tous les 3 jours.

BARYTA CARBONICA 5 CH
SYMPHYTUM 5 CH
2 granules. Un jour un tube, un jour l'autre.

OSTÉOCYNESINE
2 comprimés matin et soir.

VITO-DRAINOL
10 gouttes 3 fois par jour, loin des repas.

GINSENG (Dietaroma)
Deux ampoules par jour.

Et les merveilleux ULTRA-VIOLETS.

Récalcifie vraiment.

Je considère comme nocives, les thérapeutiques amenant à l'organisme un apport massif de calcium. Le problème est dans la *fixation* du calcium, une alimentation normale apportant beaucoup plus que la quantité nécessaire.

Et les décalcifications par hypercalcification, ça existe !
L'organisme ne pouvant pas fixer le calcium, rejette tout le calcium d'apport plus une partie de celui qu'il avait du mal à garder.

DENTAIRES
(Généralités)

A la demande d'amis et clients dentistes j'ai ajouté plusieurs pages concernant la pratique de l'art dentaire.

Volontairement, suivant l'idée de cet ouvrage, j'ai donné des notions d'acupuncture et d'homéopathie très simplifiées. Je n'ai pas la prétention de leur enseigner ces disciplines, mais seulement de leur fournir quelques conseils destinés à les aider dans leur pratique journalière.

Je ne fais pas de commentaires sur l'efficacité de ces traitements car je ne suis pas dentiste et n'ai aucune statistique à ce sujet ; ils devront se faire leur propre opinion à force de pratique.

Si, voyant l'efficacité de ces méthodes ils désirent parfaire leurs connaissances, ils trouveront dans le commerce de nombreux traités à caractère beaucoup plus pédagogique.

Comme aiguilles j'utilise des sondes dentaires lisses (n° 4, gros, 30-29) après les avoir aiguisées à la pierre d'Arkansas.

Nettoyer peau et aiguille à l'alcool, traverser la peau, laisser en place 3 minutes.

DENTAIRES
(Dent de sagesse)

– Suivant l'état de la dent se réfèrer aux chapitres :
« Douleur » « Infection » « Trismus »

– Dans les cas légers

Homéopathie

– CONTRE L'INFECTION :

MERCURIUS SOLUBILIS 4 CH
2 granules matin et soir

– CONTRE LA DOULEUR :

BELLADONA 4 CH
2 granules toutes les 2 heures

DENTAIRES
(Caries)

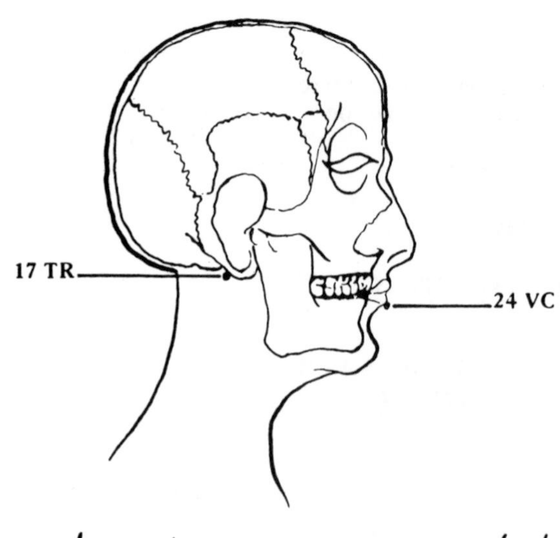

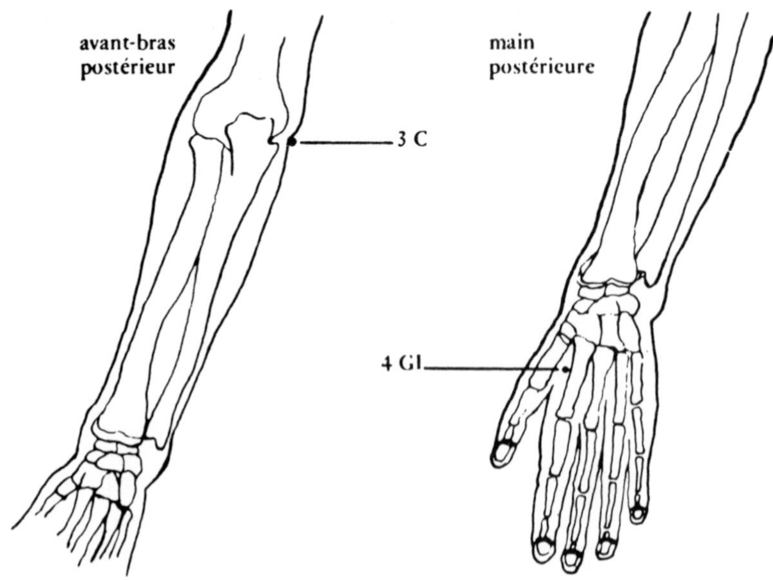

DENTAIRES
(Caries)

– Il est indispensable de recalcifier l'organisme si celui-ci est déficient. Se reporter au chapitre correspondant.

– Evidemment, respecter les règles d'hygiène dentaire et consulter régulièrement son dentiste pour des soins d'entretien.

Acupuncture

4° GROS INTESTIN « RO-KOU » (Fond de la vallée)
Angle métacarpien du pouce et deuxième métacarpien contre la tête de celui-ci.

17° TROIS RÉCHAUFFEURS « I-FONG » (l'écran)
Angle postérieur de la Mastoïde

3° COEUR « CHAO-RAE » (Moindre mer)
Face antéro-interne du coude, contre le bord interne du biceps.

24° VAISSEAU DE CONCEPTION « TCHRENG-TSIANG »(Reçoit les PATES)
Milieu lèvre inférieure, à la limite de la muqueuse.

Homéopathie

STAPHYSAGRIA 5 CH
2 granules le matin

KREOSOTUM 5 CH
2 granules le soir

DENTAIRES
(Douleurs)

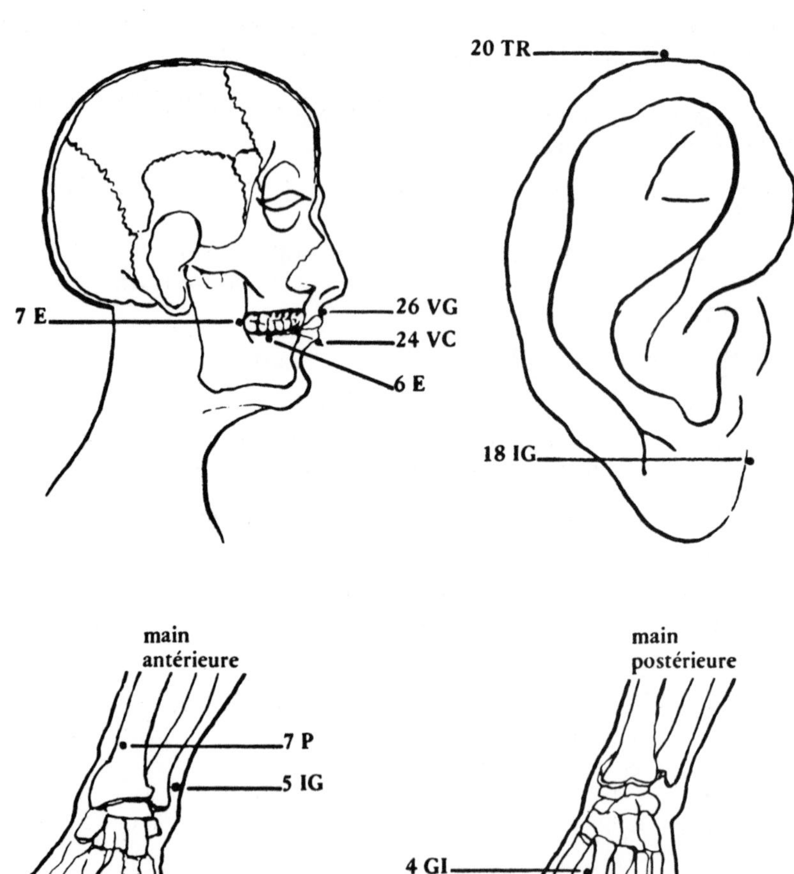

DENTAIRES
(Douleurs)

Contre les douleurs d'origine infectieuse, traiter d'abord la cause en s'inspirant des conseils donnés au chapitre « Dentaires (Infections) ».

Utiliser *toujours* : le 7° DU POUMON, le 1° DU GROS INTESTIN et le 4° DU GROS INTESTIN.

Souvent : le 26° VAISSEAU GOUVERNEUR et le 24° VAISSEAU DE CONCEPTION.

Parmi les autres, essayer ceux qui sont les plus proches du trajet douloureux. Peu à peu l'expérience vous guidera.

Acupuncture

7° POUMONS « LIE-TSIUE » (Creux éloignés)
Au poignet, sur l'artère radiale, au bas de l'apophyse radiale.
Piquer parallèlement entre peau et artère.

5° INTESTIN GRELE « IANG-KOU » (Vallée externe Iang)
Bord cubital du poignet.

18° INTESTIN GRELE « TING-KONG » (Palais de l'ouie)
Bord antérieur du lobule de l'oreille au point ou il s'attache à la joue, un peu en-dessous.

1° GROS INTESTIN « CHANG-IANG » (Iang des marchands)
Deux millimètres de l'angle de l'ongle de l'index côté pouce.

4° GROS INTESTIN « RO-KOU » (Fond de la vallée)
Angle métacarpien du pouce et deuxième métacarpien, contre la tête de celui-ci.

6° ESTOMAC « TI-TSRANG » (Grenier en terre)
Deux travers de doigt en dehors de la commissure des lèvres.

7° ESTOMAC « TSIA-TCHRE » (Maxillaire)
Angle de la branche montante du maxillaire inférieur.

20° TROIS RECHAUFFEURS « TSIO-SOUN » (Descendants des cornes)
Sur l'oreille, mi largeur.

DENTAIRES *(Suite)*
(Douleurs)

24° VAISSEAU DE CONCEPTION « TCHRENG-TSIANG »(Reçoit les PATES)
Milieu lèvre inférieure, à la limite de la muqueuse.

26° VAISSEAU-GOUVERNEUR « TOE TOANN » (Extrémité saillante)
Lèvre supérieure, ligne médiane, à la limite de la muqueuse.

Homéopathie

BELLADONA 4 CH
MERCURIUS SOLUBILIS 4 CH
Sucer 2 granules de chaque, 2 fois par jour, en alternant.

Un petit tuyau parfois utile pour le patient si son dentiste n'a pas lu ce livre : quand vous souffrez, appuyez fortement sur l'angle de l'ongle de l'index côté pouce (un millimètre en dehors) avec l'ongle de l'autre index ; quand le doigt souffre la dent souffre moins.

Je ne traite pas l'analgésie par acupuncture qui exige une étude spéciale et certains appareils de détection et de stimulation ; ce qui dépasse le cadre de cet ouvrage.

DENTAIRES
(Extractions)

Homéopathie

LA VEILLE AU SOIR PRENDRE

– PHOSPHORUS 9 CH 1 dose
1 heure après, sucer 2 granules de :

– CHINA 4 CH
1 heure après, sucer 2 granules de :

– HYPERICUM 4 CH

Ce traitement diminue la douleur, les risques d'hémorragie et d'infection.

APRES L'EXTRACTION

Sucer 2 granules de :

– ARNICA 5 CH
1/2 heure après 2 granules de :

– HYPERICUM 4 CH

– Bains de bouche avec 10 gouttes de la solution dans 1 verre d'eau tiède.

– PHYTOLACCA TM }
– CALENDULA TM } aa 15 ml

DENTAIRES
(Gingivites)

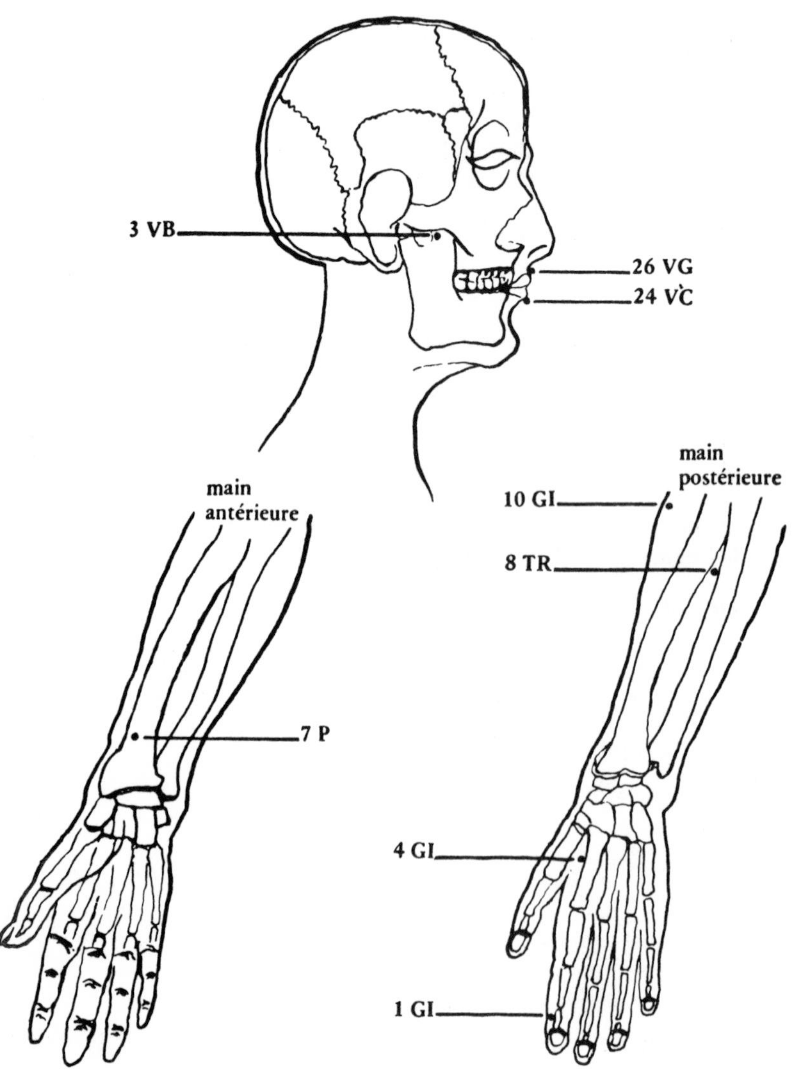

DENTAIRES
(Gingivites)

Acupuncture

8° TROIS RÉCHAUFFEURS « SANN-IANG-LO »
(Vaisseaux seconds des trois Iang)
Quatre pouces et demi du pli du poignet, entre cubitus et radius.

1° GROS INTESTIN « CHANG-IANG » (Iang des marchands)
Deux millimètres de l'angle de l'ongle de l'index côté pouce.

4° GROS INTESTIN « RO-KOU » (Fond de la vallée)
Angle métacarpien du pouce et deuxième métacarpien contre la tête de celui-ci.

10° GROS INTESTIN « SANN-LI BRAS » (Troisième li)
3 doigts au-dessous du pli du coude à l'extérieur de l'avant bras.

7° POUMONS « LIE-TSIUE » (Creux alignés)
Au poignet, sur l'artère radiale, au bas de l'apophyse radiale. Piquer parallèlement entre peau et artère.

3° VÉSICULE BILIAIRE « TRONG-TSE-TSIAO »(Trou de pupille)
Articulation temporo-maxillaire.

24° VAISSEAU DE CONCEPTION « TCHRENG-TSIANG »(Reçoit les PATES)
Milieu de la lèvre inférieure, à la limite de la muqueuse.

26° VAISSEAU GOUVERNEUR « TOE-TOANN » (Extrémité saillante)
Lèvre supérieure, ligne médiane, à la limite de la muqueuse.

Homéopathie

AURUM MÉTALLICUM 5 CH
2 granules une fois par jour.
PYROGENIUM 7 CH
Sucer 5 granules au lever et au coucher.
ARSENICUM ALBUM 4 CH
BELLADONA 4 CH
Sucer 2 granules 2 fois par 24 heures, en alternant.

Le résultat est spectaculaire. Les dents ne tremblent plus, ne se déchaussent plus ; la muqueuse ne saigne plus et elle repousse.

DENTAIRES
(Infections)

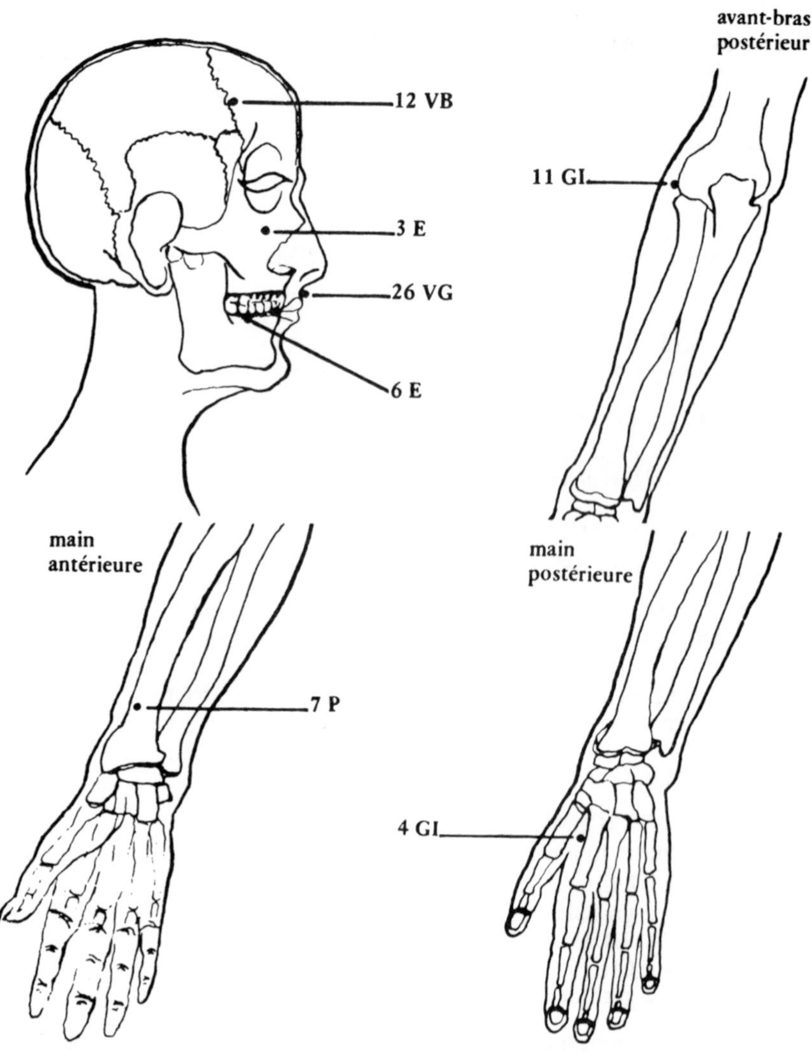

DENTAIRES

(Infections)

Acupuncture

4° GROS INTESTIN « RO-KOU » (Fond de la vallée)
Angle métacarpien du pouce et deuxième métacarpien contre la tête de celui-ci.

11° GROS INTESTIN « TSIOU-TCHRE » (Marais de la courbe)
Angle externe du coude plié.

3° ESTOMAC « SE PAE » (Quatre blancheurs)
Sous le milieu de l'œil, rebord supérieur de la pommette.

6° ESTOMAC « TI-TSRANG » (Grenier en terre)
Deux travers de doigts en dehors de la commissure des lèvres.

12° VÉSICULE BILIAIRE « MOU-TCHROANG » (Fenêtre d'œil)
Sommet de la tête, 4 travers de doigt latéralement, 1 main au-dessus du sourcil.

26° VAISSEAU GOUVERNEUR « TOE-TOANN » (Extrémité saillante)
Lèvre supérieure, ligne médiane, à la limite de la muqueuse.

7° POUMONS « LIE-TSIUE » (Creux alignés)
Au poignet, sur l'artère radiale, au bas de l'apophyse radiale. Piquer parallèlement entre peau et artère.

Homéopathie

– PRÉVENTION DE L'INFECTION AU STADE CONGESTIF

BELLADONA 4 CH
2 granules toutes les heures.

La puncture du 7° du Poumon peut être faite tous les jours.

– ABCES NON COLLECTÉ

Puncture du 7° du Poumon 2 à 3 fois par jour suivant l'intensité de la douleur.

PYROGENIUM 7 CH
5 granules matin et soir.

DENTAIRES *(Suite)*
(Infections)

HEPAR SULFUR 9 CH
5 granules 7 heures après.

ARSENICUM ALBUM 7 CH
5 granules 1 heure après.

– ABCES COLLECTÉ

Traitement classique évacuateur.

HEPAR SULFUR 5 CH (aide à l'élimination)
Sucer 2 granules toutes les heures.

BELLADONA 4 CH (atténue la douleur)
Sucer 2 granules 2 heures avant Hepar Sulfur.
Puis toutes les 2 heures après l'arrêt d'Hepar Sulfur.

DENTAIRES
(Pyorrhée alvéolo-dentaire)

Utiliser le même traitement que les GINGIVITES.

Au cours d'une autre séance ajouter pour :

DENTS MOBILES

Acupuncture

2° VÉSICULE BILIAIRE « KRO-TCHOU-JENN » (hôte et invité)
Mi-distance oreille-arcade orbitaire.

DENTS DÉCHAUSSÉES

Acupuncture

7° ESTOMAC « TSIA-TCHRE » (maxillaire)
Angle de la branche montante du maxillaire inférieur.
Aux extrémités de la commissure buccale.

24° VAISSEAU DE CONCEPTION « TCHRENG-TSIANG » (Reçoit les PATES)
Milieu lèvre inférieure, à la limite de la muqueuse.

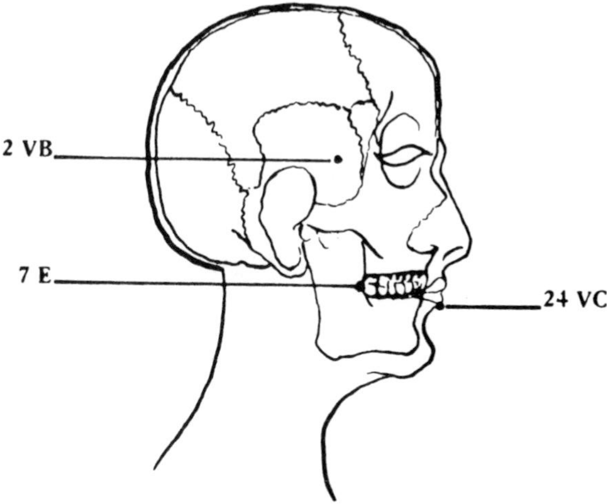

DENTAIRES
(Trismus)

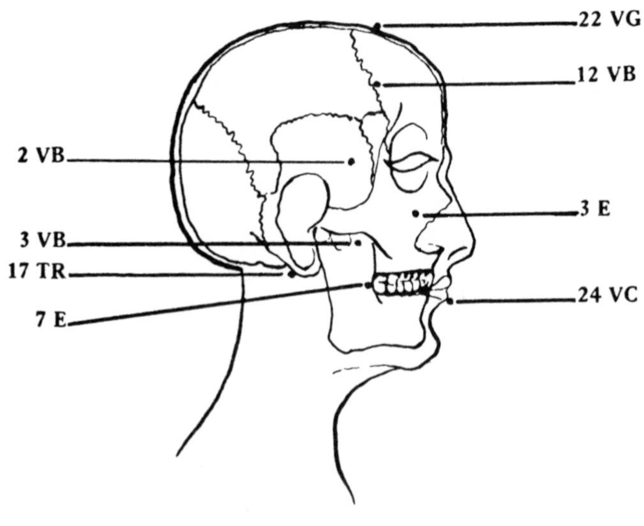

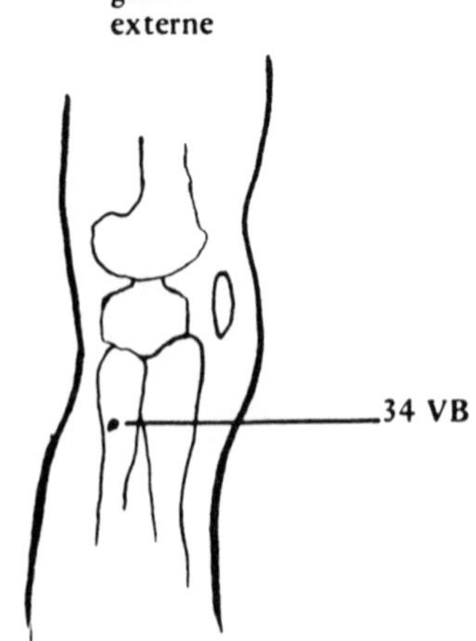

DENTAIRES
(Trismus)

Les points à faire toujours et en premier sont les :

4° et 5° GROS INTESTIN, 3° et 7° D'ESTOMAC, 5° DU POUMON
Laisser les aiguilles 3 minutes, puis essayer les autres un à un.
Peu à peu l'expérience vous guidera.

Acupuncture

2° VÉSICULE BILIAIRE « KRO-TCHOU-JENN » (Hôte et invité)
Mi-distance oreille-arcade orbitaire.

3° VÉSICULE BILIAIRE « TRONG-TSE-TSIAO » (Trou de pupille)
Articulation temporo-maxillaire.

12° VÉSICULE BILIAIRE « MOU-TCHROANG » (Fenêtre d'œil)
Sommet de la tête, 4 travers de doigt latéralement, une main au-dessus du sourcil.

34° VÉSICULE BILIAIRE « IANG-LING-TSIUNN »
(Source du plateau externe)
Face externe du genou, dans la dépression, sous la tête du péroné, en avant, du côté du tibia.

5° POUMONS « TCHRE-TSRE » (Marais du pied)
Un peu au milieu du pli du coude, à l'extérieur du tendon du biceps.

7° POUMONS « LIE-TSIUE » (Creux alignés)
Au poignet, sur l'artère radiale, au bas de l'apophyse radiale.
Piquer parallèlement entre peau et artère.

4° GROS INTESTIN « RO-KOU » (Fond de la vallée)
Angle métacarpien du pouce et 2° métacarpien, contre la tête de celui-ci.

5° GROS INTESTIN « IANG-TSRI » (Vallon des IANG)
Dans la tabatière anatomique.

10° GROS INTESTIN « SANN-LI de BRAS » (Troisième LI)
3 doigts au-dessous du pli du coude, à l'extérieur de l'avant bras.

3° ESTOMAC « SE-PAE » (Quatre blancheurs)
Sous le milieu de l'œil, rebord supérieur de la pommette.

DENTAIRES
(Trismus)

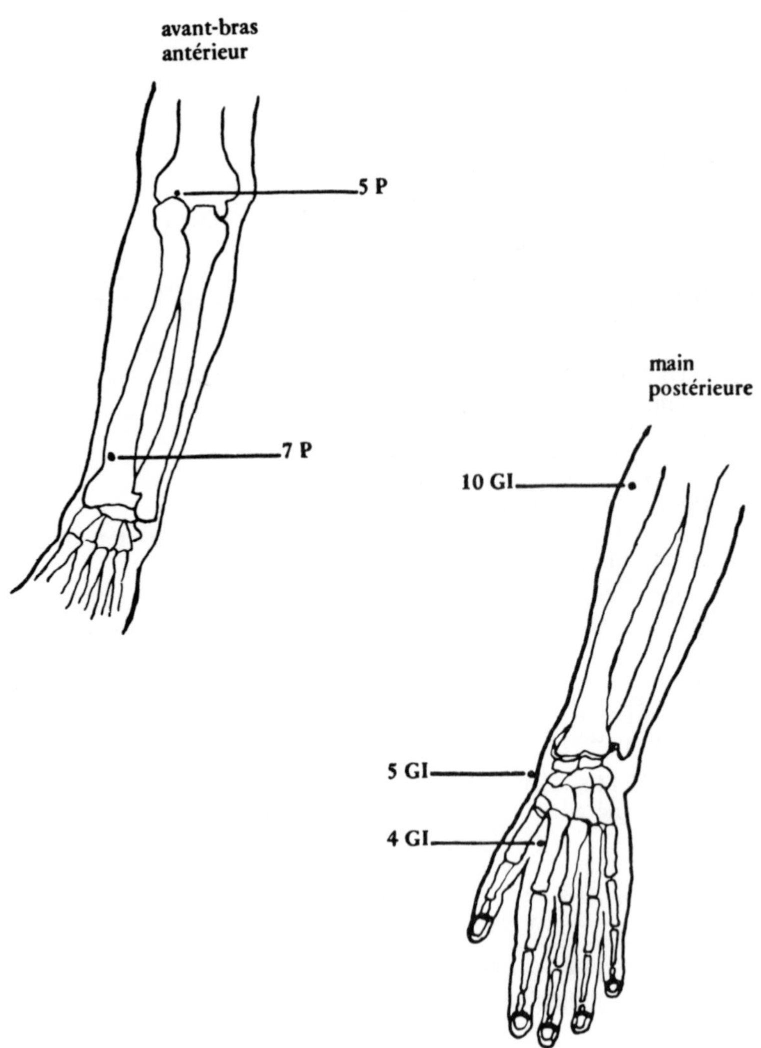

DENTAIRES
(Trismus)

7° ESTOMAC « TSIA-TCHRE » (Maxillaire)
2 travers de doigt en dehors de la commissure des lèvres.

17° TROIS RÉCHAUFFEURS « I-FONG » (L'écran)
Angle postérieur de la mastoïde.

22° VAISSEAU GOUVERNEUR « CHANG-SING » (Étoile supérieure)
Tête, sommet antérieur, ligne médiane, 2 travers de doigt en avant de la fontanelle.

24° VAISSEAU DE CONCEPTION « TCHRENG-TSIANG »(Reçoit les PATES)
Milieu de la lèvre inférieure, à la limite de la muqueuse.

Homéopathie

TETANOCOCCINUM 5 CH
CUPRUM MÉTAL 5 CH
ZINCUM MÉTAL 5 CH
Sucer 2 granules de chaque, 3 fois par jour, en alternant.

DÉPURATION

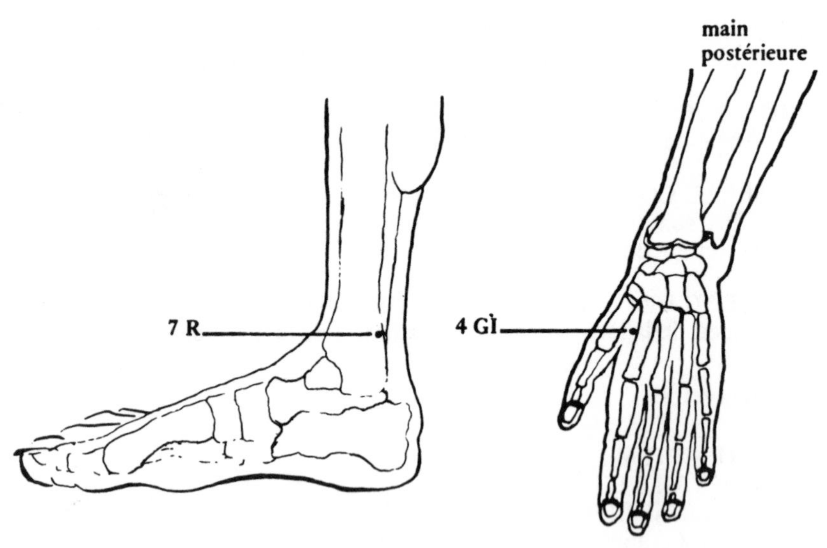

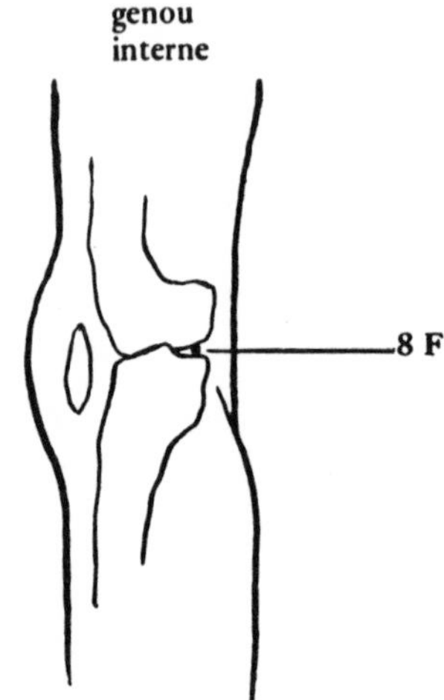

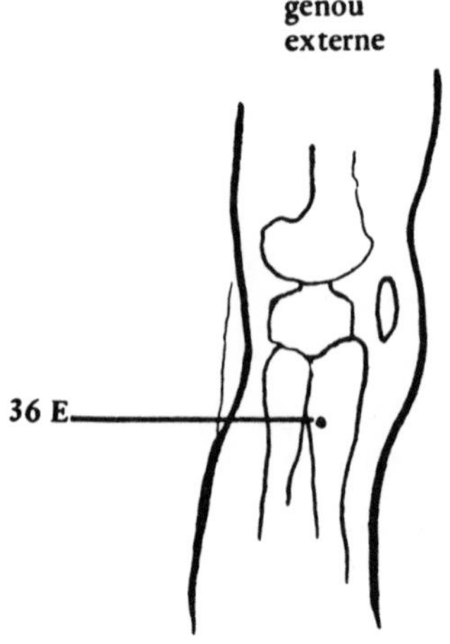

DÉPURATION

Cette médication est bien oubliée de nos jours par le milieu médical. Dans le public par contre elle avait autrefois et elle a encore, une grande audience. Sa place est toujours très importante dans les traitements homéopathiques.

Elle doit être utilisée après toutes les intoxications, tous les grands traumatismes affectifs, les stress importants, au décours des maladies de longue durée, pendant les cures de désintoxication, après des prises importantes de médicaments (en particulier cortisone et antibiotiques), pendant les régimes amaigrissants, le traitement de l'acné et de la furonculose...
Le traitement doit être modulé suivant l'intoxication responsable et les réactions du patient.

Acupuncture

7° REINS « FOU-LEOU » (SOURDRE de nouveau)
Deux pouces et demi au-dessus de la malléole interne, un demi-pouce en arrière du tibia.

4° GROS INTESTIN « RO-KOU » (Fond de la Vallée)
Angle métacarpien du pouce et deuxième métacarpien, contre la tête de celui-ci.

8° FOIE « TSIOU-TSIUANN » (Source de la courbe)
Angle interne du pli du genou.

36° ESTOMAC « SANN-LI de jambe » (3e Village)
Face externe de la jambe, 1/3 entre arête du tibia et tête du péroné.

Homéopathie

DRAINAGE
Utiliser les draineurs correspondant aux organes les plus atteints.
Ils sont très nombreux dans la pharmacopée homéopathique : Drainols, Homéodraineurs...

INTOXICATIONS MEDICAMENTEUSES
Voir le chapitre « Médicaments »

La meilleure désintoxication générale est constituée par le JEUNE avec purges. Voir « Jeûne ».

L'alimentation « MACROBIOTIQUE » en cures discontinues est fortement conseillée.

DIARRHÉE

Tous syndromes diarrhéiques ou dysentériques quelle qu'en soit l'origine.

Acupuncture

2° REINS « JENN-KOU » (Vallée d'approbation)
Face interne du pied, sous la saillie et en arrière du scaphoïde, un pouce et demi en avant de la malléole interne.

36° ESTOMAC « SANN-LI de jambe » (3e village)
Face externe de la jambe, 1/3 entre arête du tibia et tête du péroné.

62° VESSIE « CHENN-MO » (Vaisseau perforant)
Base du calcanéum, milieu du bord inférieur, sous la malléole externe.

Homéopathie

ALOE COMPOSÉ
2 granules toutes les heures, puis espacer.

Bons résultats, souvent spectaculaires.

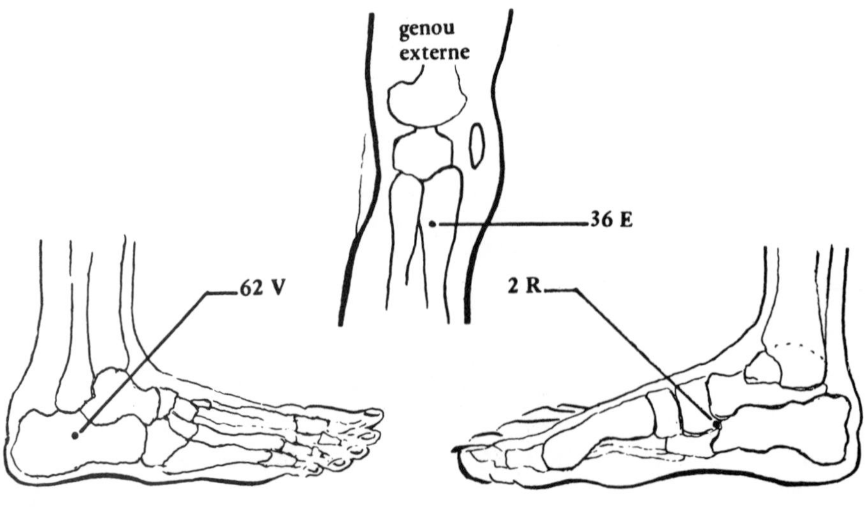

DIGESTION

Acupuncture

10° GROS INTESTIN « SANN-LI de bras » (Troisième Li)
3 doigts au-dessous du pli du coude, à l'extérieur de l'avant-bras.

Au cours ou après un repas trop abondant, l'irritation par massage avec l'ongle ou par aiguille, permet la continuation du repas.

J'ai souvent joué au sorcier dans ma jeunesse au cours de repas trop abondants pris avec des amis, quand personne n'avait plus faim à l'apparition du plat de résistance.

Cela m'arrive encore parfois avec des volontaires sans appétit : résultats garantis, ils remangent !!.

Facilite la digestion.

Folklorique et utile.

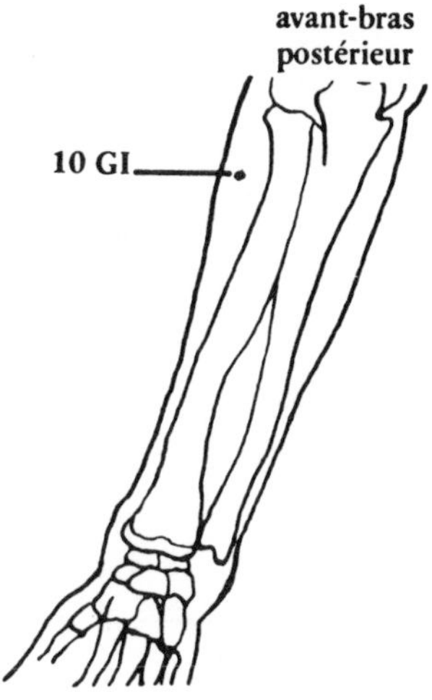

DORSALGIE

Acupuncture

8° TROIS RÉCHAUFFEURS « SANN-IANG-LO »
(Vaisseaux seconds des trois Iang)
Quatre pouces et demi du pli du poignet, entre cubitus et radius.

62° VESSIE « CHENN-MO » (Vaisseau perforant)
Base du calcaneum, milieu du bord inférieur, sous la malléole externe.

Punctures locales rapides et multiples.

Homéopathie

CEPHYL
3 comprimés par jour.

Le cas échéant, recalcifier (voir « DEMINERALISATION »).

Manipulations vertébrales indispensables.

Très souvent en quelques secondes la douleur disparaît pour longtemps.
Très bons résultats.

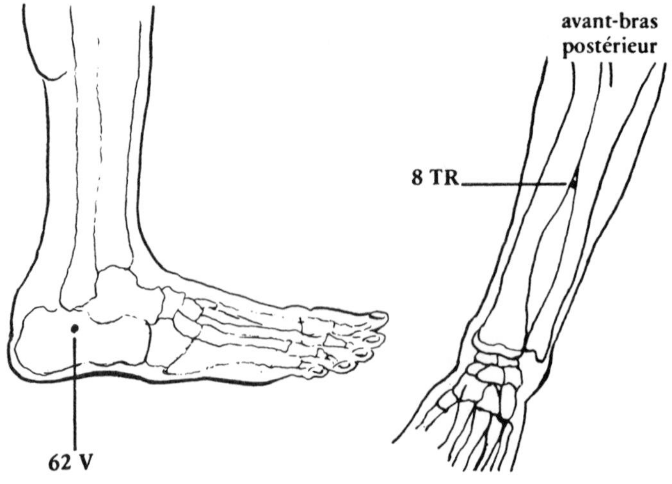

DOULEURS

Dans maintes parties du monde, des méthodes apparentées à l'acupunture ont aussi fait leurs preuves, utilisant par exemple les ongles de trois doigts disposés comme des griffes (au Viet-Nam), des peignes , des aiguilles, des sinapismes, des révulsifs, des ventouses, etc.., qui ont pour but, en irritant les endroits douloureux, de soulager la douleur et l'organe profond correspondant.

En présence de ces méthodes plus ou moins empiriques de lutte contre la douleur, est-il possible d'expliquer scientifiquement d'où provient l'efficacité de ces procédés?

LE CYCLE DE LA DOULEUR LOCALE

Il faut se rappeler tout d'abord que la peau est tapissée d'une quantité innombrable de terminaisons nerveuses, dont la stimulation, l'excitation, voire l'irritation agissent en profondeur sur les méridiens, sur les Points Chinois et sur les organes internes correspondants.

Chaque nerf, chaque artère, chaque veine possède sur sa paroi externe, ses propres nerfs, artères et veines. Choc, traumatisme ou seulement fatigue déclenchent une douleur localisée qui, du fait de l'irritation de leurs nerfs propres, provoque la vasoconstriction des vaisseaux du secteur douloureux: la circulation du sang y est diminuée. Mais ce ralentissement de circulation augmente encore la douleur qui, à nouveau, fait se contracter les vaisseaux, etc.., le cycle infernal de la douleur est déclenché.

Le MULTIPUNCTEUR CHÂM THUÂT SA produit ses effets par réflexothérapie cutanée. L'irritation des nerfs diminue, les vaisseaux se dilatent, la circulation s'améliore, la douleur régresse et le cycle de la douleur est rompu.

Ainsi, en augmentant l'influx nerveux dans les innombrables terminaisons cutanées et en favorisant la circulation sous-jacente, on fait disparaître la douleur et l'on accélère la guérison.

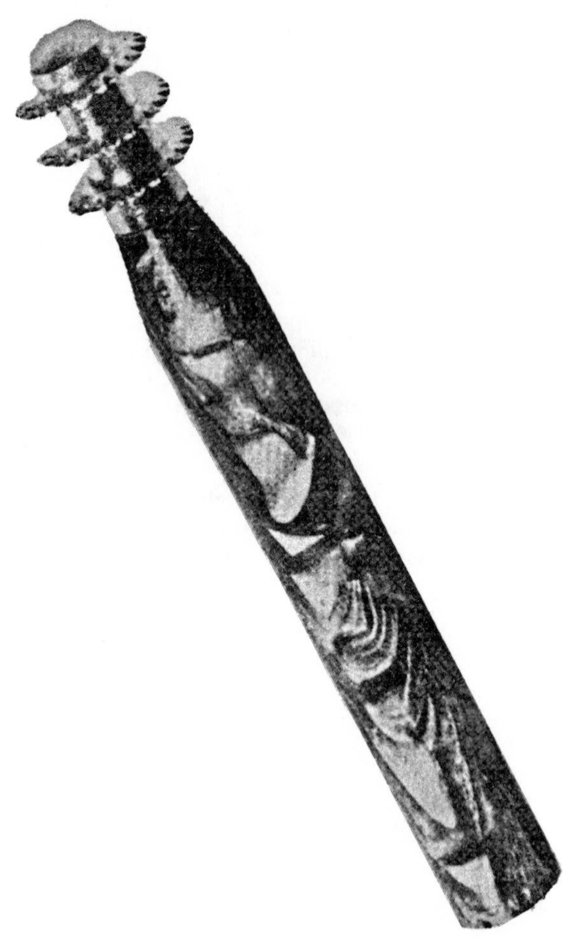

161 A

LE MULTIPUNCTEUR CHÂM THUÂT SA

En fonction de ces données, il était normal de chercher à réaliser un appareil qui stimule les terminaisons nerveuses SANS RISQUES D'EFFETS SECONDAIRES, pour que le grand public, sans connaissances spéciales puisse lutter efficacement et facilement contre la diversité des douleurs qui handicapent si souvent notre vie.

Le MULTIPUNCTEUR CHÂM THUÂT SA, né de cette recherche, est présenté avec 3 molettes se mouvant indépendamment et chaque molette comporte 24 dents pointues. Ainsi, lorsque vous faites rouler l'appareil de part et d'autre de la colonne vertébrale, pendant quelques minutes, vous mettez en œuvre plus de 1.500.000 points de micro-puncture.

L'originalité du MULTIPUNCTEUR, par rapport aux méthodes ou appareils similaires est de remplacer le massage, la vibration, la révulsion, les piqûres de la peau avec une ou plusieurs aiguilles... par une quantité très importante de mini-excitations superficielles. Nous sommes bien au-delà des possibilités anciennes de multipuncture avec une seule aiguille ou des griffes d'ongles.

ACTIONS GÉNÉRALES DU MULTIPUNCTEUR CHÂM THUÂT SA

ACTION PARAVERTÉBRALE : - Localement, cette réflexothérapie cutanée (agissant sur les nerfs à leur sortie des trous de conjugaison), par son action vaso-dilatatrice sur les vaisseaux propres des nerfs, facilite la circulation de l'influx nerveux jusqu'à l'organe correspondant et donc le fortifie.

- Les Points Chinois dits «Points d'Assentiment» se trouvent de part et d'autre de la colonne vertébrale et l'efficacité du MULTIPUNCTEUR agit pratiquement sur l'organisme dans son ensemble.

ACTION LOCALE : Une douleur cutanée est très souvent la projection sur la peau de la souffrance d'un organe interne. Une action sur la zone cutanée douloureuse agit donc favorablement sur l'organe profond:

- par augmentation de la circulation locale,
- par rupture et inversion du cycle de la douleur.

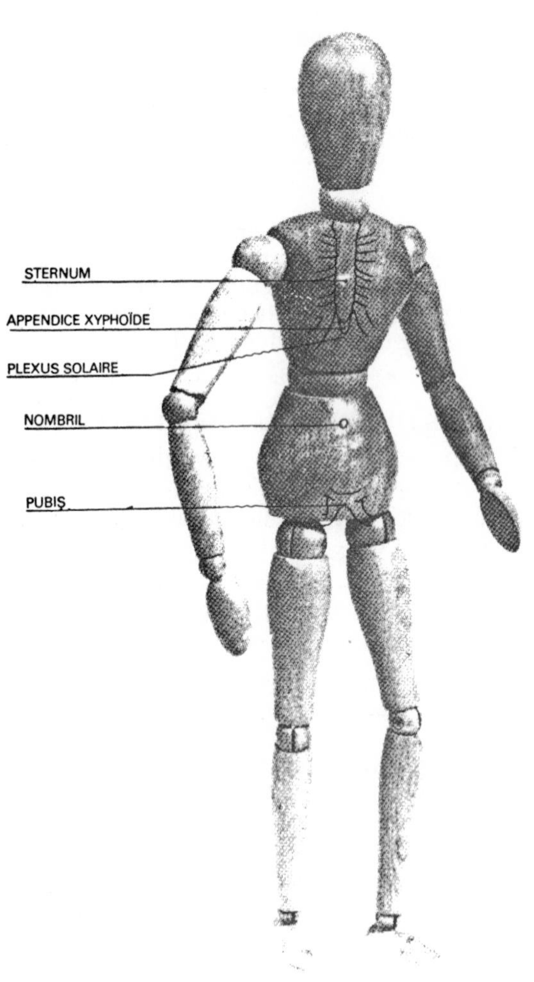
STERNUM
APPENDICE XYPHOÏDE
PLEXUS SOLAIRE
NOMBRIL
PUBIS

EN CONCLUSION: il faut utiliser le MULTIPUNCTEUR CHÂM THUÂT SA, en commençant de chaque côté de la colonne vertébrale au niveau correspondant à la sortie des nerfs qui desservent l'endroit du corps endolori, comme nous l'expliquons plus loin, à savoir:

- Tête: Colonne cervicale
- Membres supérieurs: Colonne dorsale haute
- Organes intra-thoraciques: Colonne dorsale
- Organes intra-abdominaux et membres inférieurs: Colonne lombaire

Appliquer ensuite l'appareil sur la partie douloureuse du corps

Des résultats miraculeux ? - Non! Etonnant? - Oui, mais logiques pour qui connaît le cycle de la douleur et la possibilité de l'inverser.

MODE D'EMPLOI

Tenir l'appareil, les roulettes perpendiculaires à la peau et les passer d'un rapide mouvement de va et vient. La pression et la durée doivent être suffisantes pour donner une sensation de picotement et une légère rougeur locale. Il n'est absolument pas nécessaire d'appuyer fortement; l'application du MULTIPUNCTEUR CHÂM THUÂT SA ne doit procurer aucune impression désagéable. Sinon, s'arrêter.

Commencer la séance de chaque côté de la colonne vertébrale, durant 2 minutes environ. Puis localement à l'endroit où l'on veut agir. Il n'y a aucun inconvénient à déborder sur les zones saines; l'action ne peut être que bénéfique. Cet appareil n'est pas destiné à guérir toutes les maladies (ce n'est pas la panacée universelle), mais à calmer rapidement et pour plus ou moins longtemps les douleurs en attendant éventuellement le médecin; il permet de n'ingérer aucune drogue. Pour une action plus spécifique sur certaines maladies, agir sur les points chinois comme indiqué dans ce livre. Dans ce cas, utiliser le MULTIPUNCTEUR CHÂM THUÂT SA à la place de l'ongle ou du vibropuncteur.

Pensez bien que quelques minutes suffisent généralement pour vous soulager de vos douleurs les plus persistantes.

Le MULTIPUNCTEUR CHÂM THUÂT SA doit toujours être appliqué sur une peau SAINE - JAMAIS SUR UNE PEAU MALADE avec plaies, boutons, acné, eczéma, ulcères variqueux, jambes variqueuses avec lésion de la peau, grosses varices à fleur de peau, maladies éruptives, phlébite, douleurs d'origines infectieuses...

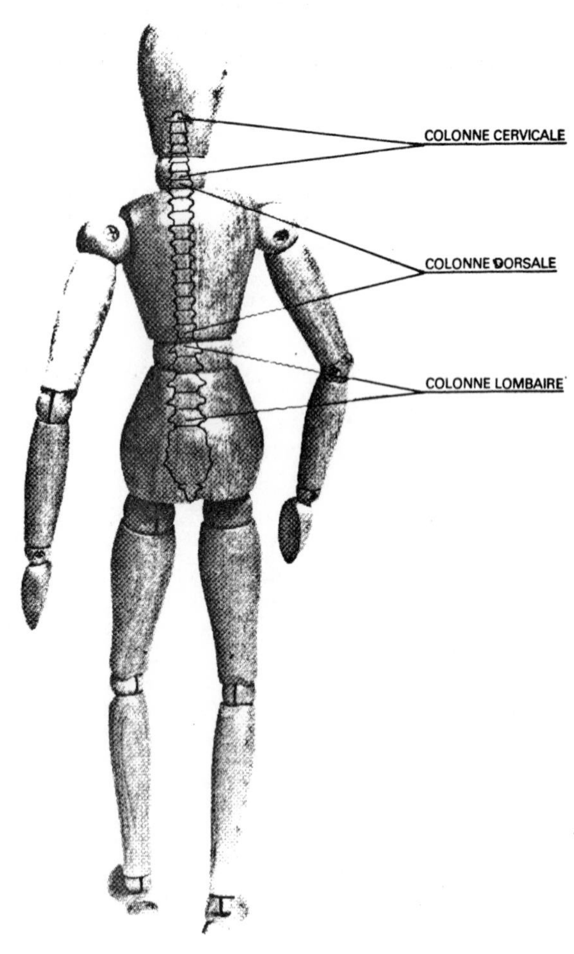
COLONNE CERVICALE
COLONNE DORSALE
COLONNE LOMBAIRE

DOULEURS *(suite)*

INDICATIONS

ACTION GÉNÉRALE:
En passant le MULTIPUNCTEUR CHÂM THUÂT SA de part et d'autre de la colonne vertébrale dans son entier, on obtient une tonification de tout l'organisme. La durée d'application dépend de la rapidité du mouvement de va et vient, en général 2 à 3 minutes. Cesser dès que la peau rougit légèrement ou que la sensation devient désagréable. Personne fatiguée: tous les jours - Personne normale: séances espacées.

DOULEURS EN GÉNÉRAL - MALADIES RHUMATISMALES
LUMBAGOS - CRAMPES - COURBATURES etc...

Toutes les douleurs quelles qu'elles soient, où qu'elles soient: agir sur la partie de la colonne vertébrale correspondant au niveau de la douleur, c'est-à-dire colonne dorsale haute pour les membres supérieurs, colonne dorsale pour le thorax, colonne lombaire pour l'abdomen et les membres inférieurs; on peut déborder largement. Puis sur la zone douloureuse.

AFFECTIONS DE LA TÊTE:
Névralgies faciales - Douleurs dentaires - Rhumes - Sinusites: agir sur la colonne cervicale, puis localement.

CUIR CHEVELU:
Agir sur la colonne cervicale, puis sur l'ensemble du cuir chevelu.

DIMINUTION DE L'AUDITION:
Agir sur la colonne cervicale, la zone au devant de l'oreille puis sur la mastoïde, derrière l'oreille.

AFFECTIONS PULMONAIRES:
Agir sur la colonne dorsale, puis sur le sternum et les côtes.

AFFECTIONS CARDIAQUES:
Agir sur la colonne dorsale haute, puis sur la région au-dessus du sein gauche (en cas de douleur au niveau de celle-ci).

FATIGUE:
Cérébrale: Agir sur la colonne cervicale.
Générale: Agir sur toute la colonne vertébrale.

MALADIES ABDOMINALES:
Agir sur la colonne lombaire, puis sur les zones douloureuses.

DOULEURS *(suite)*

TROUBLES DIGESTIFS:
Agir sur la colonne dorsale, puis du nombril au sternum et ensuite sur l'extérieur de l'avant-bras, du coude jusqu'à mi-distance du poignet.

AFFECTIONS GÉNITALES
Agir sur la colonne lombaire, puis sur la ligne médiane: du pubis au nombril. Contre les douleurs ovariennes agir de plus sur la partie abdominale basse, au niveau des ovaires.

AFFECTIONS NERVEUSES:
Ne pas agir sur la colonne vertébrale mais passer sur le plexus solaire (ligne médiane abdominale allant du nombril au sternum) puis du sternum au cou.

TROUBLES DU SOMMEIL:
Agir au niveau du plexus solaire (du sternum à mi-distance du nombril), puis au milieu du front: de la base du nez à 3 doigts au-dessus et enfin sur les tempes.

CELLULITE:
agir sur la colonne lombaire, puis sur la partie infiltrée.

ŒDEMES:
Agir d'abord sur la colonne vertébrale suivant le niveau correspondant, puis dans l'angle de la 12ème côte et des muscles paravertébraux.

ACTION DIURÉTIQUE:
Agir dans l'angle de la 1ère côte et des muscles paravertébraux.

MULTIPUNCTEUR CHÂM THUÂT SA ET ACUPUNCTURE
L'une des applications et non des moindres de cet appareil est son utilisation sur les points d'acupuncture.

En effet, la difficulté pour un non spécialiste est d'agir avec précision sur le point chinois intéressé, car faute de quoi le résultat est nul. L'ongle, la pression, une pointe exigent cette précision, par contre avec cet appareil on crée l'excitation de toute une zone et l'on a ainsi la certitude d'avoir agi sur le point voulu.

Il suffit de passer les molettes dans un mouvement de va et vient à l'emplacement repéré du point, pendant deux ou trois minutes, sans appuyer et s'arréter si la sensation devient désagréable. Toujours utiliser le point homologue, c'est-à-dire le point symétrique sur l'autre membre.

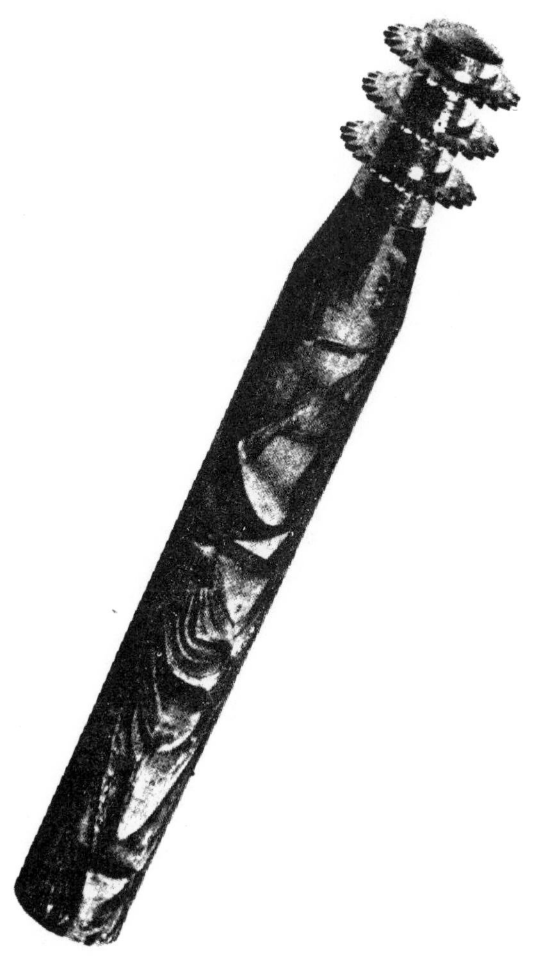

161 H

DYSENTERIES

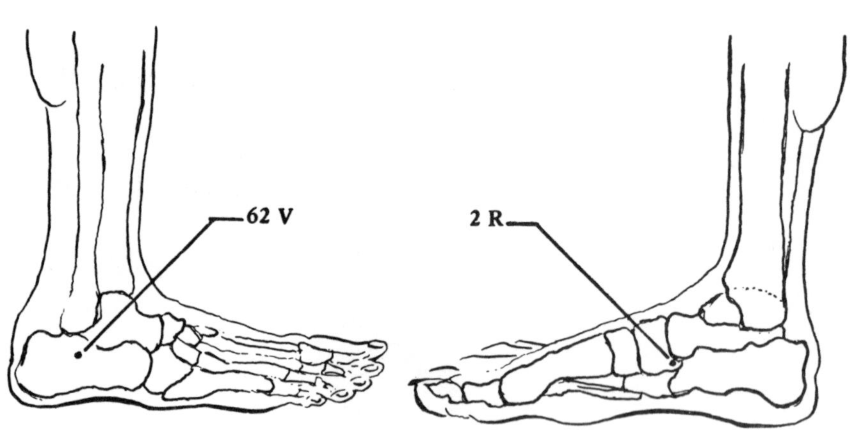

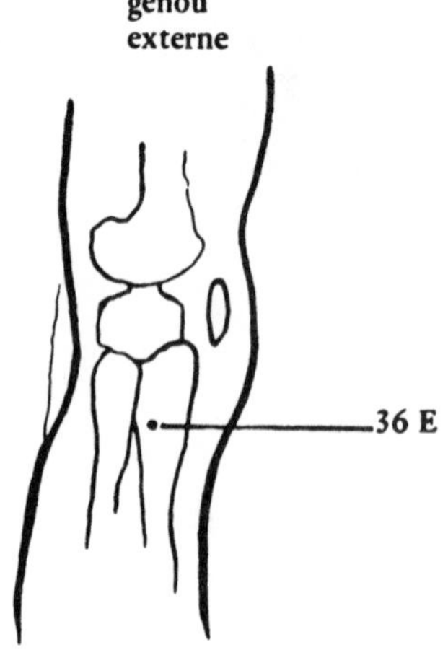

DYSENTERIES

(Dysenterie amibienne – Syndromes dysentériques)

Acupuncture

2° REINS « JENN-KOU » (Vallée d'approbation)
Face interne du pied, sous la saillie et en arrière du scaphoïde, un pouce et demi en avant de la malléole interne.

36° ESTOMAC « SANN-LI de jambe » (3e village)
Face externe de la jambe, 1/3 entre arête du tibia et tête du péroné.

62° VESSIE « CHENN-MO » (Vaisseau perforant)
Base du calcanéum, milieu du bord inférieur, sous la malléole externe.

Homéopathie

MERCURIUS CORROSIVUS 5 CH
VERATRUM ALBUM 5 CH
CUPRUM METAL 5 CH
2 granules de chaque tube par 24 heures.

J'ai très souvent pratiqué ce traitement à la Colonie. Les résultats sont spectaculaires. La guérison est obtenue autour de 3 séances.

ECZÉMA

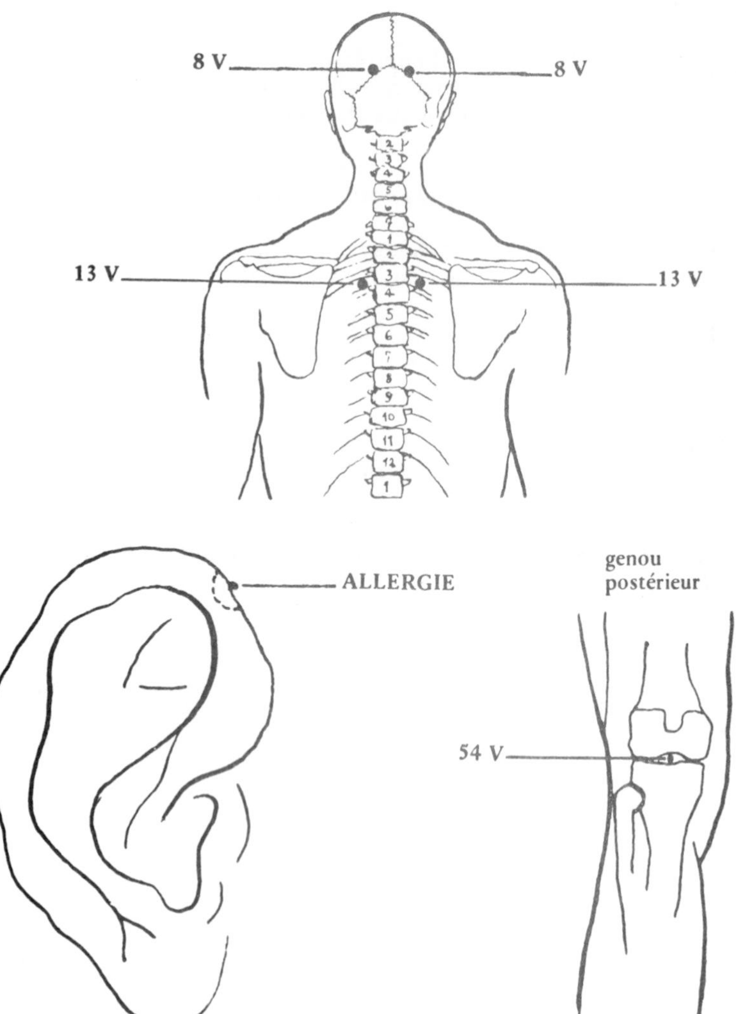
8 V
8 V
13 V
13 V
ALLERGIE
genou
postérieur
54 V

ECZÉMA

Auriculopuncture

Point d'allergie.

Acupuncture

8° VESSIE « LO-TSRI » (Tracé des veines)
Un pouce de la ligne médiane du crâne, sur la suture arrière du pariétal et de l'occipital.

13° VESSIE « FEI-IU » (Assentiment des poumons)
Un pouce et demi de la ligne médiane, au niveau de l'horizontale passant entre la 3e et la 4e vertèbres dorsales.

54° VESSIE « OE-TCHONG » (Médial du délégué)
Milieu du creux poplité.

Traiter le foie et l'allergie.

Associer un traitement homéopathique personnalisé.

Résultats souvent décevants. On améliore mais on ne guérit pas.

Consulter un Acupuncteur qui aura une action personnalisée et profonde.

ENFANTS DÉSOBÉISSANTS ET NERVEUX

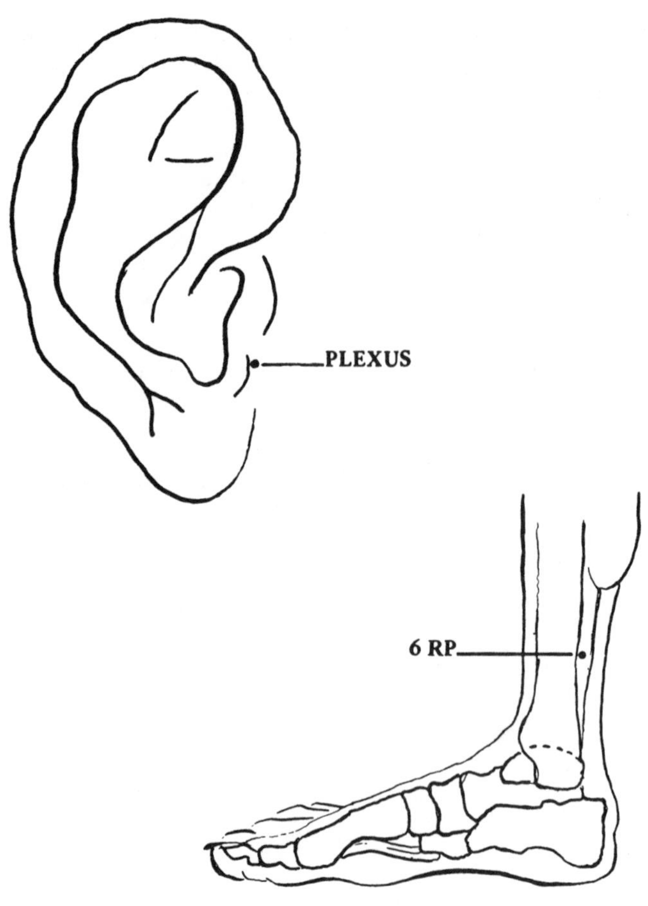

ENFANTS DÉSOBÉISSANTS ET NERVEUX

Auriculopuncture

Point de plexus.

Acupuncture

6° RATE - PANCRÉAS « SANN-INN-TSIAO » (Réunion des trois Inn)
Face interne de la jambe, 3 pouces au-dessus de la malléole interne, bord postérieur du tibia.

Homéopathie

TILIA TOMENTOSA 3 X
30 gouttes au lever et au coucher.

Autre médicament :

HOMEOGENE 46
Sucer 2 comprimés 3 fois par jour entre les repas.

Excellent. On arrive toujours à transformer le caractère des enfants. Plus ils sont jeunes, plus l'action est spectaculaire et durable.

C'est tellement indolore et inoffensif qu'il serait vraiment regrettable de les priver de ce traitement.

Dans les cas graves, traiter l'état nerveux.

ENROUEMENT
(Fatigue vocale)

Homéopathie

PRÉVENTIF

ARNICA MONTANA 5 CH 1 tube
GELSEMIUM SEMPERVIRENS 5 CH 1 tube
COCA 5 CH 1 tube

Sucer 2 granules deux fois par jour, en alternant les tubes, pendant les deux jours précédant l'effort vocal.
Recommencer quelques heures avant de fournir l'effort.

CURATIF

HOMEOVOX ou HOMÉOGENE n° 9

Sucer 1 comprimé trois fois par jour.

ARUM TRIPHYLLUM composé gouttes 30ml

5 à 10 gouttes sur la langue trois fois par jour.

Les résultats sont toujours excellents.

ENSOLEILLEMENT

La peau n'est pas un simple sac qui enveloppe et protège le corps, mais au contraire, un organe qui en poids et en volume est le plus important de tout l'organisme. Elle sert à assimiler l'énergie solaire et lumineuse.

Dans notre société moderne, nous mangeons trop et nous ne nous ensoleillons pas assez. Depuis quelques années, avec la civilisation des loisirs et les sports de plein air, notre corps bénéficie de plus en plus des bienfaits du plein air, du soleil et des intempéries.

Le stockage d'énergie se fait, dans la peau, sous forme de mélanine (hâle) qui constitue une provitamine que l'organisme digère peu à peu au cours de l'hiver.

ENSOLEILLEMENT *(Suite)*

Des précautions sont à prendre pour éviter de très gros inconvénients dont le moindre est le coup de soleil inesthétique et douloureux que l'on attrape les premiers jours, en s'exposant trop longtemps au soleil pour brunir tout de suite; ce qui produit l'effet contraire et gâche les vacances.

L'ensoleillement et le brunissage obéissent à des règles très strictes.

Aux heures chaudes (de 10h à 13-17h) le soleil brûle et ne brunit pas.

En dehors de cette période, il brunit et ne brûle pas.

Le danger est plus grand :

- en bateau
- allongé et immobile
- le corps mouillé
- par temps légèrement couvert.

On ne sent que l'on est trop longtemps resté exposé au soleil, que lorsqu'il est trop tard.

Le meilleur brunissage, inoffensif, esthétique et bénéfique a lieu lorsque les rayons du soleil sont tangents : du lever jusqu'à 10h et de 17h au coucher.

La durée du temps d'exposition peut être augmentée et le nombre d'heures interdites diminué, au fur et à mesure de la croissance du hâle et de l'endurcissement de la peau.

Suivant le goût de chacun, on peut tout de même rester sur la plage aux heures chaudes, à condition de n'exposer la peau que durant peu de temps (rester à l'ombre ou vêtu d'un léger vêtement, aller se baigner et revenir à l'ombre).

Toutes ces considérations sont parfaites mais astreignantes. On est pressé d'aller à la plage dès l'arrivée et on désire y rester aussi longtemps qu'on veut, sans aucune restriction ni contrainte.

Il est non seulement possible mais très facile — et en plus très salutaire —, de se préparer avant les vacances. Ceci est indispensable pour les blonds et les roux à peau fragile. Il suffit de se procurer une petite lampe à ultraviolets comme il en existe dans le commerce à un prix très abordable et de se faire bronzer.

Voir chapitre « ULTRAVIOLETS ».

ENTORSES

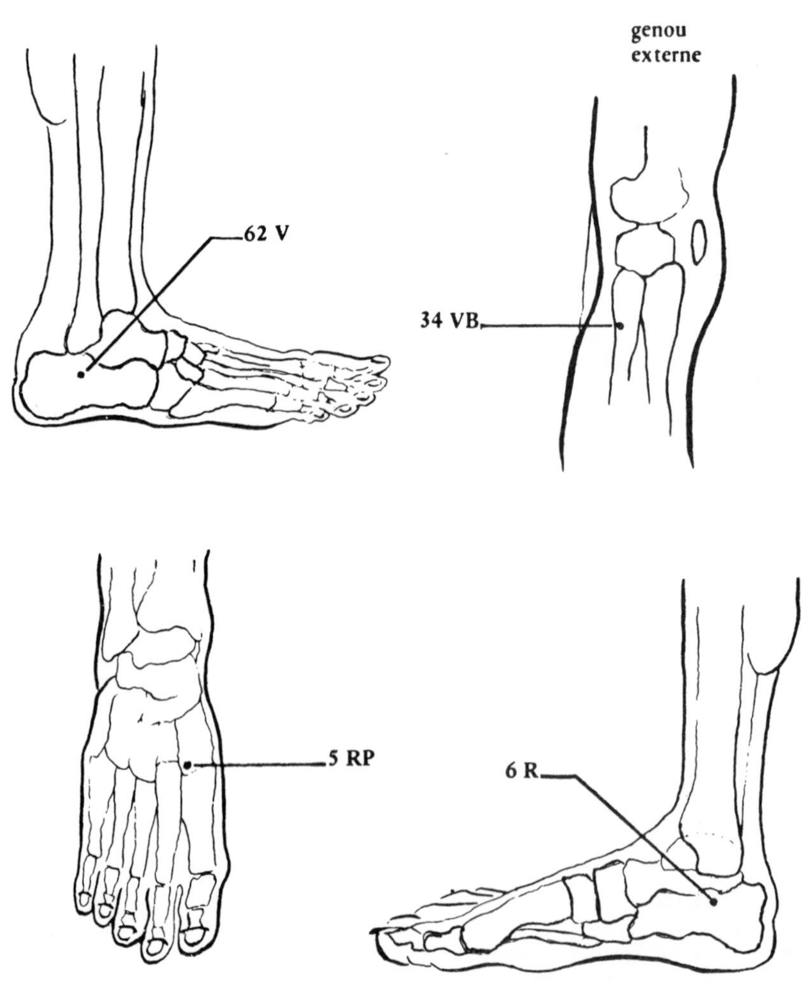

ENTORSES

Acupuncture

5° RATE-PANCREAS « CHANG-TSIOU du pied » (Tertre des marchands)
Partie supéro-interne du pied, 4 doigts en travers, en avant de la malléole interne.

34° VÉSICULE BILIAIRE « IANG-LING-TSIUANN »
(Source du plateau externe)

Face externe du genou, dans la dépression, sous la tête du péroné, en avant du côté du tibia.

6° REINS « TA-TCHONG » (Grande cloche)
Sous la malléole interne, à un pouce, dans un creux.

62° VESSIE « CHENN-MO » (Vaisseau perforant)
Base du calcaneum, milieu du bord inférieur, sous la malléole externe.

Punctures locales

Quand la douleur change de place, pourchasser les points douloureux.
– ENTORSES A RÉPÉTITIONS
Irriter les mêmes points en tournant l'aiguille.
Laisser en place 3 minutes.
Guérison définitive en une à trois séances.

Traitement idéal pour les skieurs.

Homéopathie

PRÈLE (poudre)
1 pincée au repas, deux fois par jour.

SILICÉA 5 CH
2 granules tous les 3 jours.

Spectaculaire. Un des miracles de l'acupuncture.
Le malade arrive sur un brancard et repart sur ses pieds.
1ère séance : 80% d'amélioration
2ème séance : guérison
3ème séance : si besoin.

ÉPAULE (P. S. H.)

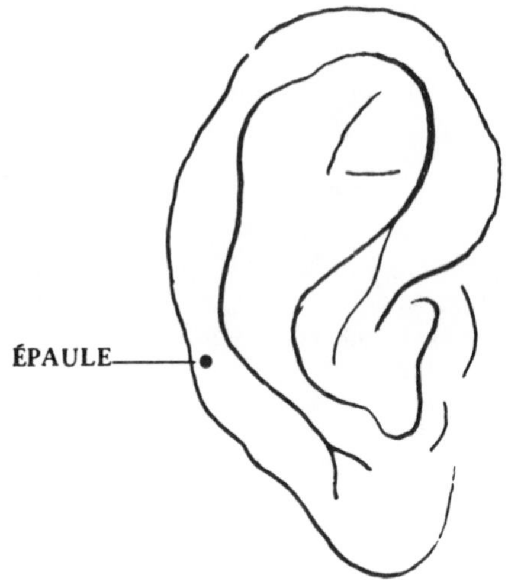

ÉPAULE (P. S. H.)

(Périarthrite Scapulo - Humérale)

Auriculopuncture

Point d'épaule.

Acupuncture locale

Pour les douleurs résiduelles : punctures rapides, peu profondes, dans la zone sensible.

Homéopathie

ARTHRO-DRAINOL

10 gouttes sur la langue 3 fois par jour, loin des repas.

Cartilage de l'épaule
Ligaments
Moelle osseuse } 7 CH aa. q.s.p. 1 suppositoire n° 24

3 suppositoires par semaine.

ARNICA MONTANA 5 CH
SYMPHYTUM OFFICINALE 5 CH

2 granules 2 fois par jour, en alternant.

En général bon, parfois spectaculaire.

ÉPICONDYLITE DU COUDE

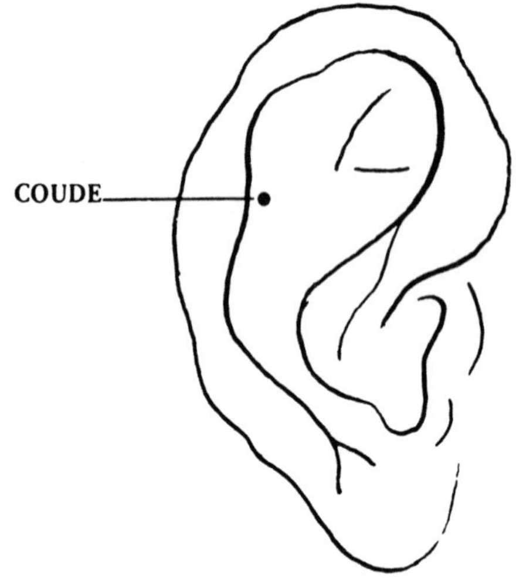

ÉPICONDYLITE DU COUDE
(Tennis elbow)

Manipulations cervicales

Toujours utiles, souvent indispensables.

Auriculopuncture

Point du coude.

Acupuncture locale

Homéopathie

ARNICA MONTANA 5 CH
RHUS THOXICODENDRON 5 CH
RUTA GRAVEOLENS 5 CH
2 granules de chaque médicament, 2 fois par 24 heures, en alternant.

ARTICULATION DU COUDE 7 CH – 24 suppositoires
3 suppositoires par semaine.

Réussit presque toujours. Améliore toujours.

Environ trois séances d'acupuncture suffisent.

ÉPISTAXIS

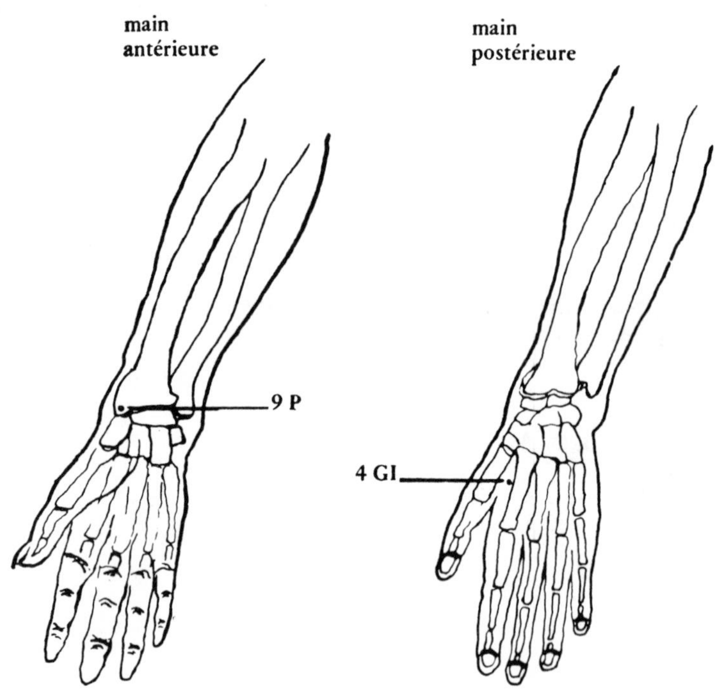

ÉPISTAXIS
(Saignement de nez)

Acupuncture

9° POUMONS « TRAE-IUANN » (Gouffre suprême)
Extrémité externe du pli du poignet, sur l'artère radiale.

4° GROS INTESTIN « RO-KOU » (Fond de la vallée)
Angle métacarpien du pouce et deuxième métacarpien contre la tête de celui-ci.

Homéopathie

CHINA 4 CH
Sucer 2 granules – 1/2h après : 2 granules – puis toutes les heures – ensuite toutes les deux heures, jusqu'à arrêt du saignement.

Passer un glaçon autour des oreilles et le long de la colonne cervicale et dorsale.

Ou la classique clef dans le dos.

Ceci dans le but de créer des réflexes vaso-constricteurs.

Très efficace.

Si les épistaxis se produisent souvent, consulter un O.R.L.

ÉTERNUEMENTS

Acupuncture

5° POUMONS « TCHRE-TSRE » (Marais du pied)
Un peu au milieu du pli du coude, à l'extérieur du tendon du biceps.

4° GROS INTESTIN « RO-KOU » (Fond de la vallée)
Angle métacarpien du pouce et deuxième métacarpien contre la tête de celui-ci.

25° VAISSEAU GOUVERNEUR « CHOE-KEOU » (Fossé pour l'eau)
Lèvre supérieure, sous le nez, au milieu.

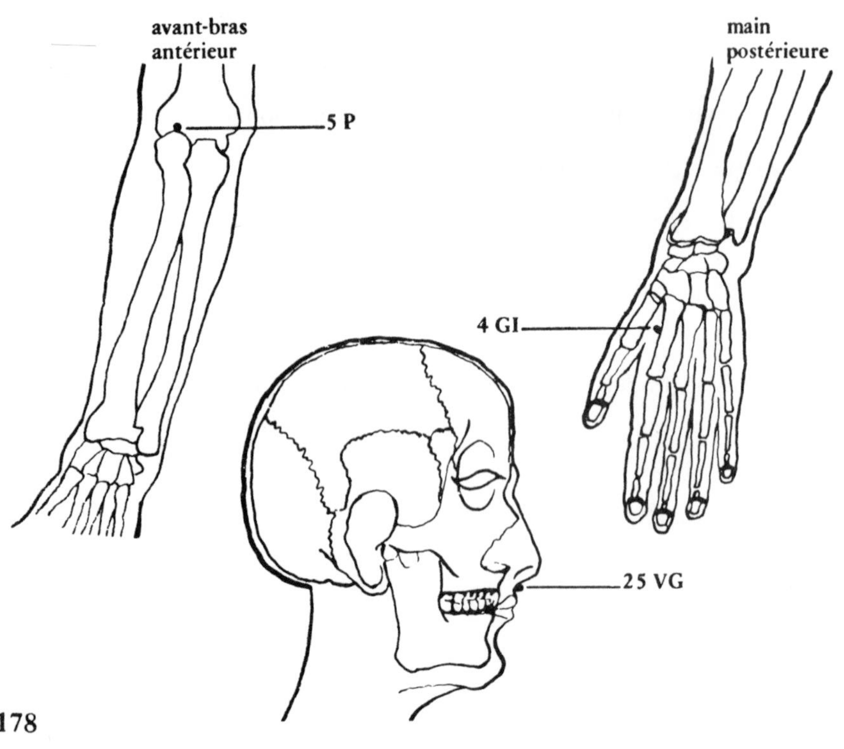

EXOSTOSES

(toutes les exostoses et en particulier celles de la tête du premier métatarsien)
(oignon)

Punctures locales

Laisser en place 5 minutes.

Une séance tous les mois pendant plusieurs mois.

Diminution de la douleur dès la première ou deuxième séance.

Diminution de la tuméfaction à la longue.

Voir diminuer une tuméfaction osseuse est inattendu et paraît paradoxal. Mais en y réfléchissant, le tissu osseux est vivant, il est venu seul, pourquoi ne repartirait-il pas de la même manière, en l'aidant un peu.

EXTRÉMITÉS FROIDES

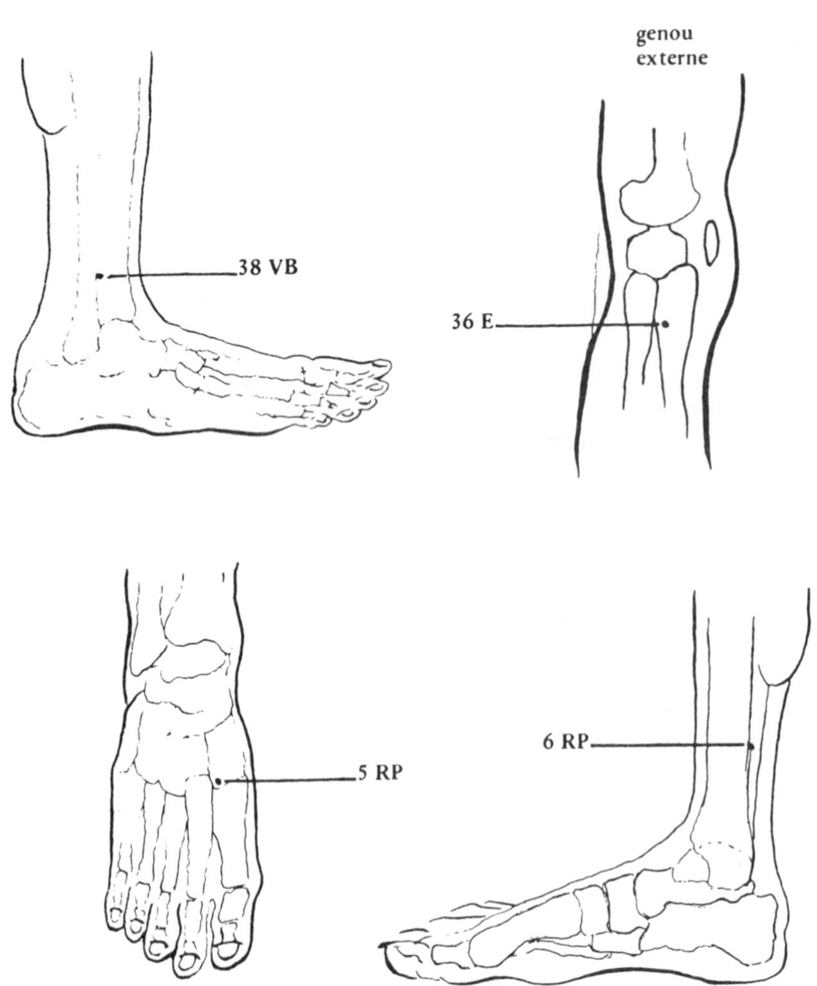

EXTRÉMITÉS FROIDES

Acupuncture

36° ESTOMAC « SANN-LI de jambe » (3e village)
Face externe de la jambe, 1/3 entre arête du tibia et tête du péroné.

38° VÉSICULE BILIAIRE « IANG-FOU » (Aide au Iang)
Quatre pouces au-dessus de la cheville, dépression sur le bord antérieur du péroné.

5° RATE - PANCRÉAS « CHANG-TSIOU du pied » (Tertre des marchands)
Partie supéro-interne du pied, 4 doigts en travers, en avant de la malléole interne.

6° RATE - PANCRÉAS « SANN-INN-TSIAO » (Réunion des trois Inn)
Face interne de la jambe, 3 pouces au-dessus de la malléole interne, bord postérieur du tibia.

Homéopathie

VEINO-DRAINOL
10 gouttes sur la langue 3 fois par jour, loin des repas.

Pour les pieds froids : au coucher, mettre dans une cuvette ou dans la baignoire quelques centimètres d'eau *froide*. Piétiner pendant 5 minutes.

Spectaculaire – en 1 à 3 séances.
L'amélioration est de longue durée.

FATIGUE

Pour les fatigues graves, voir le chapitre « Asthénie ».

Il ne faut pas oublier que la fatigue des gens toujours fatigués, des personnes fatiguées dès le lever, n'existe pas ; elle est toujours d'origine nerveuse. Inutile de se bourrer de fortifiants car ils produisent l'effet inverse.

Il faut, au contraire, souvent :

1) débarrasser l'organisme de ses toxines (voir « Dépuration ») ; un jeûne de 3 jours est excellent.

2) rééquilibrer le système nerveux (voir « Nerfs »).

Homéopathie

TRAITEMENT DE QUELQUES FATIGUES EXCEPTIONNELLES

PHYSIQUE – COURBATURES

– CALENDULA TM 30ml
  1 cuillerée à café dans un verre d'eau à boire lentement.

– ARNICA TM 30ml
  10 gouttes dans un verre d'eau.

Ces deux teintures mères peuvent être utilisées en frictions locales.

– SARCOLACTIC ACID. 5 CH - 1 tube
  2 granules 1 fois par jour.

INTELLECTUELLE – EXAMENS

– NATRUM MURIATICUM 7 CH - 1 tube
  5 granules tous les 15 jours.

– SATIVOL
  2 cuillerées à soupe par jour.

– CERVEAU TOTAL 5 CH 12 anpoules perlinguales
  Mettre sous la langue, au réveil, à jeun, 3 fois par semaine, le contenu d'une ampoule. Attendre 2 minutes puis avaler.

Les effets sont, pour les profanes, étonnamment actifs et rapides.

FIÈVRE

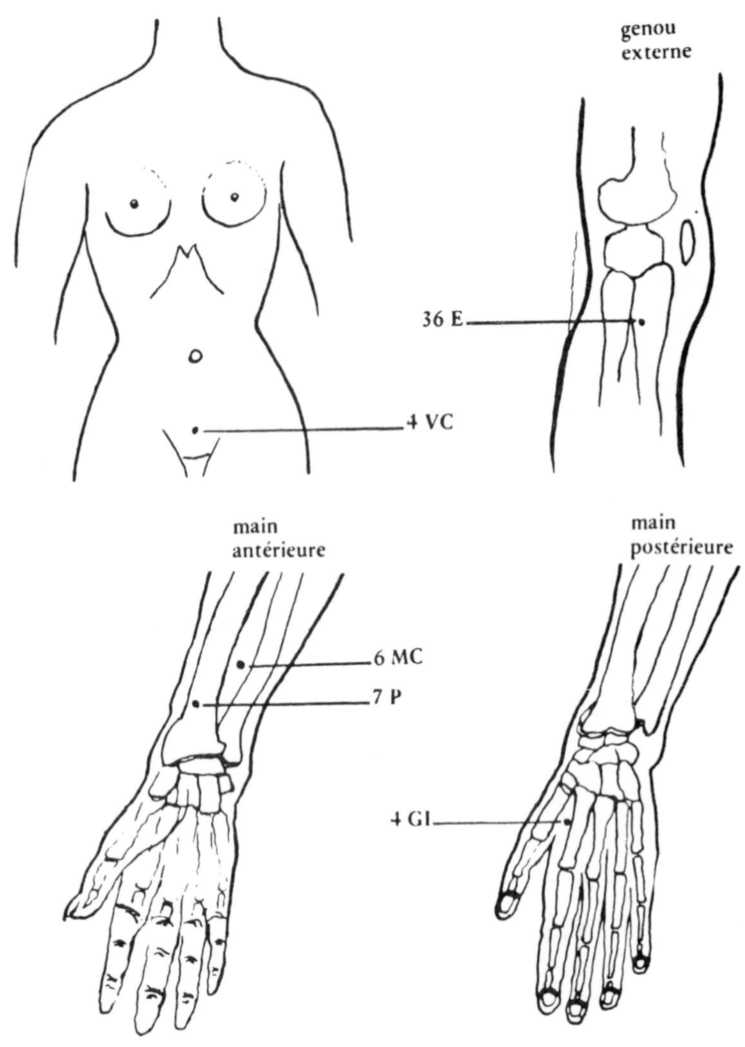

genou
externe
36 E
4 VC
main
antérieure
6 MC
7 P
main
postérieure
4 GI

FIÈVRE

Tous les parents s'affolent dès son apparition chez leurs enfants. Il ne faut pas en avoir peur systématiquement.

Elle est :

1) une réaction naturelle de défense contre l'infection.
2) un moyen de contrôle de l'évolution de la maladie.

Les fièvres véritablement infectieuses doivent être traitées par le médecin. Ce contre quoi je suis opposé, c'est à la prise de médicaments fébrifuges à la moindre élévation de température. Ceux-ci ne doivent être utilisés que chez les enfants très nerveux susceptibles d'avoir des convulsions, et au-delà de 39°.

Acupuncture

4° GROS INTESTIN « RO-KOU » (Fond de la Vallée)
Angle métacarpien du pouce et 2e métacarpien, contre la tête de celui-ci.

7° POUMONS « LIE-TSIUE » (Creux alignés)
Au poignet, sur l'artère radiale, au bas de l'apophyse radiale.
Piquer parallèlement entre peau et artère.

36° ESTOMAC « SANN-LI de jambe » (3e village)
Face externe de la jambe, 1/3 entre arête du tibia et tête du péroné.

4° VAISSEAU DE CONCEPTION « KOANN-IUANN » (Origine de barrière)
3/5 entre ombilic et dessus du pubis.

6° MAITRE DU COEUR « NEI-KOANN » (Barrière interne)
Face antérieure de l'avant-bras, entre les 2 palmaires, 2/10 du pli du poignet au pli du coude.

Homéopathie

SULFUR IODATUM 5 CH
Sucer 5 granules. Prise unique.

HOMÉOGENE 1
Sucer 2 comprimés toutes les 2 heures.

BIOTHÉRAPIQUE PYROGENIUM 5 CH
2 granules 1 fois par jour.

En général efficace.

FOIE

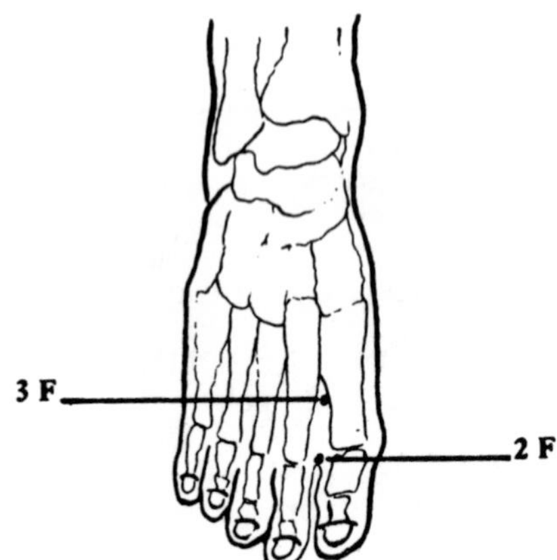

FOIE

Acupuncture

2° FOIE « SING-TSIENN » (Intervalle agissant)
Extrémité de l'espace interdigital entre le gros orteil et le deuxième orteil, contre la tête de la phalange du gros orteil.

3° FOIE « TRAE-TCHRONG » (Suprême assaut)
Jonction 1er – 2ème métatarsien, sous la tête du 2ème métatarsien.

Acupuncture locale

dans la région hépathique:

Homéopathie

HÉPATO-DRAINOL
10 gouttes sur la langue, 3 fois par jour entre les repas.

Il y a intérêt à varier les médicaments.

Raphanus Potier est excellent. Voir le traitement de choc du Vidal. Un traitement de longue durée est indispensable.

GENOU
douloureux

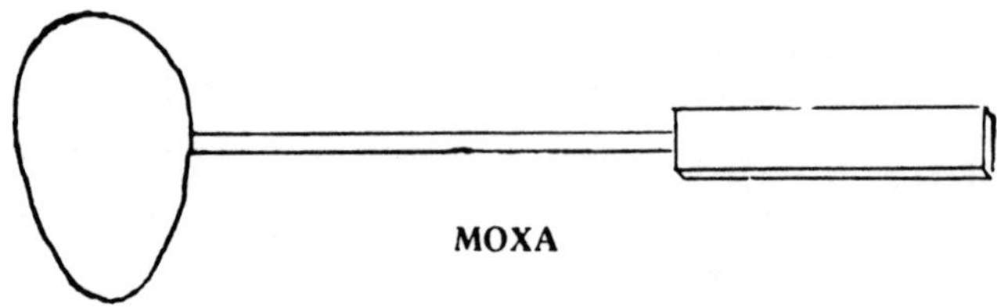

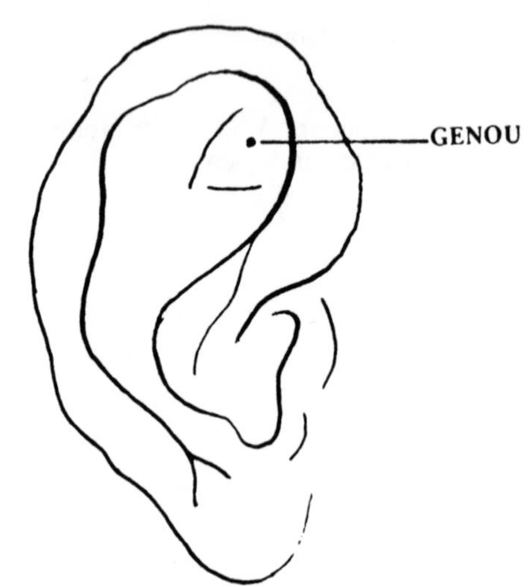

GENOU
douloureux

Auriculopuncture

Point du genou.

Punctures locales

Moxas (excellents contre la synovite).

Le moxa que j'utilise a été imaginé par le Docteur CAFFORT. C'est une boule de cuivre en forme d'œuf, enfilée sur un rayon de motocyclette et un manche en cuivre.

Chauffer la boule de manière à causer de légères brûlures superficielles.

Bien supérieur au galvanocautère qui procure moins de chaleur et trop de nécrose.

Homéopathie

CEPHYL
3 comprimés par jour.

ARTHRO-DRAINOL
10 gouttes sur la langue 3 fois par jour, loin des repas.

SUPPOSITOIRES
Ligaments
Cartilage du genou } 7 CH aa. q.s.p. 1 suppositoire n° 24
Moelle osseuse

1 suppositoire au coucher 3 fois par semaine.

Spectaculaire dans les douleurs du genou avec synovite.
La guérison est obtenue en 3 séances environ.

GRIPPE

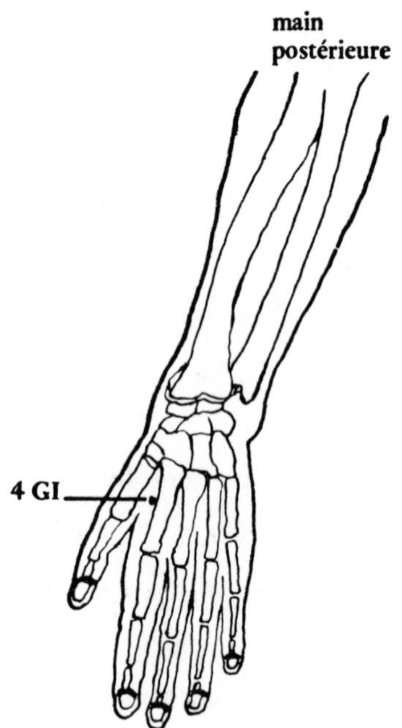

GRIPPE

Acupuncture

4° GROS INTESTIN « RO-KOU » (Fond de la vallée)
Angle métacarpien du pouce et deuxième métacarpien contre la tête de celui-ci.

Homéopathie

– PRÉVENTIF :

BIOTHÉRAPIQUE INFLUENZINUM 5 CH
2 granules matin et soir.

– CURATIF (grippe banale) :

OSCILLOCOCCINUM 200
2 doses – la 2e dose 3 jours après la première.

Le lendemain de la 1ère dose :

BIOTHÉRAPIQUE INFLUENZINUM 5 CH
5 granules le matin.

Bon résultat dans les cas simples. Toujours excellent adjuvant.
Dans les cas graves, voyez votre médecin.
Les antibiotiques n'agissent pas contre le virus de la grippe, mais seulement contre les complications.

La vieille médication : rhum + aspirine, reste bien utile.

GROSSESSE

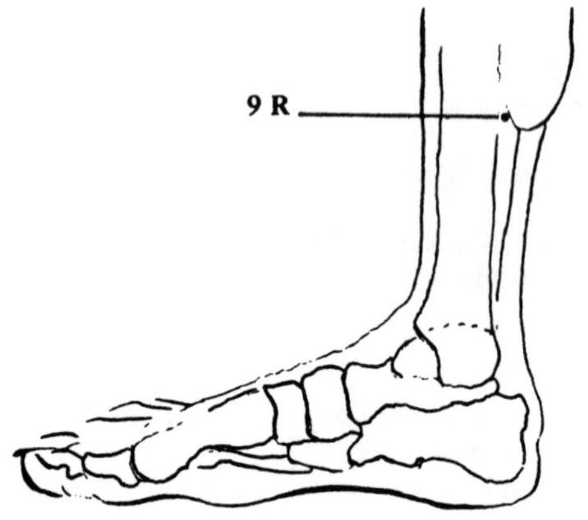

HALEINE
(mauvaise)

Acupuncture

7° MAITRE DU COEUR « TA-LING » (Grand plateau)
Milieu du pli du poignet.

8° FOIE « TSIOU-TSIUANN (Source de la courbe)
Extrémité interne du pli de flexion du genou.

Traiter le foie
la constipation
la gingivite
l'état de la bouche et des dents

Homéopathie

ORGANO-DRAINOL
10 gouttes sur la langue 3 fois par jour, loin des repas.

DEPURATUM LEHNING
1 à 5 cachets au coucher.

Très bons résultats.

HÉMATEMÈSE
(voir ULCUS)

Acupuncture

9° POUMONS « TRAE-IUANN » (Gouffre suprême)
Extrémité externe du pli du poignet, sur l'artère radiale.

Traiter évidemment la cause.

Excellent contre toutes les hémorragies.

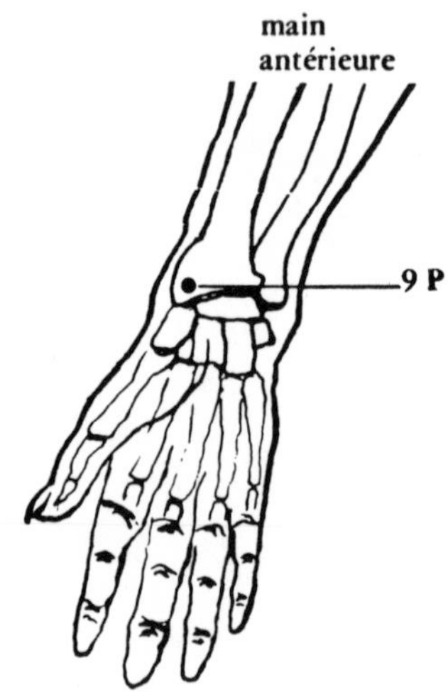

HÉMORRAGIES

Acupuncture

9° POUMONS « TRAE-IUANN » (Gouffre suprême)
Extrémité externe du pli du poignet, sur l'artère radiale.

5° RATE - PANCRÉAS « CHANG-TSIOU du pied » (Tertre des marchands)
Partie supéro-interne du pied, 4 doigts en travers, en avant de la malléole interne.

Traiter la cause.

Homéopathie

CHINA 4 CH
2 granules, à répéter toutes les 10 minutes.

IPECA 4 CH
2 granules par jour.

Si hémorragie veineuse, ajouter :

HAMAMELIS VIRGINICA 5 CH
2 granules matin et soir.

Très bons résultats dans les hémorragies légères.

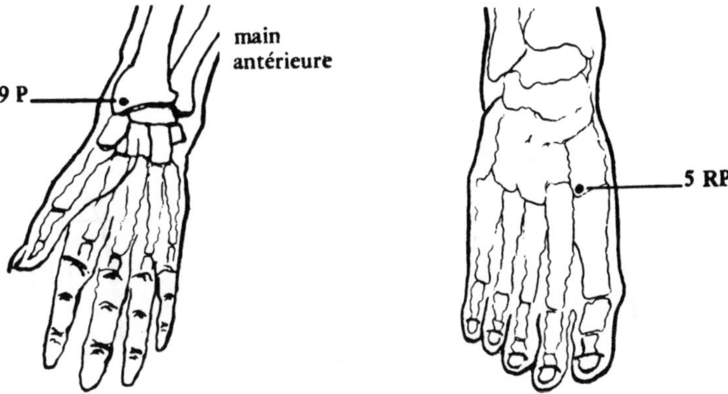

HÉMORROÏDES

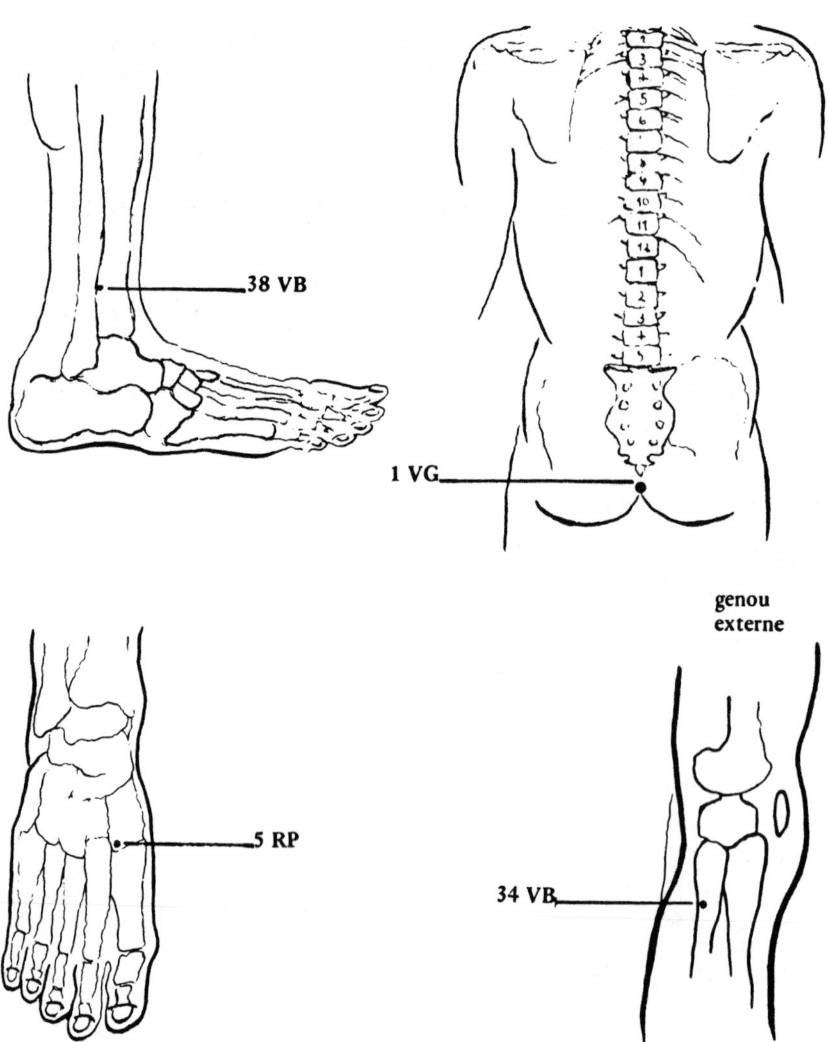

HÉMORROÏDES

Acupuncture

5° RATE - PANCRÉAS « CHANG-TSIOU du pied » (Tertre des marchands)
Partie supéro-interne du pied, 4 doigts en travers, en avant de la malléole interne.

34° VÉSICULE BILIAIRE « IANG-LING-TSIUANN »
(Source du plateau externe)
Face externe du genou, dans la dépression, sous la tête du péroné, en avant, du côté du tibia.

38° VÉSICULE BILIAIRE « IANG-FOU » (Aide au Iang)
Quatre pouces au-dessus de la cheville, dépression sur le bord antérieur du péroné.

1° VAISSEAU GOUVERNEUR « TCHRANG-TSIANG » (Raideur prolongée)
Un demi travers de doigt au-dessous de la base du coccyx.

Traiter le foie.

Homéopathie

VEINO-DRAINOL
10 gouttes sur la langue 3 fois par jour, loin des repas.

PHLÉBOGÉNOL G
2 comprimés 3 fois par jour pendant 15 jours.

puis :

PHLÉBOGÉNOL V
2 comprimés 3 fois par jour pendant 15 jours.

Bons résultats.

HOQUET

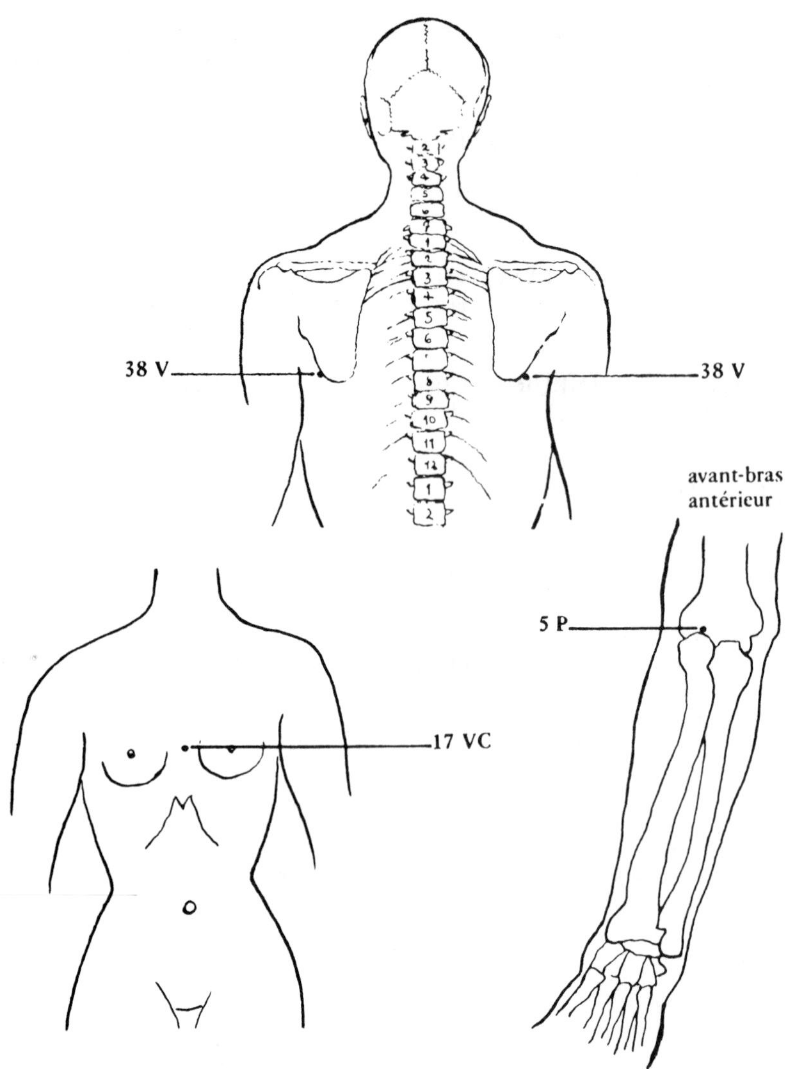
38 V
38 V
avant-bras
antérieur
5 P
17 VC

HOQUET

Acupuncture

38° VESSIE « KAO-ROANG » (Centres vitaux)
Bras croisés, faire le gros dos, angle interne de l'omoplate. Masser avec l'ongle en cas d'urgence si on n'a pas d'aiguille.

17° VAISSEAU DE CONCEPTION « TRANN-TCHONG » (Milieu de poitrine)
Au milieu de la ligne joignant les mamelons.

5° POUMONS « TCHRE-TSRE » (Marais du pied)
Un peu au milieu du pli du coude, à l'extérieur du tendon du biceps.

Homéopathie

CUPRUM METAL 5 CH
2 granules au moment de la crise.

Souvent spectaculaire.

HYDROTHÉRAPIE

En plus de son effet de nettoyage, l'eau à usage externe a également des propriétés thérapeutiques. Sa température, sa force d'impact... ont une répercussion importante sur l'état général. Je ne parlerai pas du jet sous pression qui nécessite une installation particulière et la présence d'un professionnel.

Douche

La douche banale a ses règles généralement inconnues du grand public et même des professionnels.

1) Débuter par l'inverse de la température ambiante ou de la façon dont on la ressent :
   - s'il fait chaud : eau froide.
   - s'il fait froid : eau chaude.

2) Savonnage à l'eau tiède.

3) Terminer par l'exagération de la température ambiante :
   FROIDE : eau glacée. L'air froid paraît chaud par comparaison.
   CHAUDE : eau brûlante. L'air chaud paraît froid.

   La sensation obtenue dure plusieurs heures.
   Cet effet s'explique par un conditionnement de l'organisme.

Douche écossaise

Action bénéfique beaucoup plus importante. Endurcit tout l'individu et le rend plus résistant aux intempéries et aux maladies.

Particulièrement recommandée aux organismes sensibles aux différences de température. Dans ce cas, augmenter progressivement les différences de température de l'eau et le nombre de passages.

Respecter les règles de la douche.

Après savonnage, passer plusieurs fois de l'eau chaude à l'eau froide et surtout de l'eau brûlante à l'eau glacée.

Au 3e ou 4e passage, on ne différencie plus la température de l'eau ; l'eau brûlante ne cause plus aucune lésion de la peau.

Séchage

Avec la main gauche, frictionner le membre inférieur droit en partant du pied et en remontant jusqu'à l'aine, et vice-versa.

Frictionner le membre supérieur droit avec la main gauche à partir de la main, en remontant, et vice-versa.

Frictionner l'abdomen en tournant dans le sens des aiguilles d'une montre.

Il est excellent de se laisser sécher naturellement sans utiliser de tissu : cela renforce l'épiderme et l'organisme tout entier.

Ensuite frictionner à l'aide d'un gant de crin en partant des extrémités vers le cœur.

HYPERTENSION

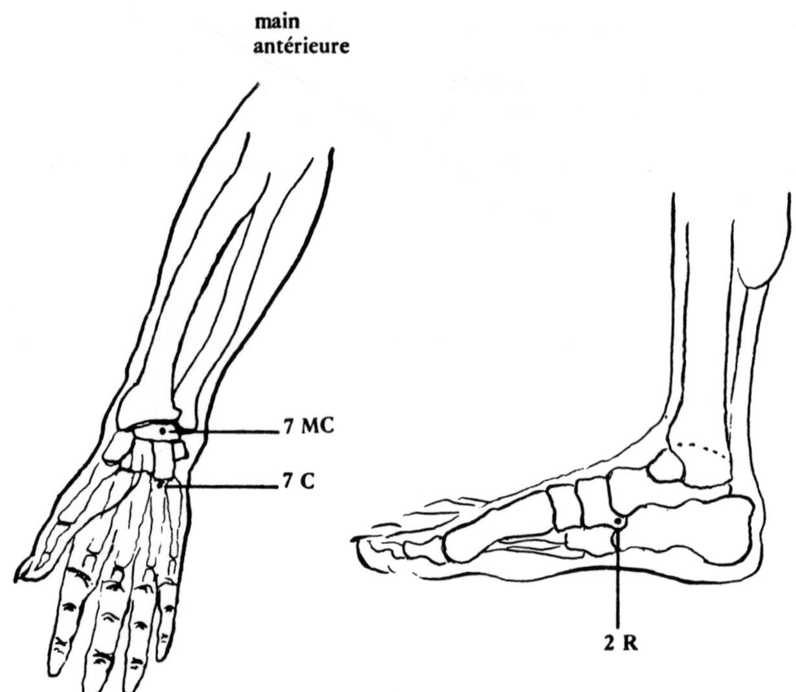

HYPERTENSION

Acupuncture

7° MAITRE DU COEUR « TA-LING » (Grand plateau)
Milieu du pli du poignet.

2° REINS « JENN-KOU » (Vallée d'approbation)
Face interne du pied, sous la saillie et en arrière du scaphoïde, un pouce et demi en avant de la malléole interne.

7° COEUR « CHENN-MENN » (Porte de l'évolué)
Bord antéro-interne du pisiforme.

Homéopathie

MICRODYNA
Sucer 3 granules 3 fois par jour entre les repas.

Ce traitement est très efficace. Il peut être suivi conjointement avec les traitements anti-hypertenseurs classiques. Il aide beaucoup au contrôle de la tension et à la prévention des accidents.

HYPOTENSION

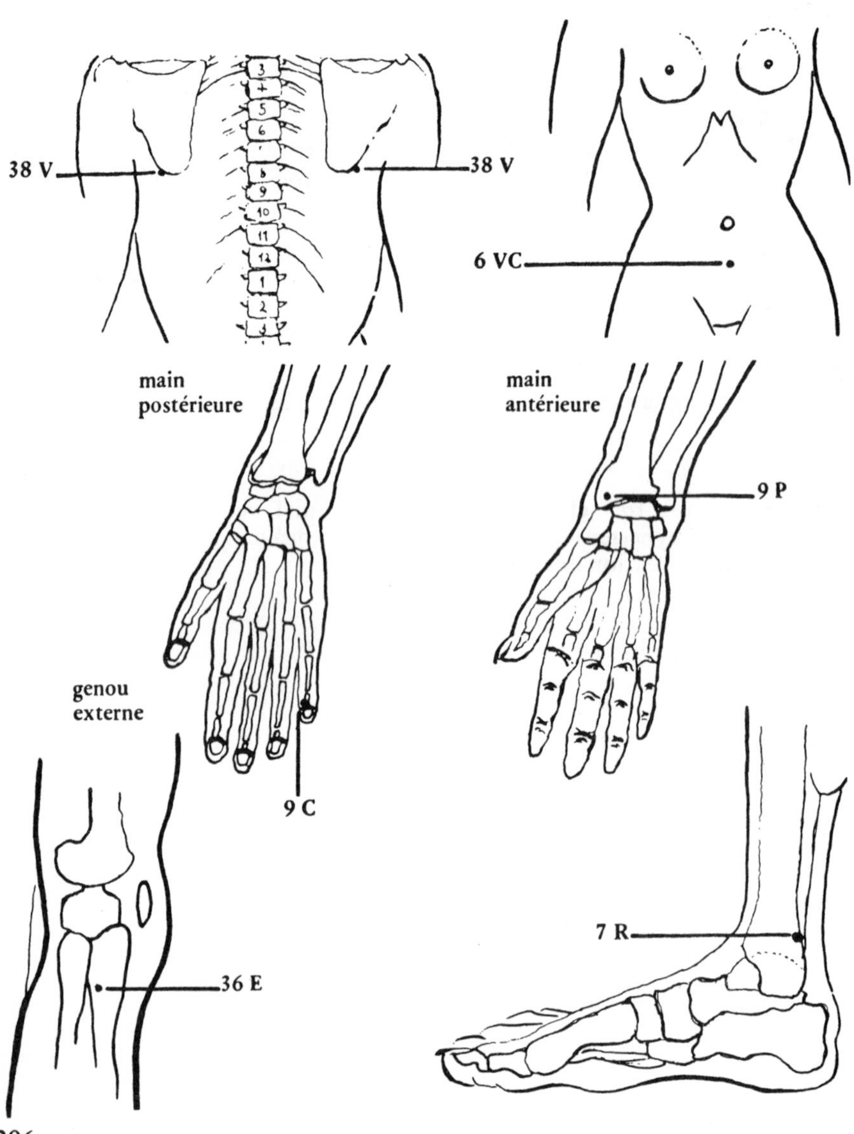

HYPOTENSION

Acupuncture

38° VESSIE « KAO-ROANG » (Centres vitaux)
Bras croisés, faire le gros dos , angle interne de l'omoplate.

7° REINS « FOU-LEOU » (Sourdre de nouveau)
Deux pouces et demi au-dessus de la malléole interne, un demi-pouce en arrière du tibia.

9° COEUR « CHAO-TCHRONG » (Moindre assaut)
Extrémité de l'auriculaire, côté annulaire, 2 millimètres de l'angle externe de l'ongle.

9° POUMONS « TRAE-IUANN » (Gouffre suprême)
Extrémité externe du pli du poignet, sur l'artère radiale.

36° ESTOMAC « SANN-LI de jambe » (3e village)
Face externe de la jambe, 1/3 entre l'arête du tibia et la tête du péroné.

6° VAISSEAU DE CONCEPTION « TSRI-RAE »
(Océan d'énergie chez les mâles)
Un cinquième ombilic-rebord supérieur du pubis.

Homéopathie

VITODRAINOL
10 gouttes sur la langue 3 fois par jour, loin des repas.

Ce traitement est très efficace.

IMPATIENCES

(Maladie des jambes sans repos)

Faire le traitement : JAMBES LOURDES
Traiter l'état NERVEUX
Traiter la CIRCULATION

Homéopathie

CUPRUM 5 CH
Sucer 2 granules 1 à 3 fois par jour.

Faire suivre 1/2h après par :

ZINCUM 5 CH
2 granules 1 à 3 fois par jour.

ZINCI CYAN Complexe Lehning N° 101
5 à 10 gouttes sur la langue 3 fois par jour.

L'efficacité du traitement de cette maladie est inconstante, même par acupuncture.

IMPÉTIGO

CROUTES DITES « DE LAIT »
ERUPTION DE BOUTONS

En dehors des fièvres éruptives et des éruptions spécifiques : urticaire, allergies, toute éruption de boutons est pratiquement toujours causée par une intoxication :

DIGESTIVE :

– aliments pas frais ou mal digérés (dans ce cas il y a rejet par des selles liquides, à respecter) ou en excès.

Constipation, troubles hépatiques, excès alcooliques.

Chez les *bébés*, se méfier des laits non écrémés, *sucrés*, de l'eau sucrée que l'on donne pour les empêcher de pleurer (calculez que pour un nourrisson, un morceau de sucre 4 à 5 fois par jour, correspond à *un demi kilo* pour un adulte : il y a vraiment de quoi s'empoisonner) ; supprimer les quelques millimètres de lait que les bonnes mères ajoutent en supplément à chaque biberon pour que leur enfant soit plus beau (traduire plus gros).

MÉDICAMENTEUSE :

– abus de médicaments, surtout antibiotiques.

TRAITEMENT

GÉNÉRAL

Avant tout traitement local, il est indispensable de penser à aider l'organisme à éliminer ses toxines : diète, purges, jeûne (voir « Dépuration – médicaments »).

Pour les nourrissons, la diète suivante est excellente :

2 ou 3 biberons (à leur heure normale) d'eau seule, puis 1/3 de la dose normale de lait, puis 1/2, puis 2/3.

LOCAL

Tous les traitements sont bons. Avant de les appliquer, il y a une petite formalité *indispensable* à accomplir, ni amusante, ni silencieuse : *faire disparaître complètement les croûtes.*
L'antiseptique mis sur la croûte est aussi efficace que s'il est mis sur la table !

Technique :

Prendre de l'eau chaude dans laquelle on ajoute un peu d'eau oxygénée. Ramollir les croûtes en les recouvrant de compresses imbibées de cette eau durant le temps nécessaire.
Nettoyer à l'eau oxygénée diluée, rincer, essuyer.
Toucher à l'eau Dalibour forte. Attendre 3 minutes.
Poudrer avec sulfamides.-

IMPUISSANCE

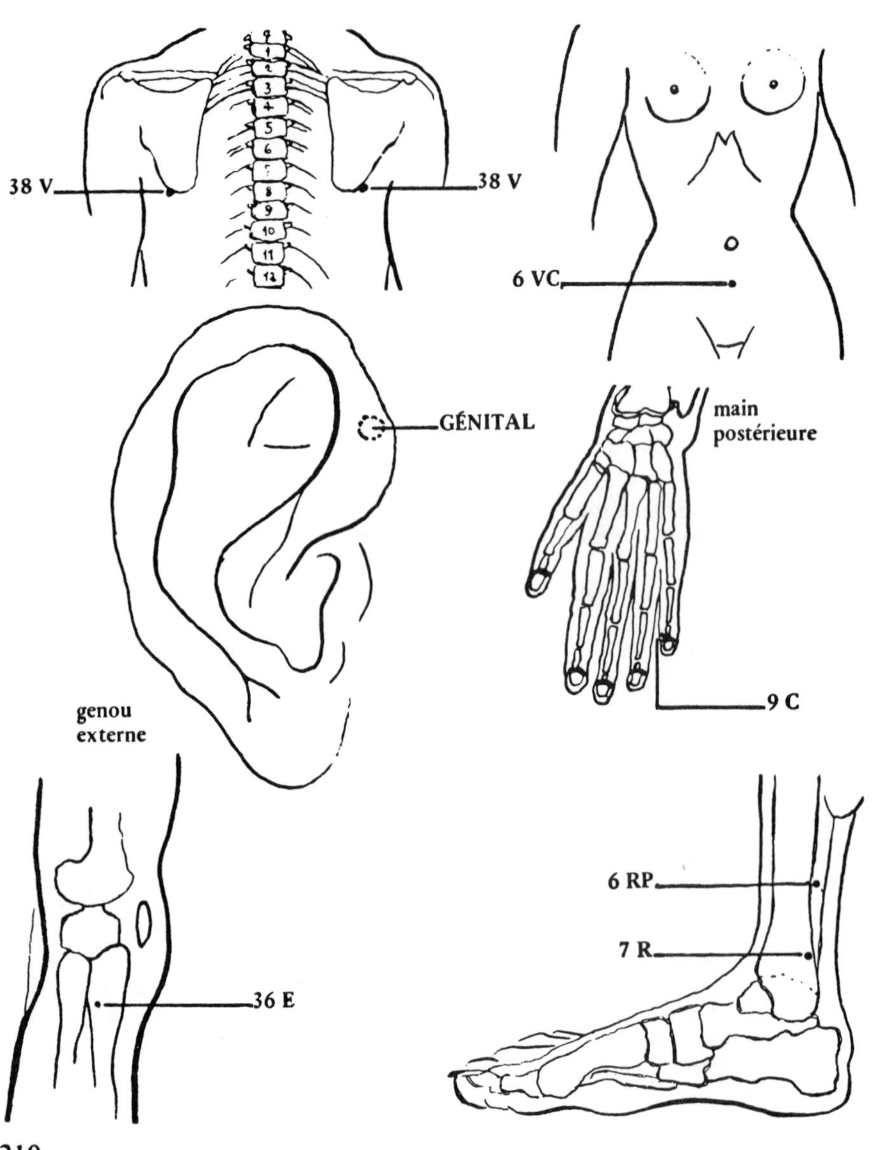

IMPUISSANCE

Auriculopuncture : Point génital.

Acupuncture

38° VESSIE « KAO-ROANG » (Centres vitaux)
Bras croisés, faire le gros dos , angle interne de l'omoplate.

36° ESTOMAC « SANN-LI de jambe » (3e village)
Face externe de la jambe, 1/3 entre l'arête du tibia et la tête du péroné.

9° COEUR « CHAO-TCHRONG » (Moindre assaut)
Extrémité de l'auriculaire, côté annulaire, 2 millimètres de l'angle externe de l'ongle.

7° REINS « FOU-LEOU » (Sourdre de nouveau)
Deux pouces et demi au-dessus de la malléole interne, un demi-pouce en arrière du tibia.

6° VAISSEAU DE CONCEPTION « TSRI-RAE » (Océan d'énergie chez les mâles)
Un cinquième ombilic – rebord supérieur du pubis.

6° RATE - PANCRÉAS « SANN-INN-TSIAO » (Réunion des trois Inn)
Face interne de la jambe, 3 pouces au-dessus de la malléole interne, bord postérieur du tibia.

Homéopathie

GINSENG DIETAROMA
Une à deux ampoules par jour.

AMPOULES PERLINGUALES :
Axe cortico hypothalamique
Sympathique
Muqueuse endo-nasale
} 7 CH aa. q.s.p. 1 ampoule perlinguale n° 24

3 ampoules par semaine au lever.

SUPPOSITOIRES :
Corps caverneux
Corps spongieux
} 4 CH aa. q.s.p. 1 suppositoire n° 24

1 suppositoire 3 fois par semaine au coucher.

Très efficace, à condition que l'organisme ne soit pas trop usé.
Deux à trois séances d'acupuncture suffisent en général.

INFARCTUS

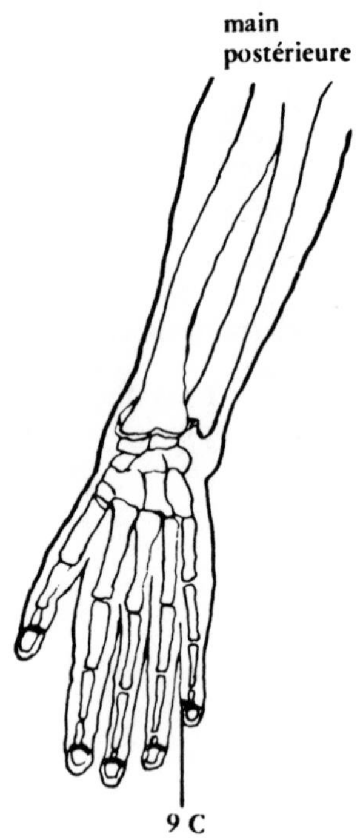

INFARCTUS
(Séquelles)

Punctures locales des points douloureux sur la région précordiale.
Laisser en place 3 minutes.

Acupuncture

9° COEUR « CHAO-TCHRONG » (Moindre assaut)
Extrémité de l'auriculaire, côté annulaire, 2 millimètres de l'angle externe de l'ongle.

Homéopathie

MYOCARDE 7 CH
2 suppositoires par semaine.

SYMPATHIQUE
ARTERE CORONAIRE } 7 CH aa. q.s.p. 1 suppositoire n° 16
2 suppositoires par semaine.

Résultat étonnant et spectaculaire.
A essayer dans tous les cas.

INSOMNIE

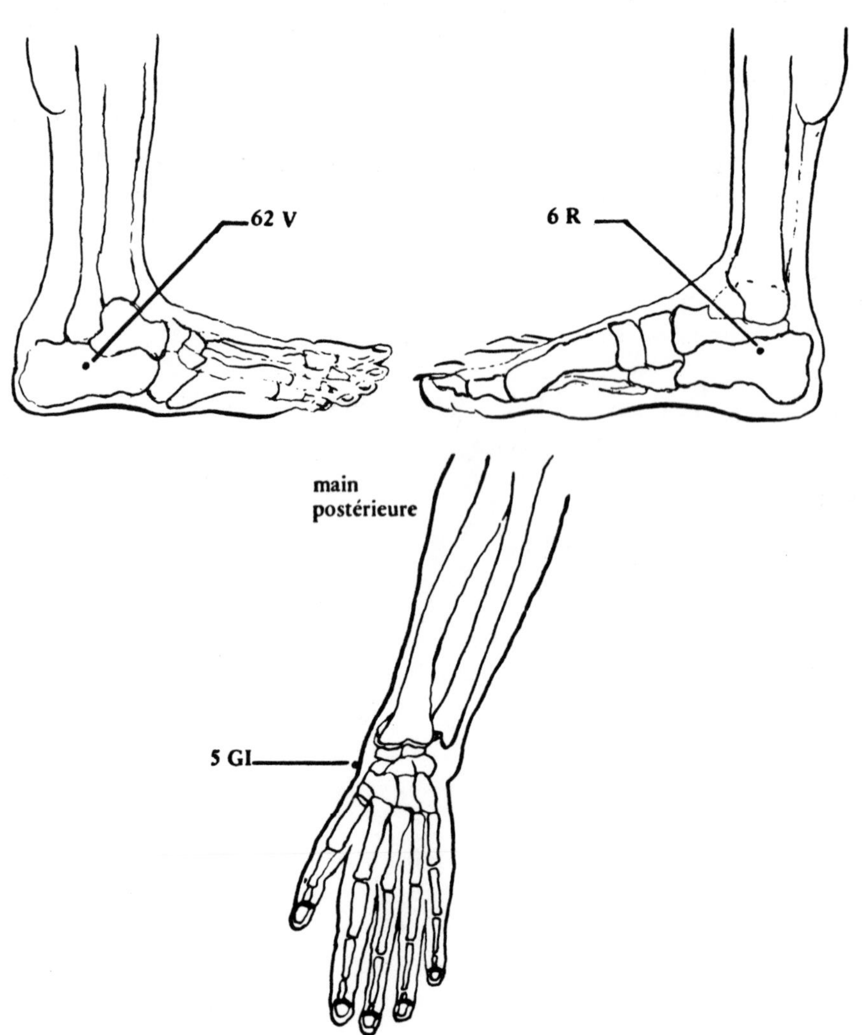

INSOMNIE

Acupuncture

6° REINS « TA-TCHONG » (Grande cloche)
Sous la malléole interne, à un pouce, dans un creux.

62° VESSIE « CHENN-MO » (Vaisseau perforant)
Base du calcanéum, milieu du bord inférieur, sous la malléole externe.

5° GROS INTESTIN « IANG-TSRI » (Vallon des Iang)
Dans la tabatière anatomique.

Traiter l'état nerveux.

Homéopathie

HOMÉOGENE 46
Sucer 2 comprimés au coucher.

NYCKTÉRINIA 7 CH
NYCKTÉRINIA 5 CH
2 comprimés de chaque tube, 1 heure avant le coucher et au coucher.

Inconstant – Nécessite un traitement complexe personnalisé et une régularisation de l'énergie par un acupuncteur.

IVRESSE

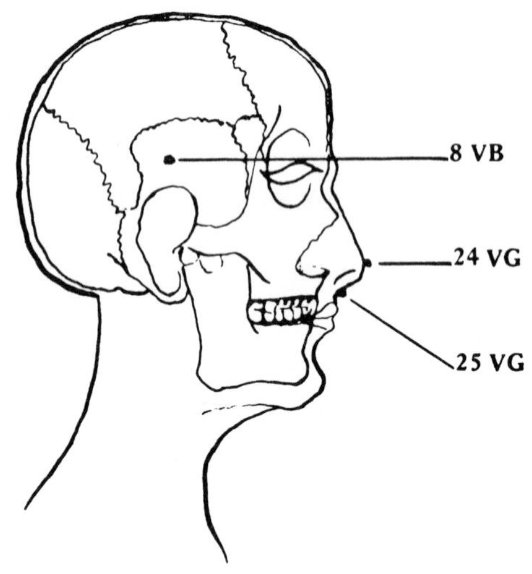

IVRESSE

Acupuncture

24° VAISSEAU GOUVERNEUR « SOU-TSIAO » (Simple trou)
Une aiguille sur le bout du nez. Ligne médiane. Laisser en place 3 minutes.

25° VAISSEAU GOUVERNEUR « CHOE-KEOU » (Fossé pour l'eau)
Une aiguille sous le nez, au milieu de la lèvre supérieure. Laisser en place 3 minutes.
Les dix FEES : puncture rapide, en traversant seulement la peau, de la pulpe des dix doigts.

8° VESICULE BILIAIRE « CHOAE-KOU » (Vallée d'assemblée)
Point personnel – Deux doigts au-dessus de l'oreille, dans l'axe.

Mettre dans du café fort et chaud, sans sucre, 15 gouttes d'ammoniaque.

Les résultats sont bons sans être miraculeux.
Il est préférable de ne pas s'enivrer.

JAMBES LOURDES

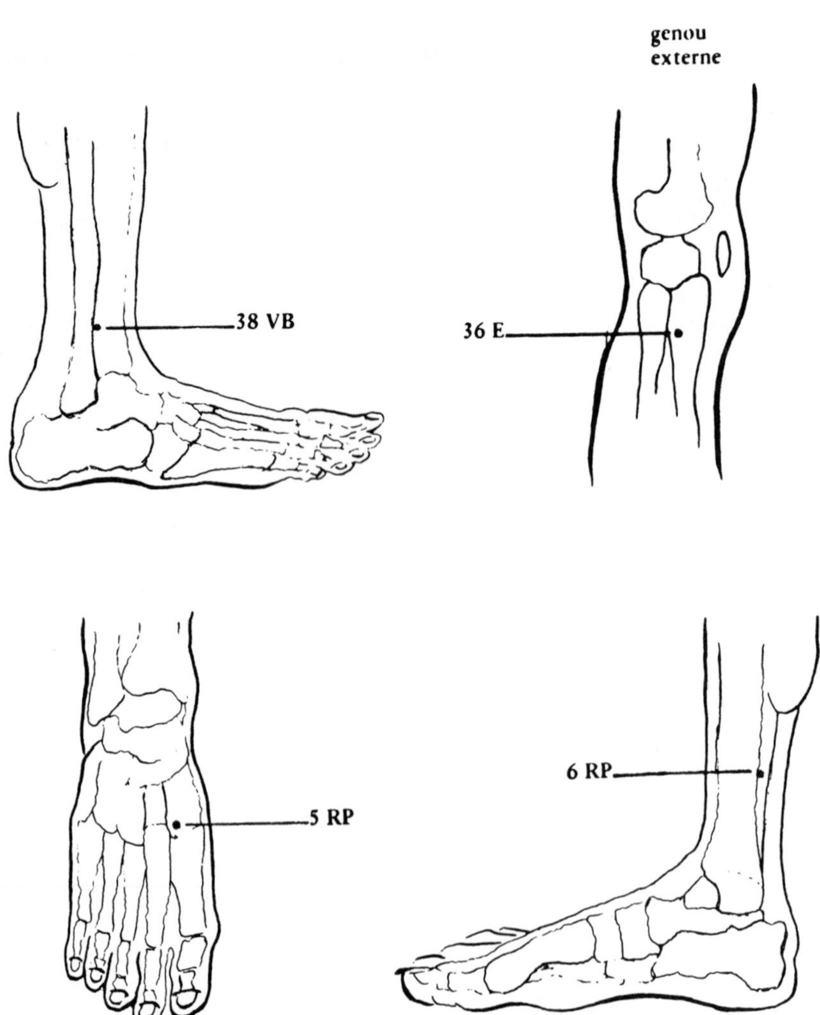

– La reprise d'une alimentation normale doit être progressive et étalée sur 2 à 3 jours.

Le meilleur jeûne est celui de 3 jours. Sa pratique est simple, sans risques, ne cause ni gène, ni fatigue et permet une vie et un travail normaux.

Toutes les purges peuvent être utilisées, tous les mucilages également (sans phénolphtaléine). Demander au pharmacien.

LITHIASE

TONIFIER les émonctoires (voir « DÉPURATION »).

Il faut faire un traitement complexe et personnalisé que seuls un Acupuncteur et un Homéopathe peuvent prescrire.

Homéopathie

De très bons résultats sont obtenus avec :

LITHIABYL
25 gouttes 3 fois par jour.

URODRAINOL
10 gouttes sur la langue 3 fois par jour, loin des repas.

Inconstant mais utile.

Dépend de nombreux facteurs, en particulier de la taille du calcul.

LOMBALGIE

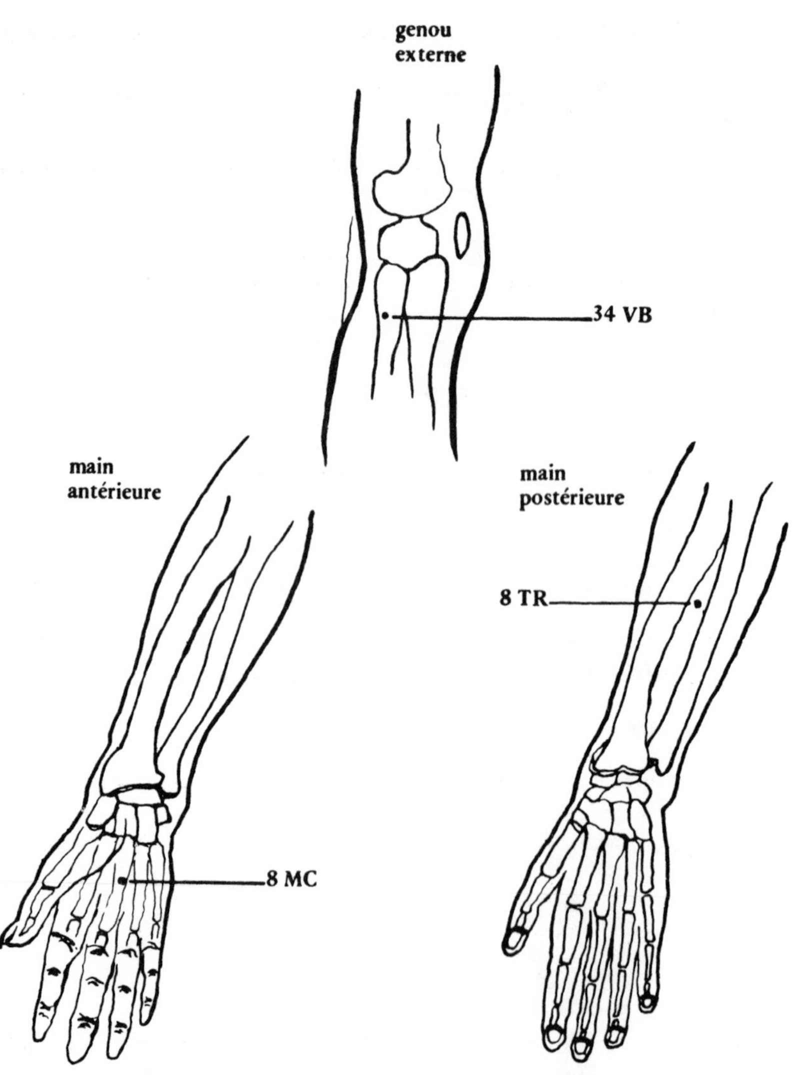

genou
externe
34 VB
main
antérieure
8 MC
main
postérieure
8 TR

LOMBALGIE

Acupuncture

34° VESICULE BILIAIRE « IANG-LING-TSIUANN » (Source du plateau externe)
Face externe du genou, dans la dépression, sous la tête du péroné, en avant du côté du tibia.

8° TROIS RÉCHAUFFEURS « SANN-IANG-LO » (Vaisseaux seconds des trois Iang)

8° MAITRE DU COEUR « LAO-KONG » (Palais des fatigues)
Creux de la main, entre 3e et 4e métacarpien, milieu du 3e métacarpien.

PUNCTURES superficielles locales.

MANIPULATIONS VERTEBRALES indispensables.

Homéopathie

Si arthrose :

ARTHRO-DRAINOL
10 gouttes sur la langue, 3 fois par jour, loin des repas.

SUPPOSITOIRES
Cartilage lombaire
Ligaments
Moelle osseuse
} 7 CH aa. q.s.p. 1 suppositoire n° 24

3 suppositoires par semaine au coucher.

CÉPHYL
3 comprimés par jour.

Ce traitement donne souvent de très bons résultats mais s'il est insuffisant, un traitement moins embryonnaire est à appliquer.

MAL DE VOITURE - MAL DE MER - MAL DE L'AIR

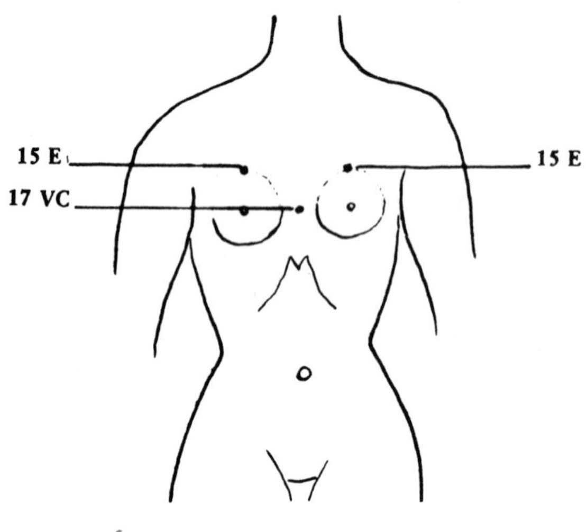

MAL DE VOITURE - MAL DE MER - MAL DE L'AIR

Traiter la tendance aux vomissements suivant le chapitre « VOMISSEMENTS ».

Avant le départ ou pendant le voyage, on peut faire un massage avec l'ongle sur les deux :

15° ESTOMAC « OU-I » (Paravent de la chambre)
Sommet de sein à la verticale des mamelons.

17° VAISSEAU DE CONCEPTION « TRANN-TCHONG » (Milieu de poitrine)
Au milieu de la ligne joignant les mamelons.

Homéopathie : excellente.

APOMORPHIN cplx Lehning n° 97
10 gouttes 3 fois par jour.

HOMÉOGENE 21
Sucer 2 comprimés au départ et suivant besoins.

SOLUDOR
15 gouttes sur un morceau de sucre à sucer lentement 2 fois par jour.

COCCULINE L.H.F.
Traitement simplifié et actif.
2 comprimés 3 fois par 24 heures,les 3 jours précédant le voyage.
Puis :
2 comprimés si besoin.

COCCULUS 5 CH
TABACUM 5 CH
Sucer 2 granules de chaque tube 1 fois par 24h,4 jours avant le voyage.
2 fois par 24h durant le voyage.

Essayez dans tout cela ce qui vous convient, vous trouverez sûrement.
Et bon voyage !

MÉDICAMENTS
(Intoxication par abus)

Après toute prise prolongée de médicaments, il est conseillé de faire le traitement suivant.

Médicaments:

— Allopathiques

NUX VOMICA 5 CH
Sucer 2 granules matin et soir.
Si intoxication récente.

NUX VOMICA 7 CH
Sucer 10 granules, dose unique.
Si intoxication ancienne et prolongée.

— Homéopathiques

THUYA 5 CH
Sucer 2 granules matin et soir.
Si intoxication récente.

TUYA 7 CH
Sucer 10 granules, dose unique.
Si intoxication ancienne et prolongée.

Désintoxication générale

Voir chapitres : JEÛNE
DÉPURATION

Cette manière de faire est excellente et évite beaucoup d'ennuis.

MÉNOPAUSE
(Bouffées de chaleur)

Acupuncture

31° VESSIE « CHANG-TSIAO » (Trou supérieur)
Dans le 1er trou sacré.

Inconstant mais très souvent efficace — à essayer.

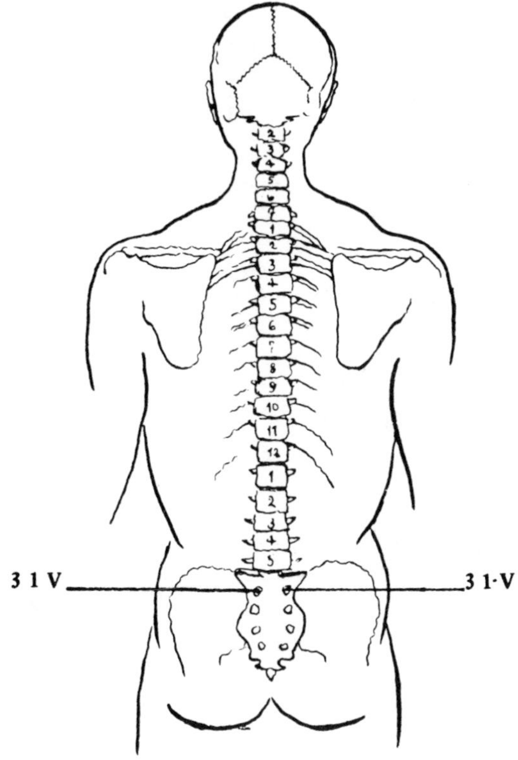

MYOPIE

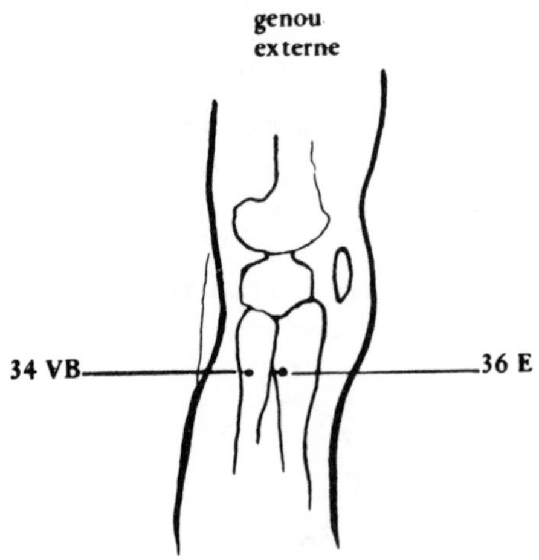
genou
externe
34 VB
36 E

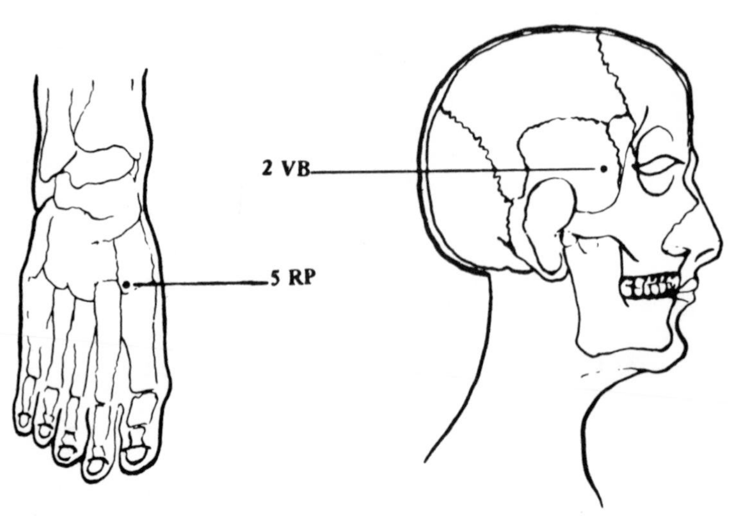
2 VB
5 RP

MYOPIE

Acupuncture

36° ESTOMAC « SANN-LI de jambe » (3e village)
Face externe de la jambe, 1/3 entre arête du tibia et tête du péroné.

2° VÉSICULE BILIAIRE « KRO-TCHOU-JENN » (Hôte et invité)
Mi-distance oreille - arcade orbitaire.

34° VÉSICULE BILIAIRE « IANG-LING-TSIUANN » (Source du plateau externe)
Face externe du genou, dans la dépression, sous la tête du péroné, en avant du côté du tibia.

5° RATE - PANCRÉAS « CHANG-TSIOU du pied » (Tertre des marchands)
Partie supéro-interne du pied, 4 doigts en travers, en avant de la malléole interne.

Homéopathie

SUPPOSITOIRES :

Muscles moteurs de l'œil }
Oeil total } 7 CH aa. q.s.p. 1 suppositoire n° 24

1 suppositoire un jour sur deux, au coucher, pendant plusieurs mois.

Réussit quelquefois.

NERFS

(Déséquilibres, généralités thérapeutiques)

J'ai des conceptions certainement originales sur les déséquilibres nerveux mineurs : angoisses, psychose, etc...

Un des grands principes de mes théories thérapeutiques, est qu'il est plus facile de guérir une maladie qui existe, que d'empêcher les patients de se « faire des idées » sur des choses les plus bizarres et les plus diverses, entièrement issues de leur imagination.

Dans toutes les maladies et particulièrement dans ces psychoses imaginatives, moins on attache d'importance à la maladie, plus vite elle guérit.

Si l'on vous retire le siège de sous le derrière, vous vous cassez la figure, si je puis m'exprimer ainsi.

Si vous retirez toute assise à la maladie, celle-ci n'ayant plus aucune base, disparaît.

Plus on parle de la maladie, plus on lui donne vie, plus on lui bétonne un support solide dont il sera très difficile de la déboulonner.

En s'astreignant à ne jamais parler de ses maladies, on s'habitue peu à peu à ne plus y penser et celles-ci disparaissent.

Le meilleur moyen de tuer la maladie est de la traiter par le mépris. Chacun peut être son propre médecin en décidant de ne pas être malade.

Tous nos traitements ne peuvent que vous aider à faire ce que vous pourriez faire seul.

NERVOSISME

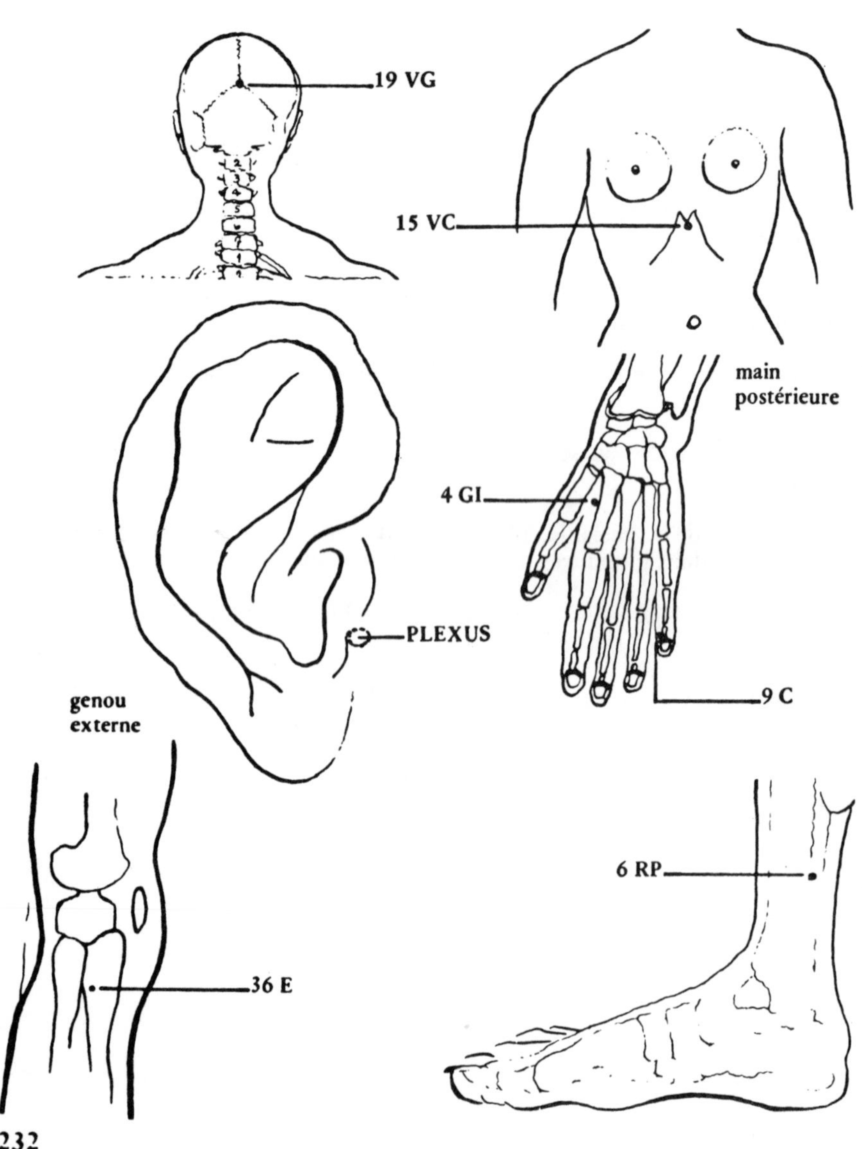
19 VG
15 VC
main
postérieure
4 GI
PLEXUS
9 C
genou
externe
6 RP
36 E

NERVOSISME

Auriculopuncture : Point du plexus.

Acupuncture

19° VAISSEAU GOUVERNEUR « PAE-ROE » (Les cent réunions)
Ligne médiane du crâne, au niveau de la fontanelle postérieure.

4° GROS INTESTIN « RO-KOU » (Fond de la vallée)
Angle métacarpien du pouce et deuxième métacarpien contre la tête de celui-ci.

36° ESTOMAC « SANN-LI de jambe » (3e village)
Face externe de la jambe, 1/3 entre arête du tibia et tête du péroné.

6° RATE - PANCRÉAS « SANN-INN-TSIAO » (Réunion des trois Inn)
Face interne de la jambe, 3 pouces au-dessus de la malléole interne, bord postérieur du tibia.

9° COEUR « CHAO-TCHRONG » (Moindre assaut)
Extrémité de l'auriculaire, côté annulaire, 2 millimètres de l'angle externe de l'ongle.

15° VAISSEAU DE CONCEPTION « TSIOU-OE » (Queue de pigeon)
Extrémité de l'appendice xyphoïde.

Homéopathie

Alterner plusieurs médicaments :

TARENTULA CUBENSIS 7 CH
5 granules le matin à jeun tous les 3 jours, puis espacer au fur et à mesure de l'amélioration. Excellent euphorisant.

HOMÉOGENE 46
Sucer 2 comprimés 3 fois par jour, loin des repas.

TILIA TOMENTOSA 3 X
30 gouttes au lever et au coucher.

L 72 LEHNING GOUTTES
25 gouttes 3 fois par jour.

Traitement donné à titre indicatif. Généralement excellent, qui doit être très souvent personnalisé, avec régularisation de l'énergie.

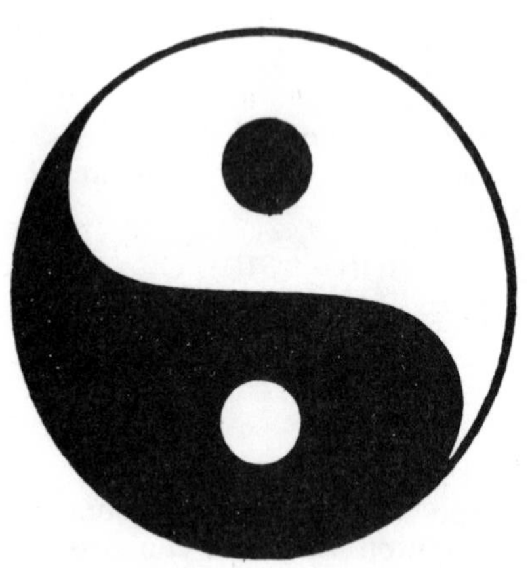

OBÉSITÉ - CELLULITE

GÉNÉRALITÉS

1) VÉRIFIER L'ÉTAT DES ORGANES ET MÉTABOLISMES :
foie, reins, intestins, nerfs...
diabète, ventilation pulmonaire...

2) LES METTRE EN BON ÉTAT DE FONCTIONNEMENT, surtout les émonctoires éliminateurs de toxines.

3) FAIRE AU MINIMUM *5 REPAS PAR JOUR*
Il ne s'agit pas de multiplier par 5 l'alimentation habituelle mais, au contraire, de la diviser en 5 parts, à répartir sur les 24 heures.

Le but recherché est le conditionnement de l'organisme contre le stockage de réserves. Le repas unique, très souvent pratiqué, est une hérésie métabolique, car l'organisme soumis au jeûne durant 23 heures,constitue des stocks de réserves : bourrelets, culotte de cheval, amas graisseux...

4) MANGER TRES LENTEMENT
MASTIQUER ÉNORMÉMENT : chaque bouchée au moins *50* fois.

Les repas express où l'on enfourne les aliments à la pelle sont formellement interdits.

La mastication extrait le maximum d'énergie des aliments et réduit les déchets au minimum.

5) BOIRE RELATIVEMENT PEU
« L'eau qui lave les cellules » est un slogan publicitaire, mais peu réaliste. Laver une voiture à grande eau est bien ; inonder un organisme humain en rétention par déficience des organes éliminateurs,est aberrant.

Pour faciliter les éliminations, voir le chapitre « DÉPURATION ».

Contre la rétention d'eau, absorber la boisson à raison d'une cuillérée à café toutes les demi-heures.

OBÉSITÉ - CELLULITE

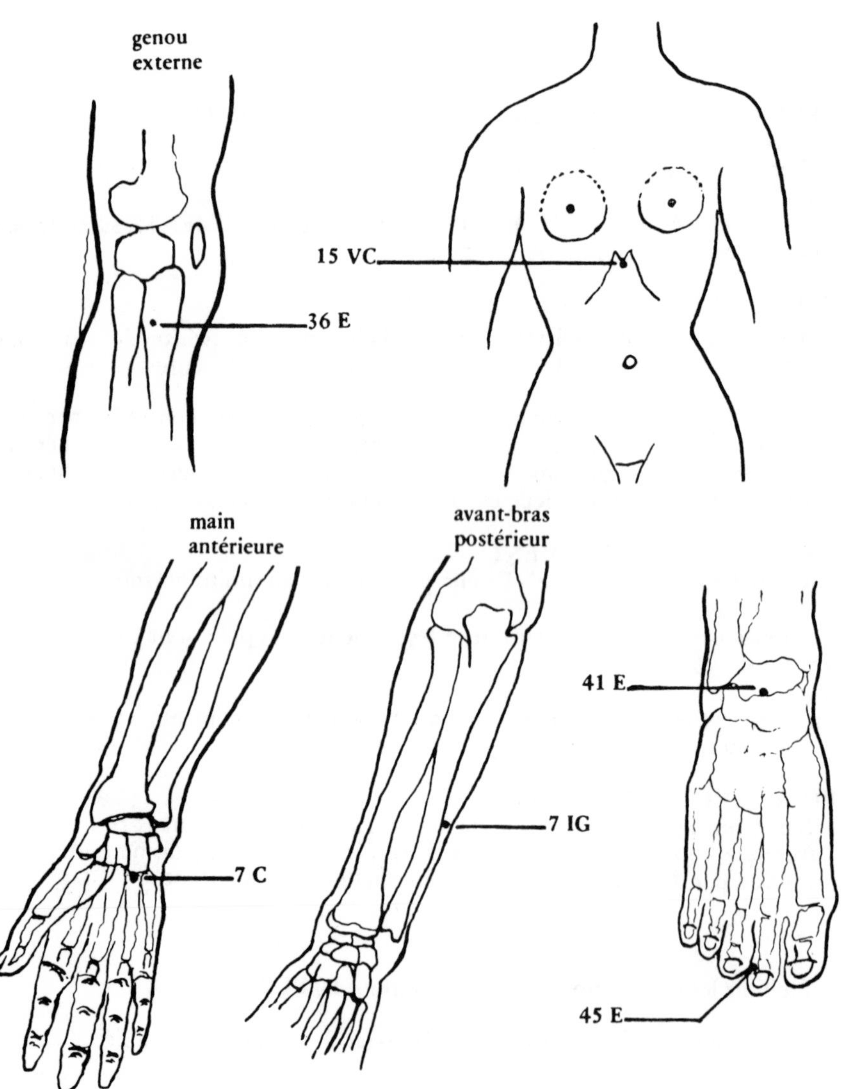

ORGELETS

FROTTER le bord de la paupière avec de l'or (bague).

Folklorique mais étonnamment efficace, étant donné la simplicité du procédé. A essayer.

Acupuncture

Si échec, faire :

4° GROS INTESTIN « RO-KOU » (Fond de la vallée)
Angle métacarpien du pouce et deuxième métacarpien contre la tête de celui-ci.

60° VESSIE « KROUN-LOUN » (Mont Kroun Loun)
Angle du bord supérieur du calcanéum.

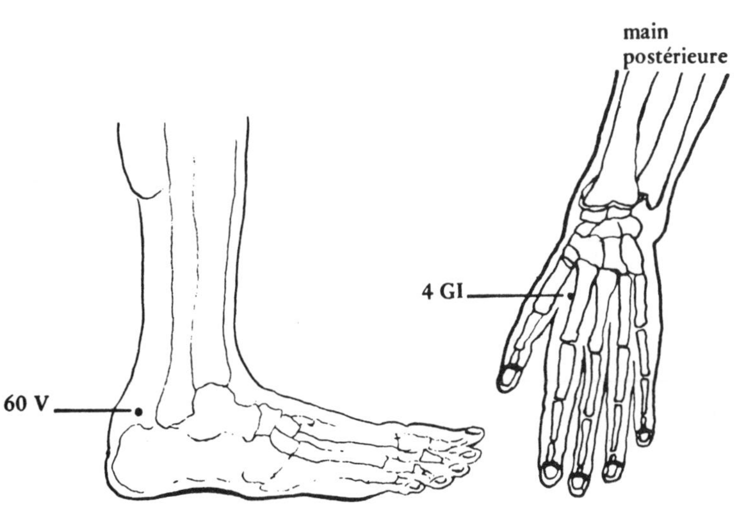

OTITE

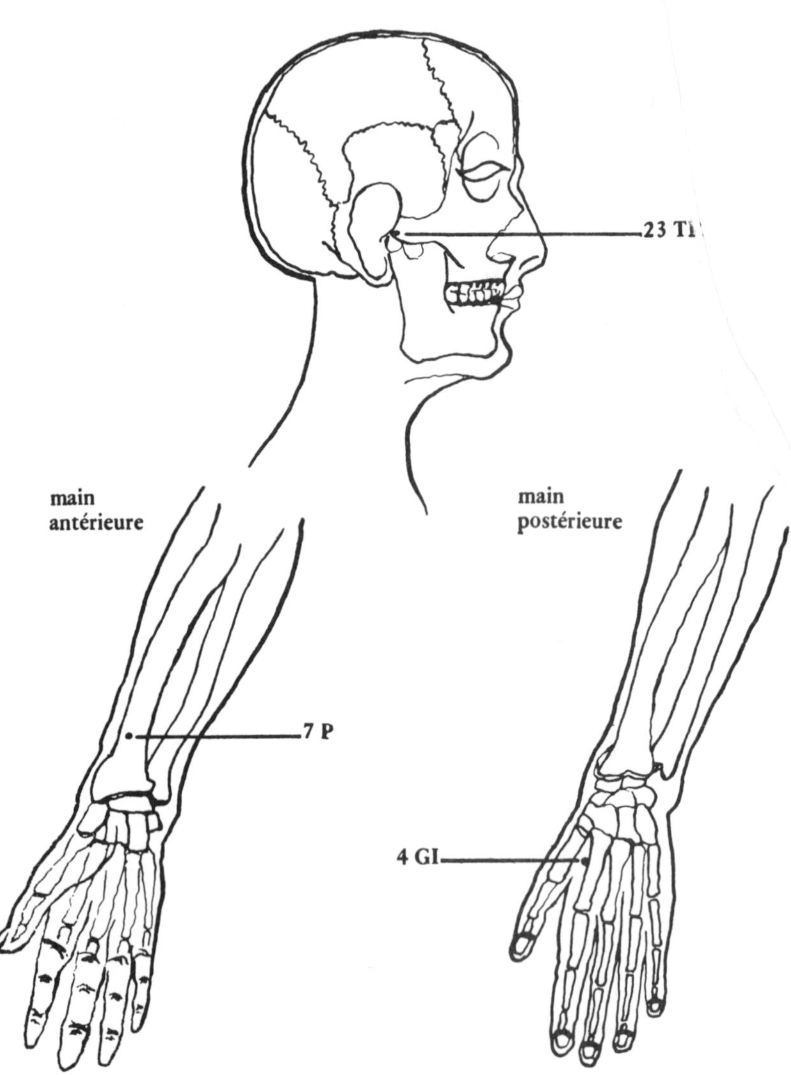

OTITE

Acupuncture

23°TROIS RÉCHAUFFEURS « EL-MENN » (Porte d'oreille)
Au-dessous de l'os malaire, partie supérieure du tragus, au milieu du creux.

4° GROS INTESTIN « RO-KOU » (Fond de la vallée)
Angle métacarpien du pouce et deuxième métacarpien contre la tête de celui-ci.

7° POUMONS « LIE-TSIUE » (Creux alignés)
Au poignet, sur l'artère radiale, au bas de l'apophyse radiale. Piquer entre peau et artère.

Homéopathie

OSCILLOCOCCINUM 200 du Dr ROY
1 dose

ARSENICUM 5 CH
2 granules

1 heure après :

CAPSICUM ANNUM 4 CH
CHAMOMILLA 5 CH
BELLADONNA 4 CH
2 granules toutes les heures en alternant les 3 tubes.

C'est un excellent abortif et curatif.
Si la guérison n'est pas obtenue pratiquement en 24 heures, confier le malade au spécialiste O.R.L.

PALPITATIONS

Acupuncture

5° COEUR « TRONG-LI » (Village de passage)
Face interne du poignet, sur l'artère cubitale, côté interne de l'apophyse cubitale.

Calmer l'état nerveux.

Homéopathie

IGNATIA AMARA 5 CH
2 granules une fois par 24 heures.

GELSEMIUM 5 CH
2 granules une fois par 24 heures.

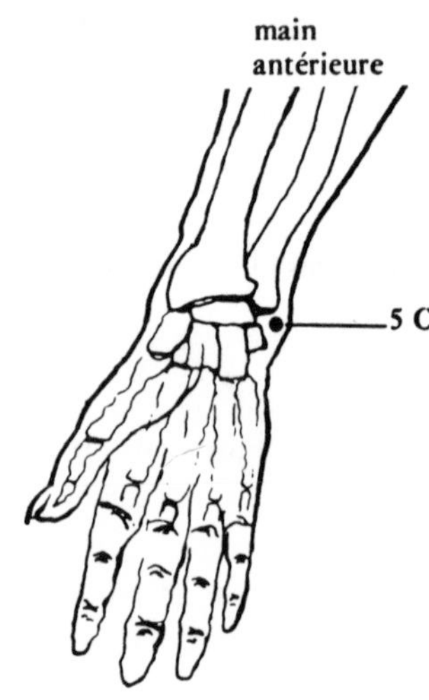

PANARIS

1) A traiter comme un ABCES.

2) Utiliser un vieux remède Occitan :

- Faire bouillir de l'eau.
- Prendre un linge dans la main saine.
- Sortir la casserole d'eau bouillante du feu
- Plonger vivement le doigt malade dans l'eau et le sortir immédiatement.
- Essuyer rapidement (l'immersion très brève ne brûle pas, mais l'eau qui resterait sur le doigt brûlerait).
- A faire NEUF FOIS en tout, sans interruption.

Folklorique, mais très efficace. En général, guérison en quelques heures. Si celle-ci était incomplète, recommencer 24h après.

PELADE

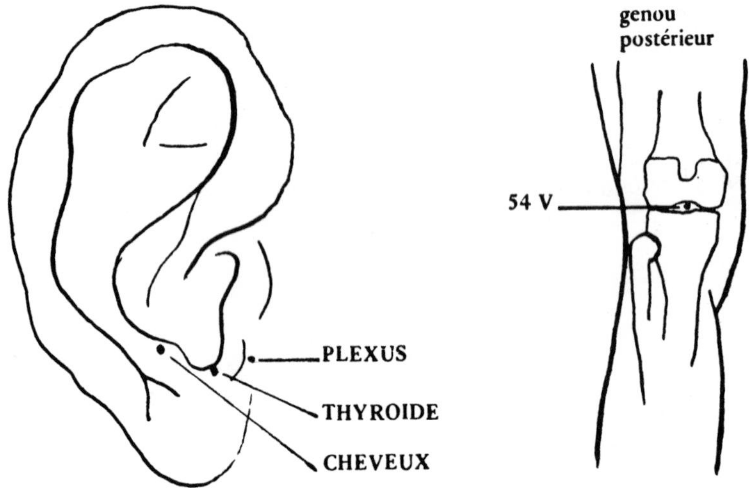
PLEXUS
THYROIDE
CHEVEUX
genou
postérieur
54 V

PELADE

Tous les traitements actuels sont décevants.

Celui que j'ai mis au point, donne un pourcentage plus important de guérisons totales ou partielles.

Mon traitement de *CULTURE CAPILLAIRE* en est la base.

1) Les injections intra-dermiques de mon liquide spécial dans l'épaisseur du cuir chevelu, au moyen du dermo-jet, sont indispensables.
   En moyenne une séance par mois, très variable suivant les cas.

2) Utilisation journalière de ma lotion de culture capillaire.

Auriculopuncture

Point des cheveux. Point de plexus. Point de thyroïde.
A faire en principe ; je n'ai pas de statistiques valables.

Acupuncture

54° VESSIE « OE-TCHONG » (Médial du délégué)
Milieu du creux poplité.
Soulié de Morant dit de faire saigner.
Utilisé seul, je n'ai jamais eu de résultats.

10 FÉES
Puncture rapide de la pulpe de chacun des 10 doigts.
Actuellement en expérimentation. Paraît donner des résultats intéressants.
J'ai pensé à l'utiliser car il exalte les défenses de l'organisme et doit donc lutter contre l'infection mycosique de la pelade et, pourquoi pas, contre les facteurs inconnus.

Rayons ultraviolets

Ils ont été utilisés seuls avec peu ou pas de résultats. Je suis quand même partisan d'attaquer les affections tenaces avec le plus grand nombre d'armes possible.

PELADE

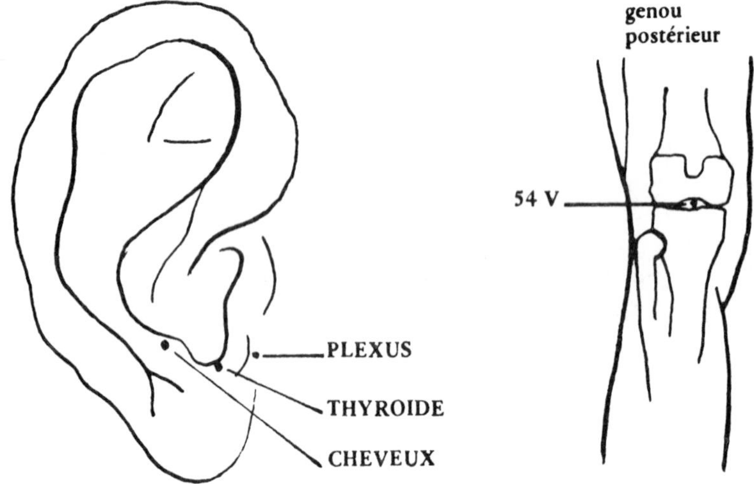
PLEXUS
THYROIDE
CHEVEUX
genou
postérieur
54 V

PELADE *(suite)*

Homéopathie

Toujours dans le but de multiplier les traitements d'attaque je prescris

BIOTHÉRAPIQUE PYROGENIUM 12 CH 1 tube
TARENTULA CUBENSIS 12 CH 1 tube
THYROIDEA 12 CH 1 tube

Tous les 5 jours, sucer 5 granules d'un de ces tubes, en alternant.

Fortifier également l'organisme.
Se reporter aux chapitres correspondants.

PIED

Le pied droit est seul représenté. Le pied gauche est identique mais le COEUR est à la place du FOIE.

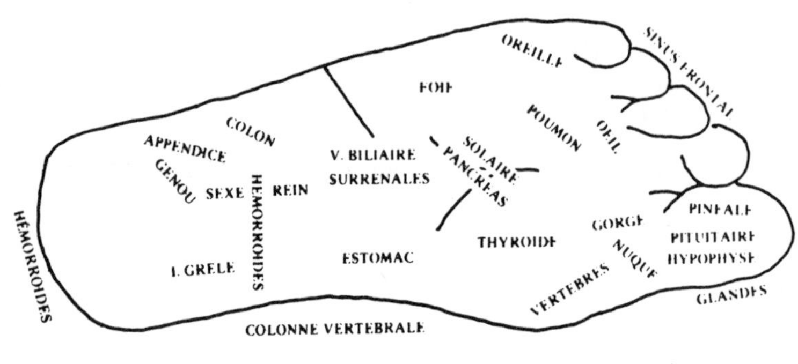

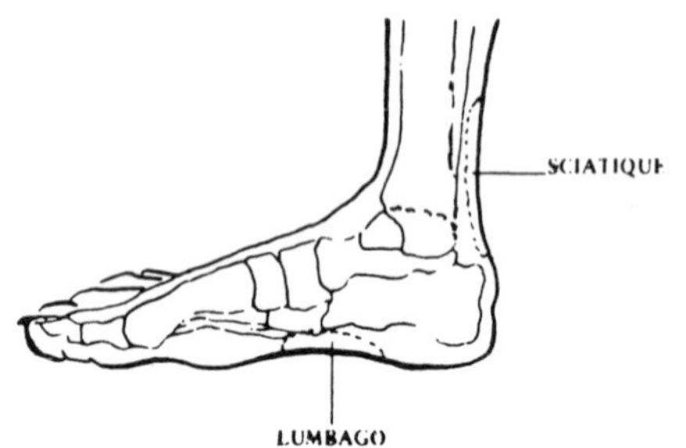

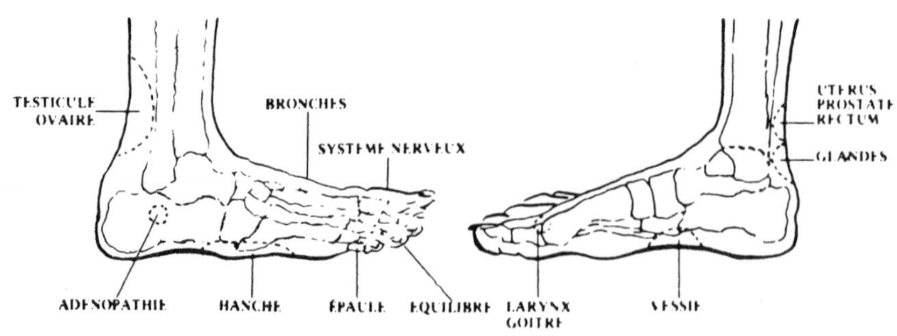

PIED

Le pied a un rôle dans la sustentation du corps et la marche.

Son action n'est pas limitée à celà.

Il reçoit une émanation de tous les organes et de toutes les parties du corps. Toute action à son niveau, surtout sur la plante, se répercutera à tout l'organisme, en général d'une manière bénéfique.

Par son intermédiaire on peut agir sur le corps entier de plusieurs manières:

- Marche pieds nus qui endurcit.

- Massages par coussin vibrant.

- Massage manuel total ou sur points spécifiques.

- Massages spécifiques au moyen du VIBROPUNCTEUR (voir Vibration).

- Sandales thérapeutiques dont la semelle en forme, est composée d'un grand nombre d'ergots de caoutchouc qui, au cours de la marche, agissent régulièrement sur la totalité de la plante et par conséquent sur le corps entier.

PLAIES

En campagne

En l'absence de tout antiseptique, uriner sur la plaie.
L'urine étant chargée des produits toxiques qu'elle a pour charge d'éliminer, sauf cas particuliers (cystite, urines purulentes, maladies infectieuses de la vessie), est amicrobienne et antiseptique.

Bien connu des chasseurs.

Homéopathie

KERATOCYNESINE Pommade
HOMEOPLASMINE Pommade

CALENDULA OFFICINALIS 5 CH
Sucer 2 granules 1 fois par 24 heures.

HYPERICUM PERFORATUM 4 CH
ARNICA MONTANA 4 CH
Sucer 2 granules 2 fois par 24 heures, en alternant.

Plaies infectées (Furonculose)

ELECTROPHYTAL
Dose A : le matin à jeun
Dose B : 1/2h avant le repas de midi
Dose C : le soir au coucher.

POLYARTHRITE RHUMATOIDE

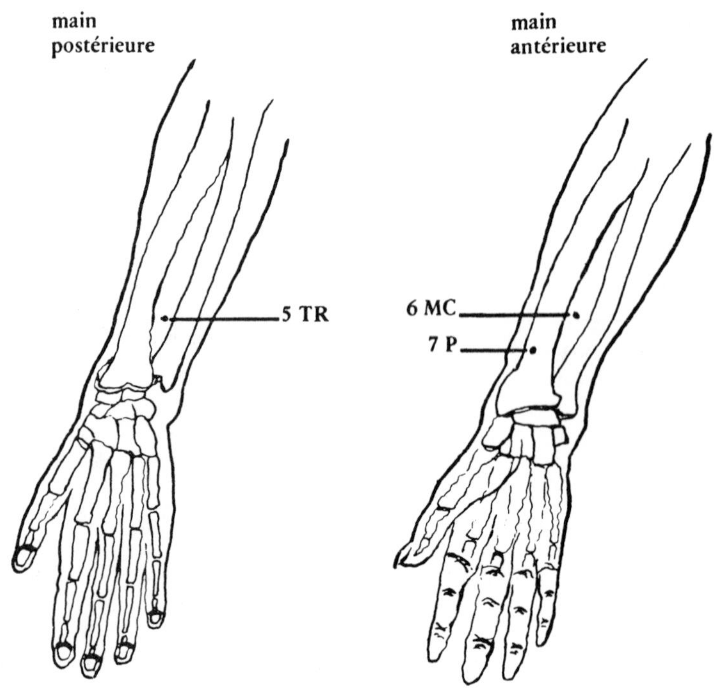

POLYARTHRITE RHUMATOIDE

Acupuncture

6° MAITRE DU COEUR « NEI-KOANN » (Barrière interne)
Face antérieure de l'avant-bras, au milieu, 3 doigts sur poignet.

5° TROIS RÉCHAUFFEURS « OAE-KOANN » (Barrière des Iang)
Face postérieure avant-bras, 3 doigts sur poignet, partie interne du radius.

7° POUMONS « LIE-TSIUE » (Creux alignés)
Au poignet, sur l'artère radiale, au bas de l'apophyse radiale.
Piquer parallèlement entre peau et artère.

Acupuncture locale

Punctures au niveau des articulations atteintes.
Laisser l'aiguille en place 5 minutes.

Homéopathie

SUPPOSITOIRES

Cartilage Ligaments Moelle osseuse	7 CH aa. q.s.p. un suppositoire n° 24

3 suppositoires par semaine au coucher.

ARTHRO-DRAINOL
10 gouttes sur la langue, 3 fois par jour, loin des repas.

La MACROBIOTIQUE donne des résultats sensationnels. J'ai vu des articulations très œdématiées redevenir normales en quelques jours.

L'acupuncture seule donne de très bons résultats, mais l'amélioration s'étale sur une longue durée.

L'association Acupuncture-Macrobiotique devrait fournir des armes efficaces contre cette très grave maladie pour laquelle l'allopathie est vraiment désarmée.

Je n'ai traité que trop peu de cas pour avoir une statistique valable.

Si les rhumatologues acceptaient d'expérimenter ce traitement, ce serait merveilleux.

PROSTATE

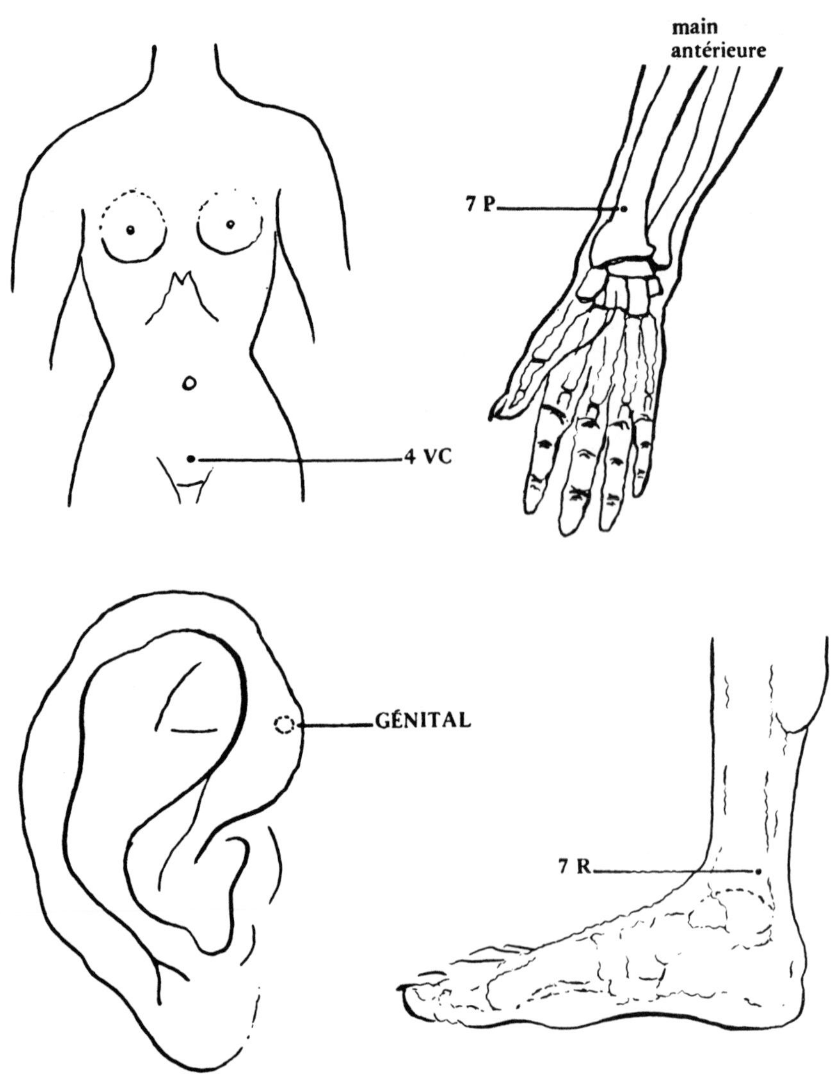

PROSTATE
(Adénome)

Auriculopuncture

Point génital.

Acupuncture

7° REINS « FOU-LEOU » (Sourdre de nouveau)
Deux pouces et demi au-dessus de la malléole interne, un demi-pouce en arrière du tibia.

7° POUMONS « LIE-TSIUE » (Creux alignés)
Au poignet, sur l'artère radiale, au bas de l'apophyse radiale. Piquer entre peau et artère.

4° VAISSEAU DE CONCEPTION « KOANN-IUANN » (Origine de barrière)
Trois cinquièmes entre ombilic – dessus du pubis.

Une aiguille au niveau du scrotum.

Homéopathie

PROSTATE 7 CH
2 suppositoires par semaine.

Très efficace.

RÈGLES DOULOUREUSES

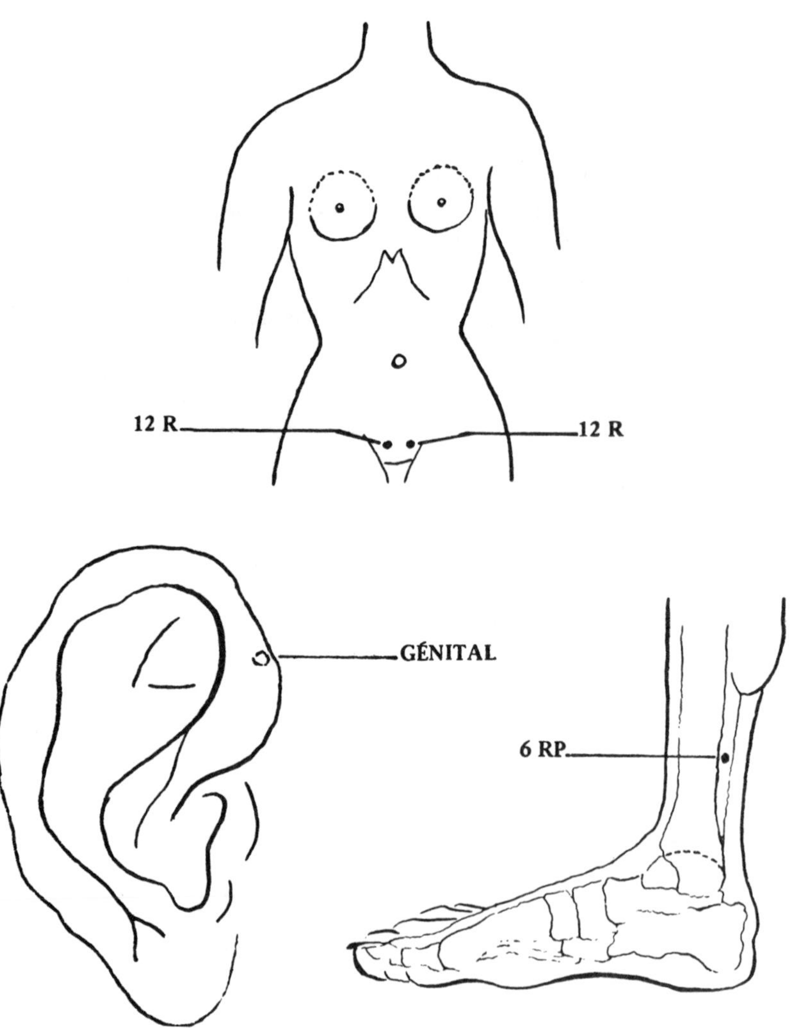

RÈGLES DOULOUREUSES

Auriculopuncture

Point génital.

Acupuncture

6° RATE - PANCRÉAS « SANN-INN-TSIAO » (Réunion des trois Inn)

Face interne de la jambe, 3 pouces au-dessus de la malléole interne, bord postérieur du tibia.

12° REINS « TA-RO » (Grande respectabilité)

Un pouce et demi au-dessus du pubis, un pouce en dehors du milieu.

Homéopathie

GYNÉCO-DRAINOL

10 gouttes sur la langue 3 fois par jour, loin des repas.

CÉPHYL

3 comprimés par jour.

Très efficace.

RHINO-PHARYNGITE
à répétition

Acupuncture

4° GROS INTESTIN « RO-KOU » (Fond de la vallée)
Angle métacarpien du pouce et 2e métacarpien, contre la tête de celui-ci.

19° VAISSEAU GOUVERNEUR « PAE-ROE » (Cent réunions)
Ligne médiane du crâne, au niveau de la fontanelle postérieure.

Homéopathie

MERCUR SOL complexe Lehning n° 39
1 à 3 comprimés, 3 fois par jour (suivant l'âge).

Les résultats sont pratiquement toujours spectaculaires.

Pour les jeunes enfants toujours enrhumés, 2 à 3 cures sont en général curatives (printemps et automne).

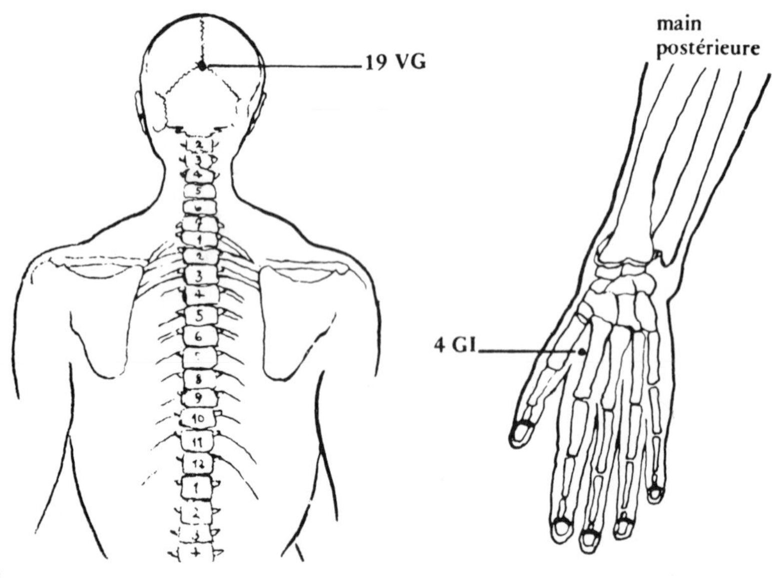

RHUME

Acupuncture

4° GROS INTESTIN « RO-KOU » (Fond de la vallée)
Angle métacarpien du pouce et deuxième métacarpien contre la tête de celui-ci.

Homéopathie

AROMASOL (Phytaroma)
à respirer souvent (quelques gouttes sur le mouchoir).

ALLIUM CEPA composé
2 granules toutes les deux heures.

Extrêmement efficace.

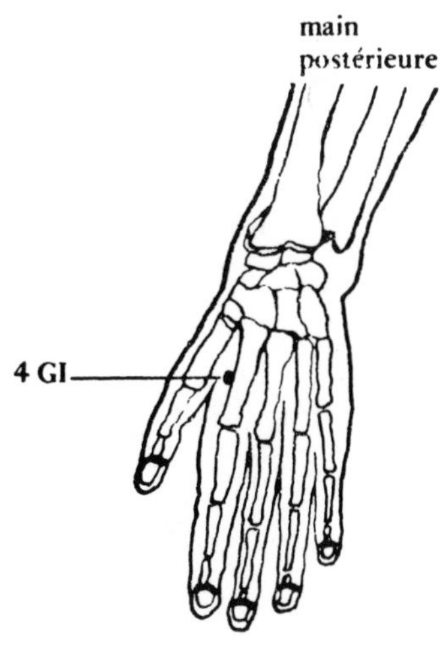

SCIATIQUE

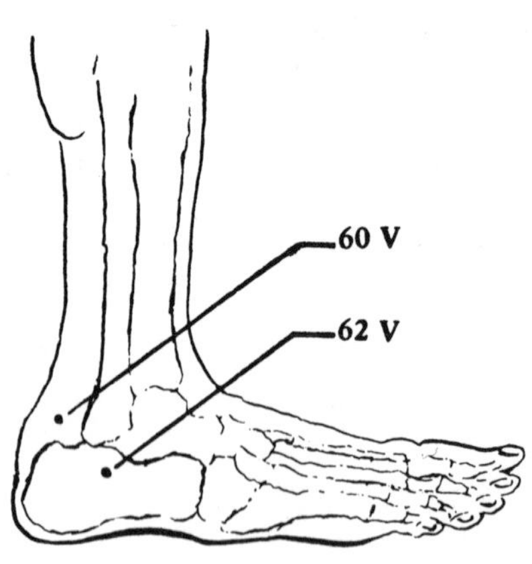

avant-bras
postérieur

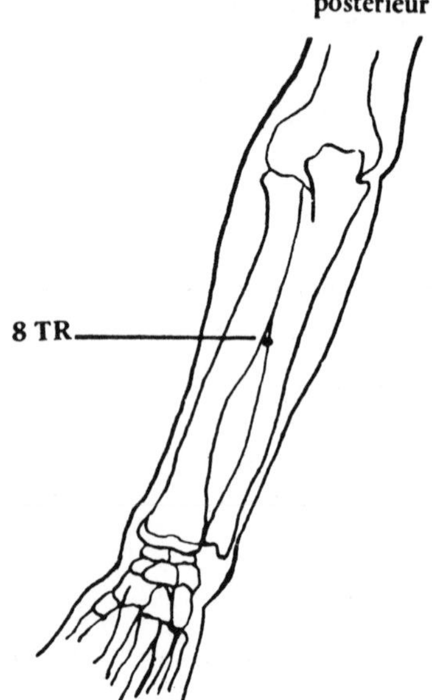

genou
externe

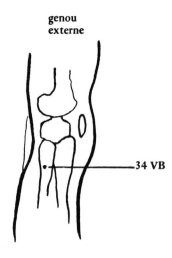

34 VB

SCIATIQUE

Auriculopuncture

Chercher au détecteur les points malades.

Acupuncture

34° VÉSICULE BILIAIRE « IANG-LING-TSIUANN » (Source du plateau externe)
Face externe du genou, dans la dépression, sous la tête du péroné, en avant du côté du tibia.

8° TROIS RÉCHAUFFEURS « SANN-IANG-LO » (Vaisseaux seconds de 3 Iang)
Quatre pouces et demi du pli du poignet, entre cubitus et radius.

60° VESSIE « KROUN-LOUN » (Mont Kroun Loun)
Angle du bord supérieur du calcanéum.

62° VESSIE « CHENN-MO » (Vaisseau perforant)
Base du calcanéum, milieu du bord inférieur, sous la malléole externe.

Punctures locales

Sur les points douloureux. Laisser en place un temps variable suivant les cas et le nombre d'aiguilles. 1 à 5 minutes.

Poursuivre la douleur.

Manipulations vertébrales

En dehors de la crise aiguë pour éviter les récidives.

Homéopathie

NERF SCIATIQUE 7 CH
3 suppositoires par semaine.

CÉPHYL
3 comprimés par jour.

Très efficace, mais souvent doit être personnalisé et dépend du doigté et de l'habitude de l'acupuncteur.

Guérison en 3 à 6 séances.

SEINS
(Petits - ptosés)

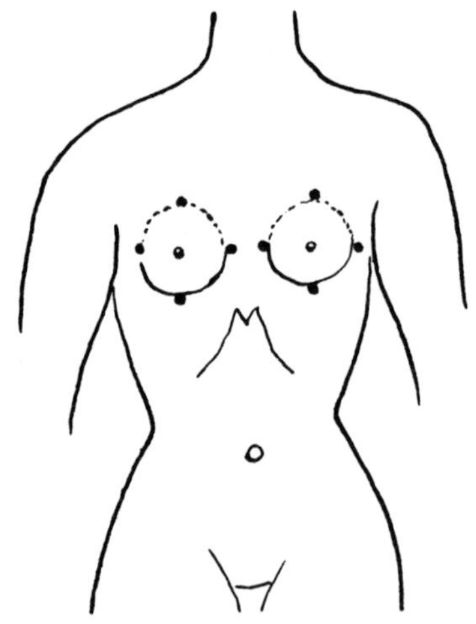

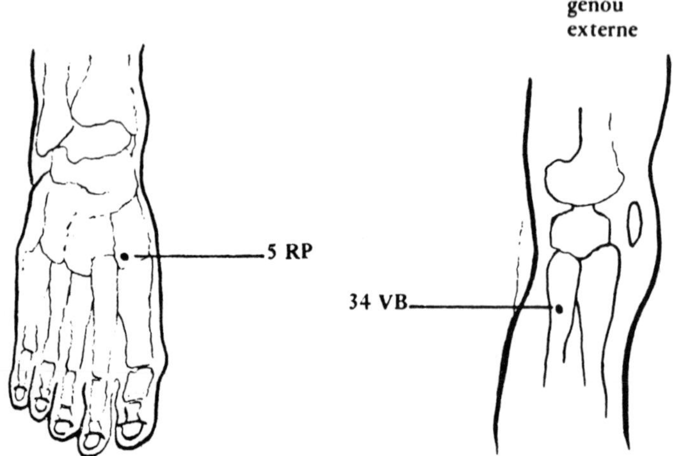

SEINS
(petits, ptosés)

Acupuncture

5° RATE - PANCRÉAS « CHANG-TSIOU du pied » (Tertre des marchands)
Partie supéro-interne du pied, 4 doigts en travers, en avant de la malléole interne.

34° VÉSICULE BILIAIRE « IANG-LING-TSIUANN » (Source du plateau externe)
Face externe du genou, dans la dépression, sous la tête du péroné, en avant du côté du tibia.

Placer une aiguille aux quatre points cardinaux, à la limite du sein. Laisser en place 5 minutes.

Homéopathie

GLANDE MAMMAIRE 4 CH pour 1 suppositoire n° 24
3 suppositoires par semaine.

Ce traitement :
- fait un peu grossir les petits seins.
- corrige dans une certaine mesure les ptoses légères et récentes chez une femme jeune.

Un ventousage n'est pas négligeable pour augmenter le volume du sein.

Traitement en grande partie personnel. Les résultats ne sont pas miraculeux, mais on arrive à gagner une à deux pointures de soutien-gorge.

SEINS

(rouges, gonflés, douloureux ; abcès ; mastite)

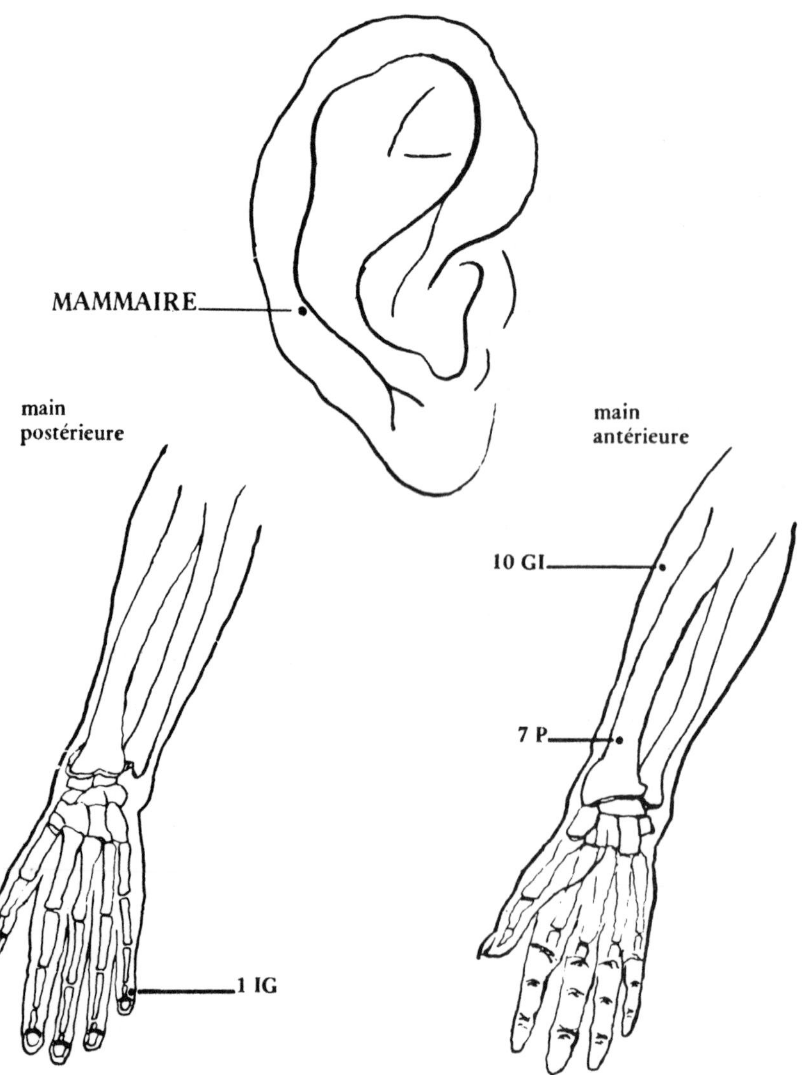

SEINS

(rouges, gonflés, douloureux, abcès, mastite)

Auriculopuncture

Point mammaire.

Acupuncture

7° POUMONS « LIE-TSIUE » (Creux alignés)
Au poignet, sur l'artère radiale, au bas de l'apophyse radiale.
Piquer entre peau et artère.

10° GROS INTESTIN « SAN-LI de bras » (Troisième Li)
3 doigts au-dessous du pli du coude à l'extérieur de l'avant-bras.

1° INTESTIN GRELE « CHAO-TSRE » (Le moindre marais)
3 millimètres de l'angle externe de l'ongle de l'auriculaire.

Si le pus est collecté ou si l'abcès est trop avancé pour avorter, l'incision est indispensable.

La plupart du temps le résultat est spectaculaire.

Il m'est arrivé de traiter une patiente entrée dans mon cabinet avec les symptomes classiques de l'abcès : rougeur, tumeur, douleur, chaleur. Application du traitement. Après quelques minutes de conversation, la malade ne sent plus rien, se tâte et exhibe un sein devenu normal.

SINUSITE

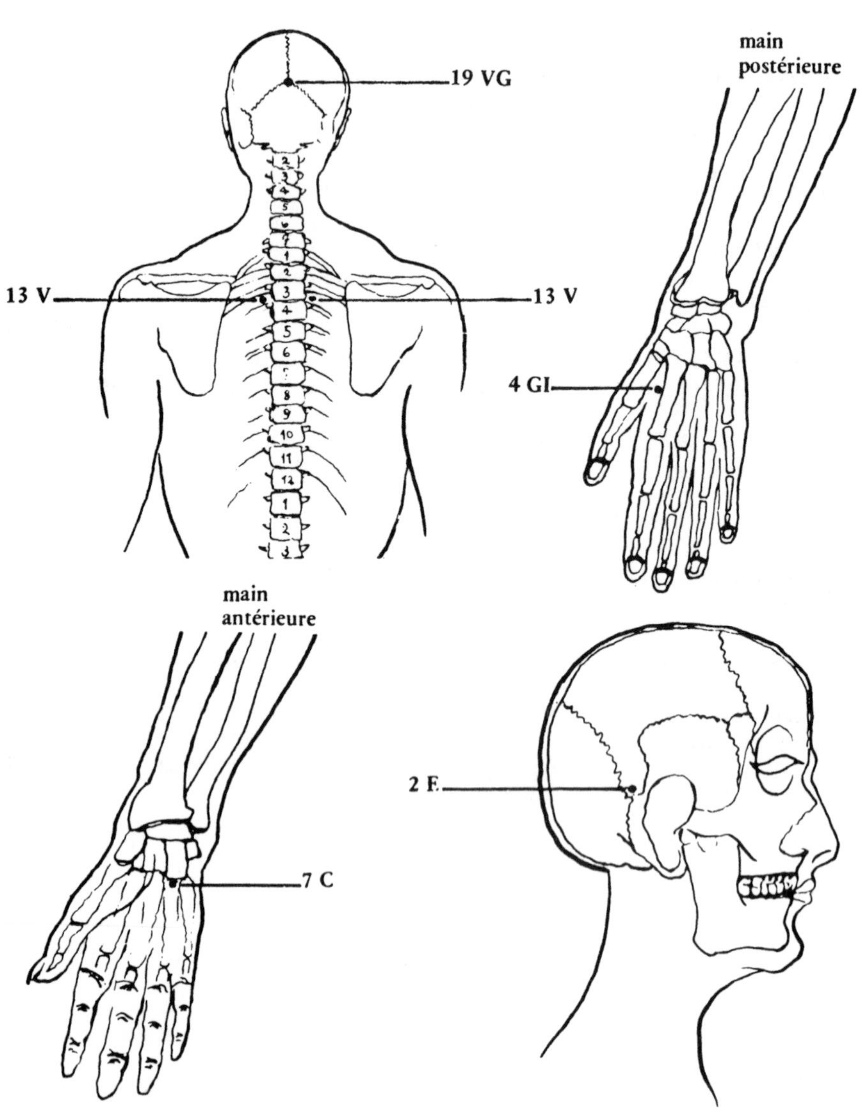

SINUSITE

Acupuncture

4° GROS INTESTIN « RO-KOU » (Fond de la vallée)
Angle métacarpien du pouce et deuxième métacarpien contre la tête de celui-ci.

2° ESTOMAC « TCHRENG-TSRI » (Reçoit les larmes)
Horizontale au-dessus du lobe de l'oreille, à l'extrémité de la 1ère dépression de l'apophyse zygomatique.

13° VESSIE « FEI-IU » (Assentiment des poumons)
Un pouce et demi de la ligne médiane, au niveau de l'horizontale passant entre la 3e et la 4e vertèbres dorsales.

19° VAISSEAU GOUVERNEUR « PAE-ROE » (Les cent réunions)
Ligne médiane du crâne, au niveau de la fontanelle postérieure.

7° COEUR « CHENN-MENN » (Porte de l'évolué)
Bord antéro-interne du pisiforme.

Punctures locales

Sur les points des sinus.

Homéopathie

ALLIUM CEPA composé
2 granules 5 à 6 fois par jour

SUPPOSITOIRES
Muqueuse du sinus frontal 5 CH } aa. q.s.p. 1 suppositoire n° 24
Muqueuse nasale 5 CH }
1 suppositoire 3 fois par semaine au coucher.

Très bons résultats en 3 séances environ.

SPORTIFS
(Augmentation de la condition physique)

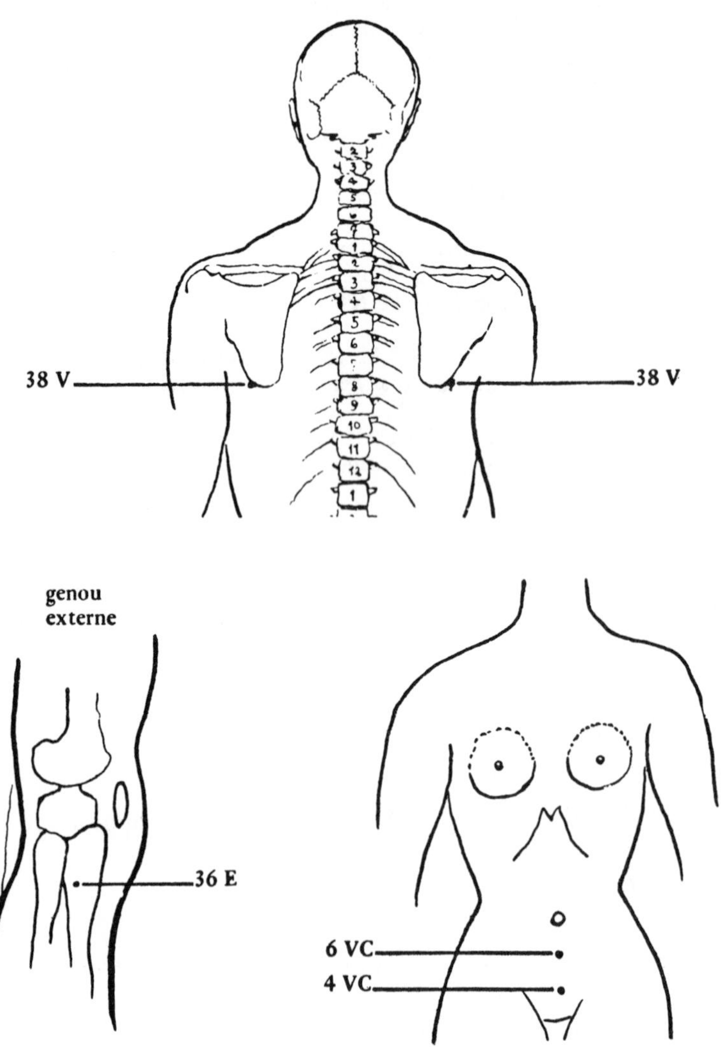

SPORTIFS
(augmentation de la condition physique)

AUGMENTATION DE LA CONDITION PHYSIQUE

Ce n'est pas un doping artificiel que nous pouvons vous procurer, mais une *forme* supérieure.

ÉTAT GÉNÉRAL

Acupuncture

6° VAISSEAU DE CONCEPTION « TSRI-RAE » (Océan d'énergie chez les mâles) (A faire pour les hommes)
1/5 ombilic – rebord supérieur du pubis.

4° VAISSEAU DE CONCEPTION « KOANN-IUANN » (Origine de barrière) (son homogue féminin) (A faire pour les femmes)
3/5 ombilic – rebord supérieur du pubis.

38° VESSIE « KAO-ROANG » (Centres vitaux)
Bras croisés, faire le gros dos , angle de l'omoplate.

36° ESTOMAC « SANN-LI de jambe » (3e village)
Face externe de la jambe, 1/3 entre arête du tibia et tête du péroné.

Homéopathie

VITO-DRAINOL
10 gouttes sur la langue, 3 fois par jour, loin des repas.

ACIDUM PHOSPHORICUM COMPOSÉ
10 gouttes avant les repas.

CÉRÉALES GERMÉES D1
10 gouttes 2 fois par 24 heures.

GINSENG
Posologie suivant la présentation. Lire le mode d'emploi.

SPORTIFS
(Traitement des organes)

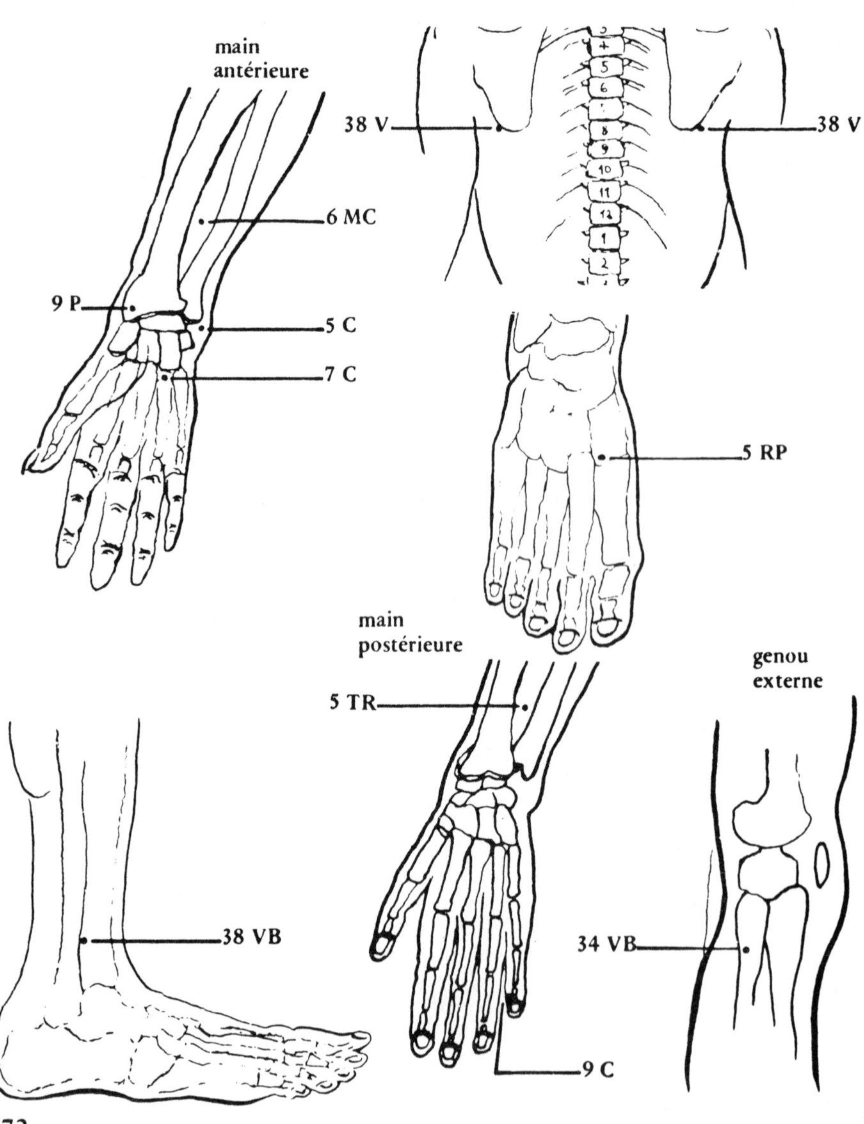

SPORTIFS
(Traitement des organes)

Acupuncture

– COEUR

9° COEUR « CHAO-TCHRONG » (Moindre assaut)
Extrémité de l'auriculaire, côté annulaire, 2mm de l'angle externe de l'ongle.

– GLOBULES ROUGES

38° VESSIE « KAO-ROANG » (Centres vitaux)
Bras croisés, faire le gros dos, angle externe de l'omoplate.
La puncture de ce point augmente le nombre des globules rouges de plusieurs centaines de mille.

– CIRCULATION (voir chapitre « JAMBES LOURDES »)

5° RATE - PANCRÉAS « CHANG-TSIOU du pied » (Tertre des marchands)
Partie supéro-interne du pied, 4 doigts en travers, en avant de la malléole interne.

38° VÉSICULE BILIAIRE « IANG-FOU » (Aide au Iang)
4 pouces au-dessus de la cheville, dépression sur le bord antérieur du péroné.

– RESPIRATION

9° POUMONS « TRAE-IUANN » (Gouffre suprême)
Extrémité externe du pli du poignet, sur l'artère radiale.

– NERFS – INSOMNIE
Se reporter aux chapitres correspondants.

– TRAC

5° COEUR « TRONG-LI » (Village de passage)
Face interne du poignet, sur l'artère cubitale, côté interne de l'apophyse cubitale.

Si tachycardie, ajouter :

SPORTIFS
(Traitement des organes)

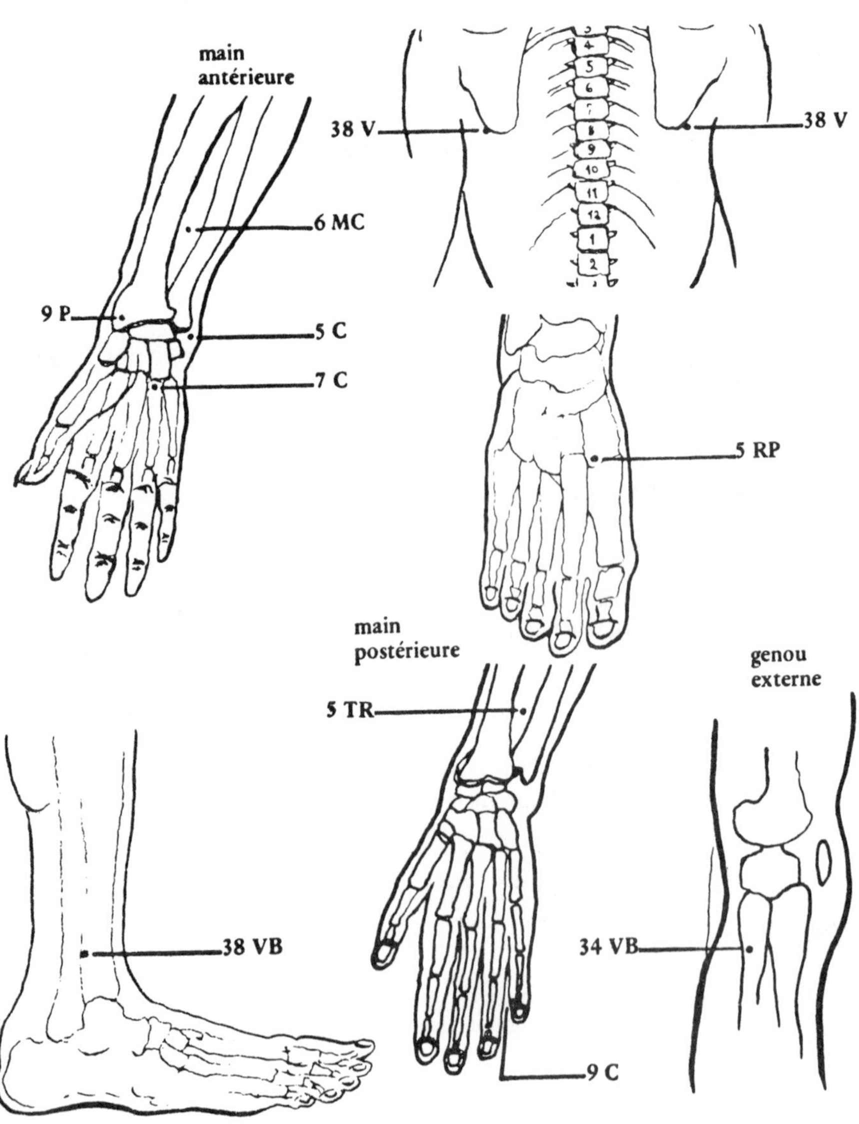

SPORTIFS

(Traitement des organes) *(suite)*

7° COEUR « CHENN-MENN » (porte de l'évolué)
Bord antéro-interne du pisiforme.

HOMÉOPATHIE

TILIA TOMENTOSA T.M.
40 gouttes au réveil.

– MUSCULATION

34° VÉSICULE BILIAIRE « IANG-LING-TSIUANN » (Source du plateau externe)
Face externe du genou, dans la dépression, sous la tête du péroné, en avant du côté du tibia.

– ARTICULATIONS

6° MAITRE DU COEUR « NEI-KOANN » (Barrière interne)
Face antérieure de l'avant-bras, milieu, 3 doigts sur poignet.

5° TROIS RÉCHAUFFEURS « OAE-KOANN » (Barrière des Iang)
Face postérieure avant-bras, 3 doigts sur poignet, partie interne du radius.

5° RATE - PANCRÉAS « CHANG-TSIOU du pied » (Tertre des marchands)
Partie supéro-interne du pied, 4 doigts en travers, en avant de la malléole interne.

Pour fortifier les articulations fragiles, puncturer le pourtour de l'articulation, profondeur quelques millimètres, durée 5 minutes.

SPORTIFS
(Traitement de quelques affections banales)

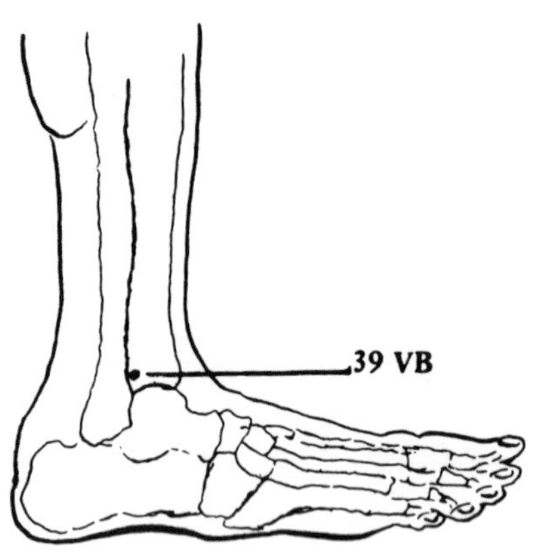

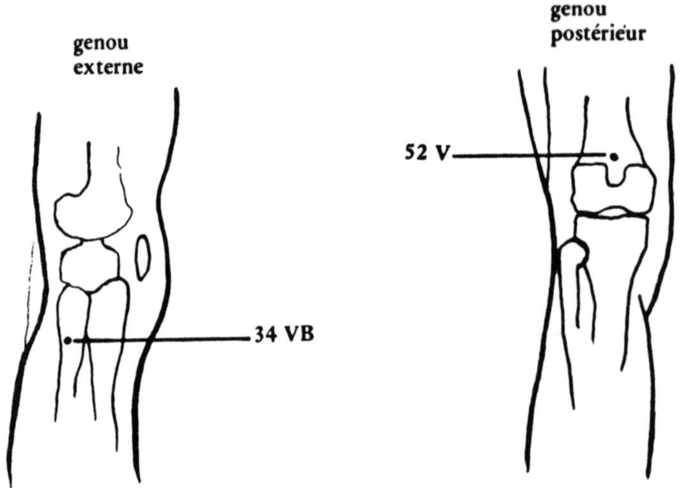

SPORTIFS
(Traitement de quelques affections banales)

– APPETIT
Voir chapitre correspondant.

– CONTRACTURES – CLAQUAGE – CRAMPES

PUNCTURES LOCALES

Placer une aiguille au milieu et à chaque extrémité du muscle. Laisser en place 3 minutes.

ACUPUNCTURE

MOLLETS

39° VÉSICULE BILIAIRE « SIUANN-TCHONG » (Cloche suspendue)
3 pouces au-dessus de la cheville, devant le péroné.

CUISSES

52° VESSIE « FEOU-TSRI » (Vallon superficiel)
1 pouce au-dessus du creux poplité.

34° VÉSICULE BILIAIRE « IANG-LING-TSIUANN » (Source du plateau externe)
Face externe du genou, dans la dépression, sous la tête du péroné, en avant du côté du tibia.

Homéopathie

CUPRUM 5 CH
ZINCUM 5 CH
2 granules de chaque tube 1 à 2 fois par jour.

ARNICA MONTANA 5 CH
SARCOLACTUM ACIDUM 5 CH
2 granules de chaque tube 2 fois par 24 heures, en alternant.

SPORTIFS *(suite)*

(Traitement de quelques affections banales)

– COUP DE POMPE
Voir chapitre « ASTHÉNIE ».

– DIARRHÉES
Voir chapitre correspondant.

– DIGESTION
Voir chapitre correspondant.

– EAU (Perte de poids par augmentation de la diurèse)
Voir chapitre « OBÉSITÉ - CELLULITE »

– DOULEURS DIVERSES
Voir chapitres correspondants.

– ENTORSES
Un des miracles de l'acupuncture.
Voir chapitre correspondant.

– FIEVRE
Voir chapitre correspondant.

– POIDS
Voir chapitre « OBÉSITÉ - CELLULITE ».

STRESS

On appelle « STRESS » une intoxication de l'organisme par des endo-toxines, c'est-à-dire des toxines secrétées par l'organisme lui-même, à la suite des multiples agressions de la vie courante : peurs, chagrins, deuils, tous les troubles affectifs, drames sociaux, chômage, besoins dramatiques d'argent, chagrins d'amour.... Tous les complexes : obésité, cellulite, chute des cheveux, laideur...

Toutes ces agressions causent des troubles physiques : manque d'appétit, angoisses, pleurs, insomnies, amaigrissement, dégoût de tout, dépression nerveuse, troubles cardio-vasculaires.

Nous ne pouvons rien contre les phénomènes affectifs, aucun traitement ne compensera la perte d'un être cher...

Par contre, nous possédons une arme extrêmement efficace contre les troubles physiques. Le traitement consiste en *Jeûne* avec *purges* et *Homéopathie.*

Le traitement par le Jeûne est détaillé au chapitre correspondant. Lire aussi : prévention de la maladie, désintoxication.

Homéopathie

TARENTULA CUBENSIS 9 CH une dose

Mettre le contenu du tube dans la bouche le matin à jeun et le sucer. Prise unique.

TARENTULA CUBENSIS 5 CH un tube

Sucer matin et soir 2 granules pendant quelques jours.

Si le résultat obtenu n'est pas satisfaisant, on peut recommencer autant de fois qu'il sera nécessaire en respectant un intervalle minimum de quinze à vingt jours.

SYNDROME SOLAIRE

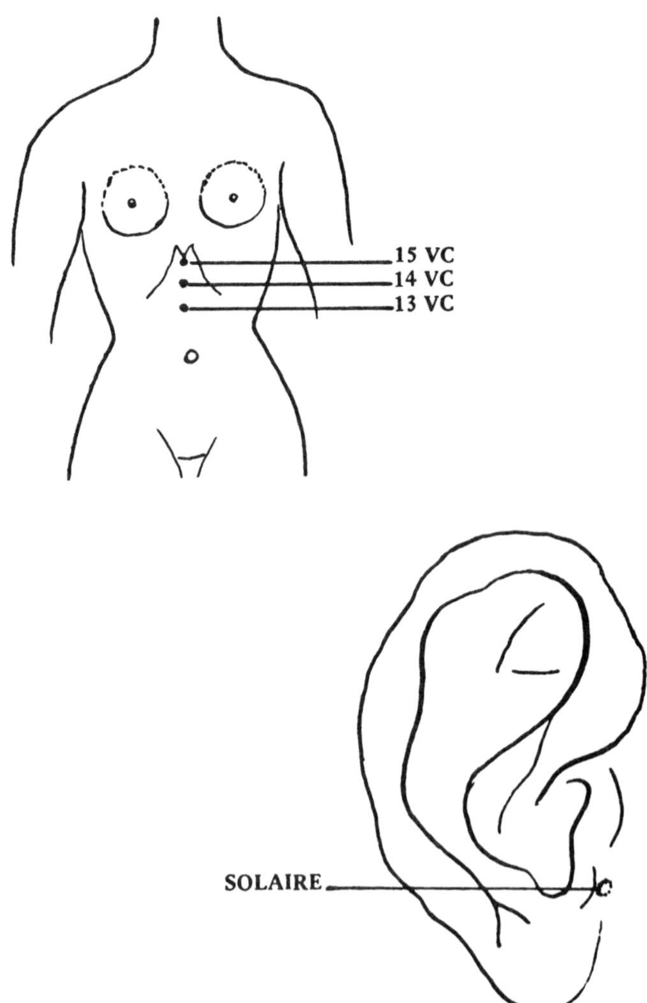

SYNDROME SOLAIRE

A rechercher dans tous les déséquilibres nerveux car il est extrêmement fréquent et très souvent méconnu si on ne le recherche pas.

Vérifier l'existence d'un empâtement au niveau du plexus solaire.

Auriculopuncture

Point du plexus solaire.

Acupuncture

13° VAISSEAU DE CONCEPTION « CHANG-KOANN » (Estomac supérieur)
1/2 ombilic – appendice xyphoïde

14° VAISSEAU DE CONCEPTION « TSIU-KOANN » (Grande barrière)
A moitié entre 13° VC et 15° VC.

15° VAISSEAU DE CONCEPTION « TSIOU-OE » (Queue de pigeon)
Extrémité de l'appendice xyphoïde.

Punctures locales

Sur le milieu de l'empatement.
Profondeur : 5 à 8mm
Laisser en place 10 minutes ou plus, jusqu'à ce que l'aiguille puisse être retirée sans effort.

Homéopathie

SUPPOSITOIRES

Plexus solaire 7 CH
Axe cortico-hypothalamique } 7 CH aa. q.s.p. 1 suppositoire n° 24

1 suppositoire 3 fois par semaine au coucher (lundi, mercredi, vendredi).

TARENTULA CUBENSIS 7 CH
5 granules le matin à jeun tous les 3 jours, puis espacer au fur et à mesure de l'amélioration jusqu'à 5 granules tous les 14 jours.

Ce traitement est très efficace mais doit être poursuivi assez longtemps : 3 à 6 séances, ou plus, sont nécessaires.

TABAGISME

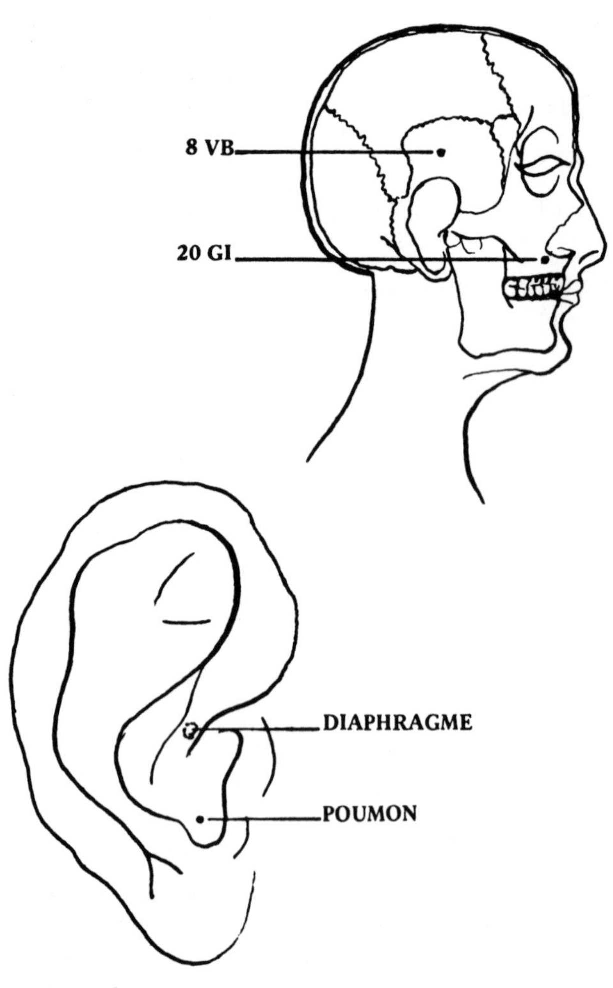

8 VB
20 GI
DIAPHRAGME
POUMON

TABAGISME

Auriculopuncture

– point du diaphragme
– point du poumon

Acupuncture

8° VÉSICULE BILIAIRE « CHOAE-KOU » (Vallée d'assemblée)
Deux travers de doigt au-dessus de l'oreille, sur l'axe.
Point indiqué par Paul REY.

20° GROS INTESTIN « ING-SIANG » (Rencontre les parfums)
A l'extrér ité du sillon nasogénien.

Si *irritabilité* ou *boulimie,* traiter les *nerfs,* les tics, l'habitude d'allumer une cigarette.

Homéopathie

TABACUM 5 CH
Sucer 2 granules 3 fois par jour, entre les repas.

AVENA SATIVA T.M.
20 gouttes 3 fois par jour sur la langue ou dans un peu d'eau.

ORGANO-DRAINOL
10 gouttes sur la langue 3 fois par jour, loin des repas.

Attendre 1/2h entre les prises de chaque médicament.

Très efficace, à condition que le patient ne se force pas pour fumer malgré l'absence d'envie.

Un petit tuyau amusant mais efficace : fumer des cigarettes filtre en les allumant par le mauvais côté. Il faut être vraiment intoxiqué et vicieux pour persister.

Le nombre de séances d'acupuncture nécessaires est très variable. Une seule suffit en général. Attendre que l'envie de fumer revienne pour faire la séance suivante. La cigarette a mauvais goût, mais ce traitement nécessite un minimum de collaboration du patient, car il ne peut l'empêcher d'entrer dans un bureau de tabac et de se *forcer* à fumer.

TIMIDITÉ

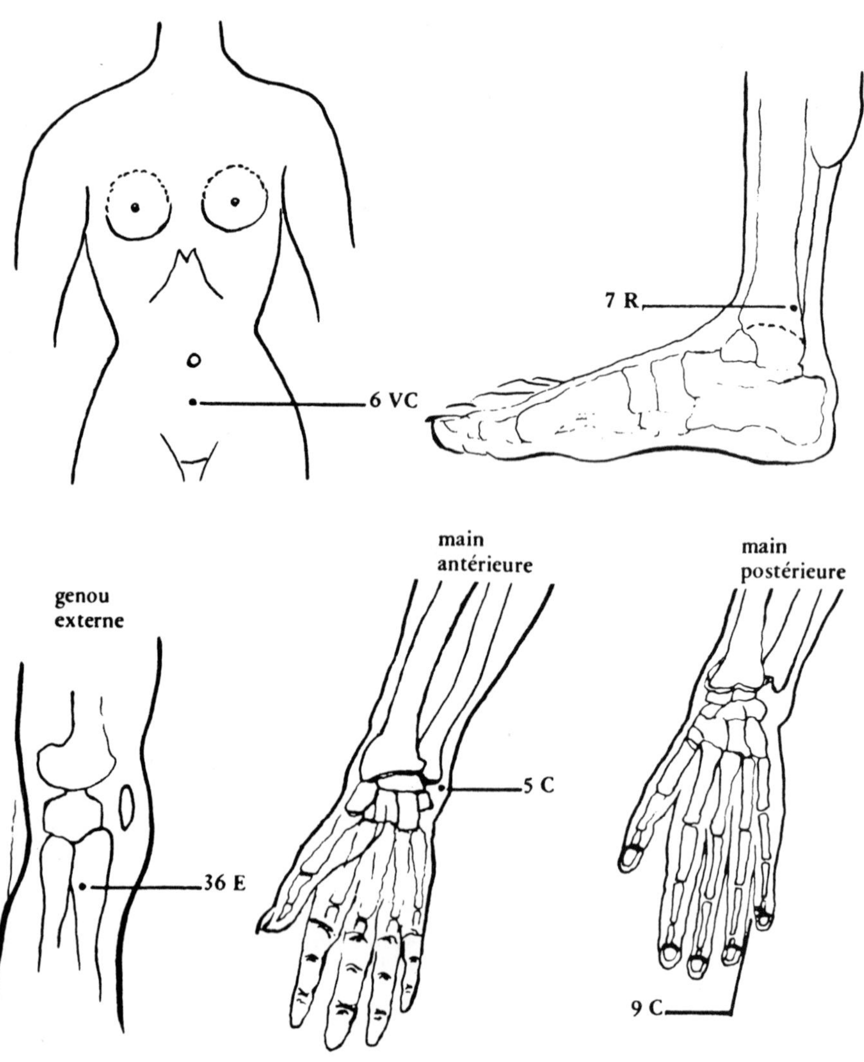

6 VC
7 R
genou
externe
36 E
main
antérieure
5 C
main
postérieure
9 C

TIMIDITÉ

Acupuncture

36° ESTOMAC « SANN-LI de jambe » (3e village)
Face externe de la jambe, 1/3 entre arête du tibia et tête du péroné.

7° REINS « FOU-LEOU » (Sourdre de nouveau)
Deux pouces et demi au-dessus de la malléole interne, un demi-pouce en arrière du tibia.

5° COEUR « TRONG-LI » (Village de passage)
Face interne du poignet, sur l'artère cubitale, côté interne de l'apophyse cubitale.

9° COEUR « CHAO-TCHRONG » (Moindre assaut)
Extrémité de l'auriculaire, côté annulaire, 2 millimètres de l'angle externe de l'ongle.

6° VAISSEAU DE CONCEPTION « TSRI-RAE » (Océan d'énergie chez les mâles)
Un cinquième ombilic-rebord supérieur du pubis.

Régulariser le système nerveux et l'énergie par l'étude des pouls.
Consulter un ACUPUNCTEUR.

Ne change pas le caractère, mais doit être essayé.

TUBERCULOSE PULMONAIRE

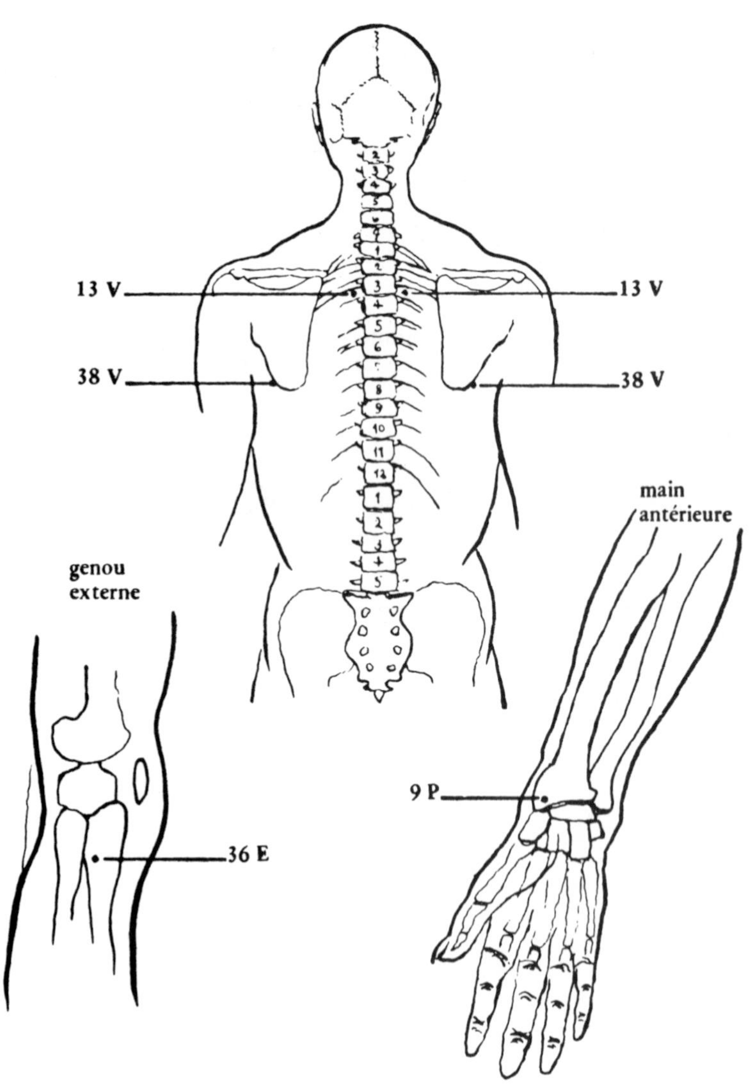

TUBERCULOSE PULMONAIRE

Acupuncture

13° VESSIE « FEI-IU » (Assentiment des poumons)
Un pouce et demi de la ligne médiane, au niveau de l'horizontale passant entre la 3e et la 4e vertèbres dorsales.

38° VESSIE « KAO-ROANG » (Centres vitaux)
Bras croisés, faire le gros dos , angle interne de l'omoplate.

9° POUMONS « TRAE-IUANN » (Gouffre suprême)
Extrémité externe du pli du poignet, sur l'artère radiale.

36° ESTOMAC « SANN-LI de jambe » (3e village)
Face externe de la jambe, 1/3 entre l'arête du tibia et la tête du péroné.

Homéopathie

Voir chapitres « DÉMINÉRALISATION »
« ASTHÉNIE »

Très efficace.

A utiliser comme adjuvant des traitements classiques.
A essayer dans tous les cas.

ULCUS
(Ulcère de l'estomac ou du duodénum)

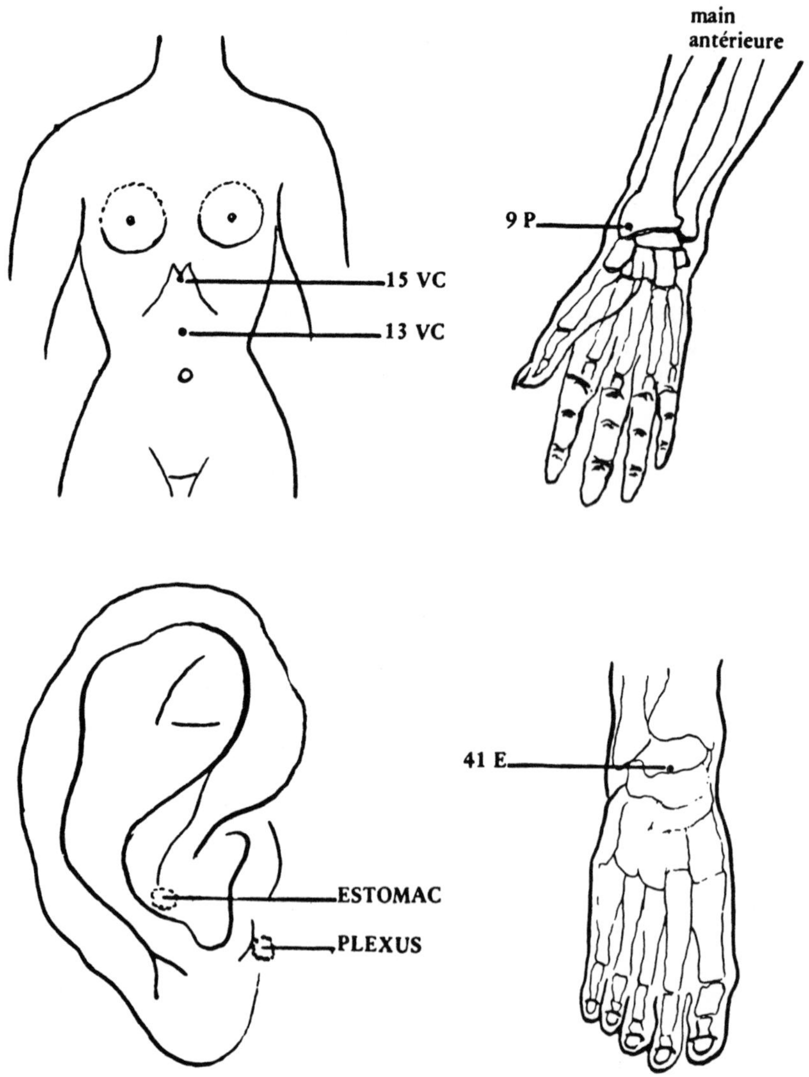

ULCUS

(Ulcère de l'estomac ou du duodenum)

Auriculopuncture point de plexus
point d'estomac

Acupuncture

41° ESTOMAC « TSIE-TSRI » (Vallée s'élargissant)
Milieu du pli de flexion du pied.

13° VAISSEAU DE CONCEPTION « CHANG-KOANN » (Estomac supérieur)
1/2 ombilic – appendice xyphoïde

15° VAISSEAU DE CONCEPTION « TSIOU-OE » (Queue de pigeon)
Extrémité de l'appendice xyphoïde.

S'il y a saignement :

9° POUMONS « TRAE-IUANN » (Gouffre suprême)
Extrémité externe du pli du poignet, sur l'artère radiale.

Acupuncture locale

Au niveau de l'épigastre, sur les points douloureux.

Homéopathie

AXE CORTICO HYPOTHALAMIQUE } 7 CH aa. q.s.p. une
PLEXUS SOLAIRE } ampoule buvable n° 24

3 ampoules par semaine en absorption perlinguale.

MUQUEUSE GASTRIQUE 4 CH pour un suppositoire n° 16
2 suppositoires par semaine.

Très efficace.
J'ai mis au point un traitement personnel basé sur l'ISOTHÉRAPIE, aussi efficace que folklorique, *mais à prendre très au sérieux :*

A la miction du lever, prendre 10 gouttes d'urine de la nuit, les mettre dans un verre d'eau non javellisée, boire et se coucher 10 minutes en se retournant pour bien imprégner les parois de l'estomac.

Comme je l'ai indiqué au chapitre « PLAIES », l'urine est un agent cicatrisant très efficace.

ULTRAVIOLETS
(rayons)

Quand j'étais jeune Médecin, beaucoup de cabinets médicaux possédaient une installation de rayons ultraviolets pour leurs clients. Les séances avaient lieu après les heures de cabinet.

Depuis, la mode a changé : le manque de temps... Il est pratiquement impossible de trouver à se faire appliquer ce traitement.

Heureusement que la vulgarisation pour le public a pris le relais. On trouve dans le commerce, à des prix modiques, de petits appareils excellents et faciles à utiliser.

REGLES D'EMPLOI :

1) Ne jamais rester sans lunettes spéciales dans une pièce dans laquelle il y a une production de rayons ultraviolets, même pour un court instant ; il faut toujours se protéger les yeux.
   Ne jamais regarder une lampe allumée.

   Si l'on ne prend pas ces précautions très simples, le rayonnement risque de causer des lésions oculaires désagréables.

   Surtout ne pas laisser un enfant se promener sans lunettes spéciales dans la pièce.

2) Faire au maximum trois séances par semaine.
   A ce rythme, ne pas dépasser 12 séances.

3) La durée d'exposition doit être progressive.
   Suivant les peaux, commencer par une à trois minutes (sur chaque face).
   Augmenter de une à deux minutes par séance (et par face).

4) L'irradiation doit être pratiquée sur le corps entièrement nu pour que les organes génitaux puissent en bénéficier.

5) Suivant les goûts et les besoins, on peut faire plusieurs séries par an.

BRONZAGE

La production de mélanine (hâle, bronzage) est une réaction de l'organisme destinée à arrêter la pénétration du rayonnement à l'intérieur du corps.

Pour une action générale, faire des séances plus courtes afin de ralentir l'apparition du hâle.

Pour une action esthétique de bronzage, augmenter la durée d'irradiation (dans des limites très modérées), de manière à arriver à la dose érythème (peau légèrement rouge). Cet érythème n'apparaissant que quelques heures après la séance, il est indispensable de procéder par tatonnements sur plusieurs jours pour déterminer le temps nécessaire à la production de l'érythème. Agir de même pour l'augmentation de la durée des séances.

Même si après plusieurs séances de rayons ultraviolets le bronzage n'a pas l'intensité esthétique désirée, dès l'exposition aux rayons solaires, la coloration de la peau augmente très vite, d'une heure à l'autre (ou presque).

PROPRIÉTÉS DU RAYONNEMENT ULTRAVIOLET

- Un des meilleurs fortifiants qui puisse exister, surtout pour les enfants.
- Retarde (modérément) le vieillissement de l'organisme.
- Aide à fixer le calcium.

  Facilite la pénétration percutanée d'une huile thérapeutique (Bardeau).
- Procure un bronzage moins intense que celui du soleil et d'une tonalité différente.
- Prépare la peau au bronzage solaire en raccourcissant sa durée d'apparition et en augmentant sa tonalité.
  Particularité très intéressante : l'irradiation avant les vacances évite l'apparition du « coup de soleil » inesthétique et douloureux qui gâche les vacances.

URINAIRES
(Troubles)

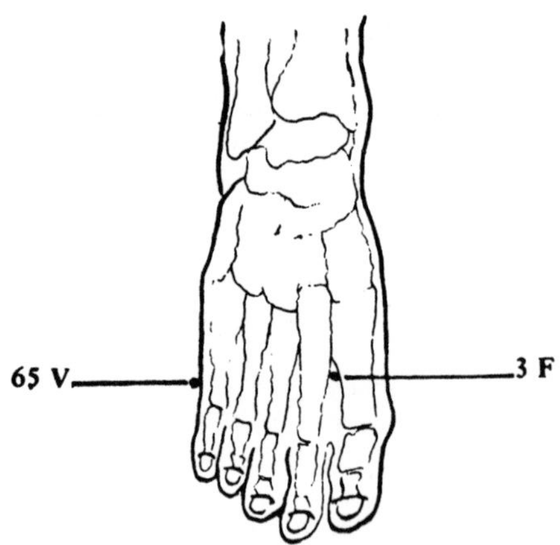

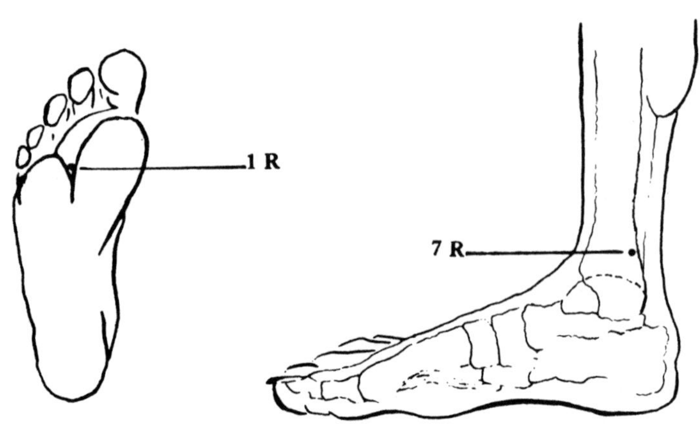

URINAIRES
(Troubles)

Acupuncture

– Rétention d'urine chez le prostatique :

1° REINS « IONG-TSIUANN » (Source bouillonnante)
Plante du pied, au milieu et en avant, dans le creux fait en pliant les doigts.

– Pour faciliter la diurèse :
65° VESSIE « CHOU-KOU » (Os liés)
Extérieur du pied. En arrière de la 5e articulation matatarso-phalangienne.

7° REINS « FOU-LEOU » (Sourdre de nouveau)
2 pouces et demi au-dessus de la malléole interne, 1 pouce en arrière du tibia.

3° FOIE « TRAE-TCHRONG » (Suprême assaut)
Jonction 1er-2ème métatarsien, sous la tête du 2e métatarsien.

– Douleurs : voir « COLIBACILLOSE »
« CYSTITE »

Homéopathie

RÉNO-DRAINOL
10 gouttes sur la langue 3 fois par jour, loin des repas.

URODRAINOL
10 gouttes sur la langue 3 fois par jour, loin des repas.

URINE
(Incontinence chez l'enfant)

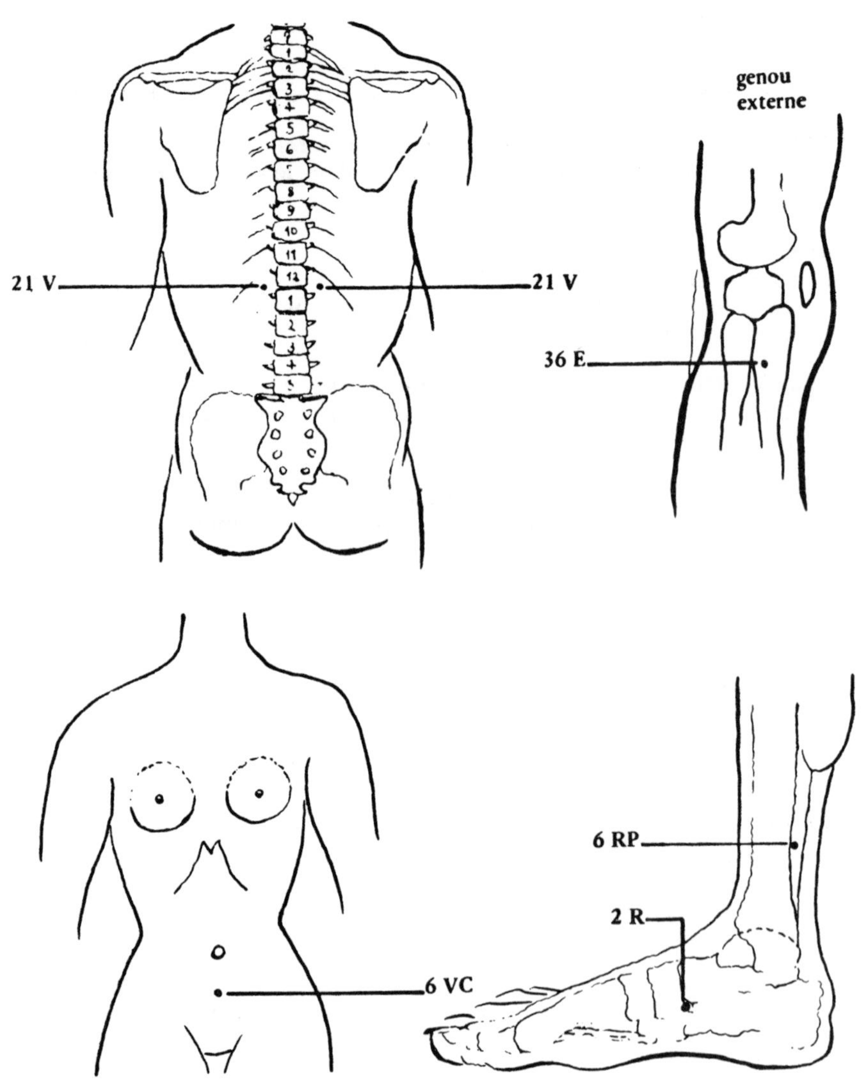

URINE
(incontinence chez l'enfant)

Acupuncture

36° ESTOMAC « SANN-LI de jambe » (3e village)
Face externe de la jambe, 1/3 entre arête du tibia et tête du péroné.

21° VESSIE « OE-IU » (assentiment d'estomac)
Un pouce et demi de la ligne médiane, entre 1ère dorsale et 2ème lombaire.

2° REINS « JENN-KOU » (Vallée d'approbation)
Face interne du pied, sous la saillie et en arrière du scaphoïde, 1 pouce et demi en avant de la malléole interne.

6° RATE - PANCRÉAS « SANN-INN-TSIAO » (Réunion des trois inn)
Face interne de la jambe, 3 pouces au-dessus de la malléole interne, bord postérieur du tibia.

6° VAISSEAU DE CONCEPTION « TSRI-RAE » (Océan d'énergie chez les mâles)
1/5 ombilic – rebord supérieur du pubis.

Homéopathie

d'après Pommier :

SULFUR 7 CH granules 1 flacon
10 granules le soir au coucher tous les 15 jours (c. à d. 2 fois par mois)

HOMÉOGENE 45 comprimés 1 flacon
Sucer 2 comprimés matin et soir.

PULSATILLA PRATENSIS 5 CH 1 tube
PLANTAGO MAJOR 5 CH 1 tube
EQUISETUM ARVENSE 5 CH 1 tube
Sucer 2 granules de chaque tube 1 fois par 24 heures, avec un intervalle de 15 minutes entre chaque prise).

Il existe beaucoup d'autres traitements homéopathiques personnalisés dans lesquels on trouvera obligatoirement celui qui assurera la guérison.

Il en existe également pour les adultes et les vieillards. Consulter un Homéopathe.

VARICES

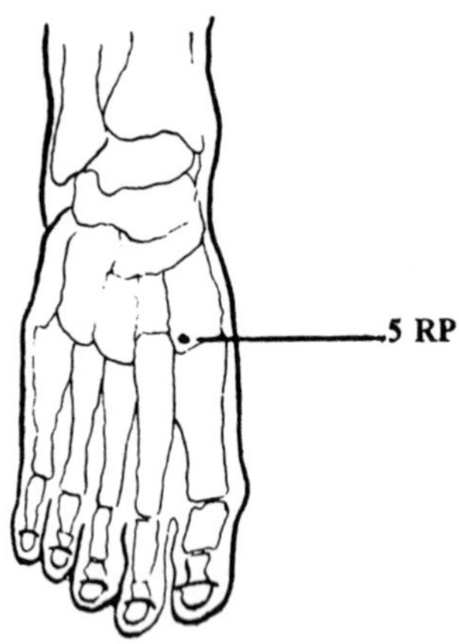

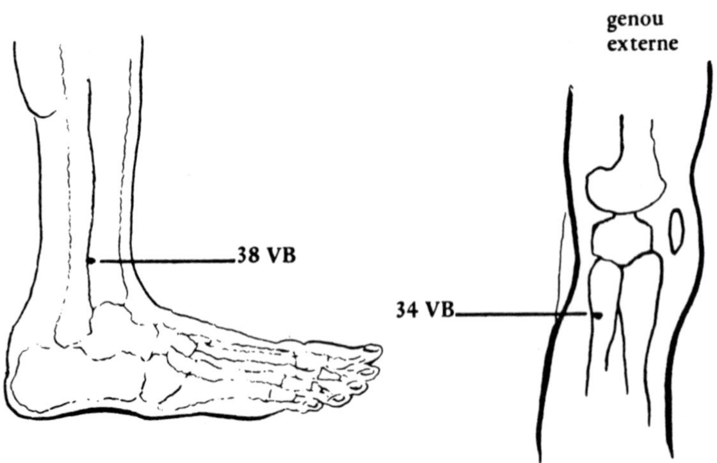

VERGETURES

Acupuncture

5° RATE - PANCRÉAS « CHANG-TSIOU du pied » (Tertre des marchands)
Partie supéro-interne du pied, 4 doigts en travers, en avant de la malléole interne.

34° VÉSICULE BILIAIRE « IANG-LING-TSIUANN » (Source du plateau externe)
Face externe du genou, dans la dépression, sous la tête du péroné, en avant du côté du tibia.

Acupuncture locale

Introduire une aiguille très fine parallèlement au plan cutané, au niveau des vergetures les plus importantes. Laisser en place 5 minutes.

Homéopathie

PEAU
TISSU CONJONCTIF } 4 CH aa. q.s.p. une ampoule perlinguale n° 24

3 ampoules par semaine le matin, à jeun.

Ce traitement par acupuncture est personnel. Il est très efficace mais pas miraculeux.

L'amélioration obtenue est d'environ 50%.

Il devrait être utilisé avant les interventions chirurgicales esthétiques sur la peau, car il la tonifie et les résultats opératoires seraient meilleurs.

VERRUES PLANTAIRES

Punctures locales

Une aiguille enfoncée localement dans la verrue.
Laisser en place 10 minutes.
1 fois par mois.

Une goutte du sang de règles (les règles étant une élimination des toxines de l'organisme de la femme, l'action antivirale est logique).

Bains de pied dans une eau hypersalée à refus 1/2h tous les soirs.

Ce traitement est renforcé si on met sur les pieds durant la nuit, du coton imprégné de cette eau salée, le tout enveloppé d'un plastique pour éviter de mouiller les draps.

C'est désagréable mais très utile.

A faire pendant plusieurs semaines, avec intervalle de repos.

Les verrues disparaissent après plusieurs mois, suivant grosseur.

Le seul traitement médical efficace.

VERRUE VULGAIRE

Causée par un virus.

Les traitements sont innombrables, donc souvent peu efficaces, les plus folkloriques n'étant pas les plus mauvais.

– Mettre sur la verrue, une goutte du liquide des plantes « donnant du lait » : EUPHORBE.

– Une goutte du sang de règles (les règles étant une élimination des toxines de l'organisme de la femme, l'action antivirale est logique).

– Traitement du Dr J. REVUZ (Concours médical) :

  Appliquer 24 heures sur 24 sur chacune des verrues, un sparadrap imperméable formant pansement occlusif. Quinze jours environ.

  Personnellement, je mets sur la verrue, sous le sparadrap, un grain de sel (principe du traitement des verrues plantaires).

  Brûler les grosses verrues au galvanocautère.

Homéopathie

THUYA T.M.
Mettre une goutte tous les jours sur la verrue.

NITRICUM ACIDUM 7 CH
THUYA OCCIDENTALIS 7 CH
Sucer 5 granules tous les 10 jours, en alternant.

NITRICUM ACIDUM 5 CH
CAUSTICUM 5 CH
2 granules un jour d'un tube, un jour de l'autre.

ANTIMONIUM CRUDUM 5 CH
CINNABARIS 5 CH
2 granules de chaque tube une fois par jour.

Pour les grosses verrues, on peut injecter une goutte de Thuya occidentalis TM à leur base.
Ce traitement peut paraître un peu compliqué, mais il est très efficace.

VERS INTESTINAUX

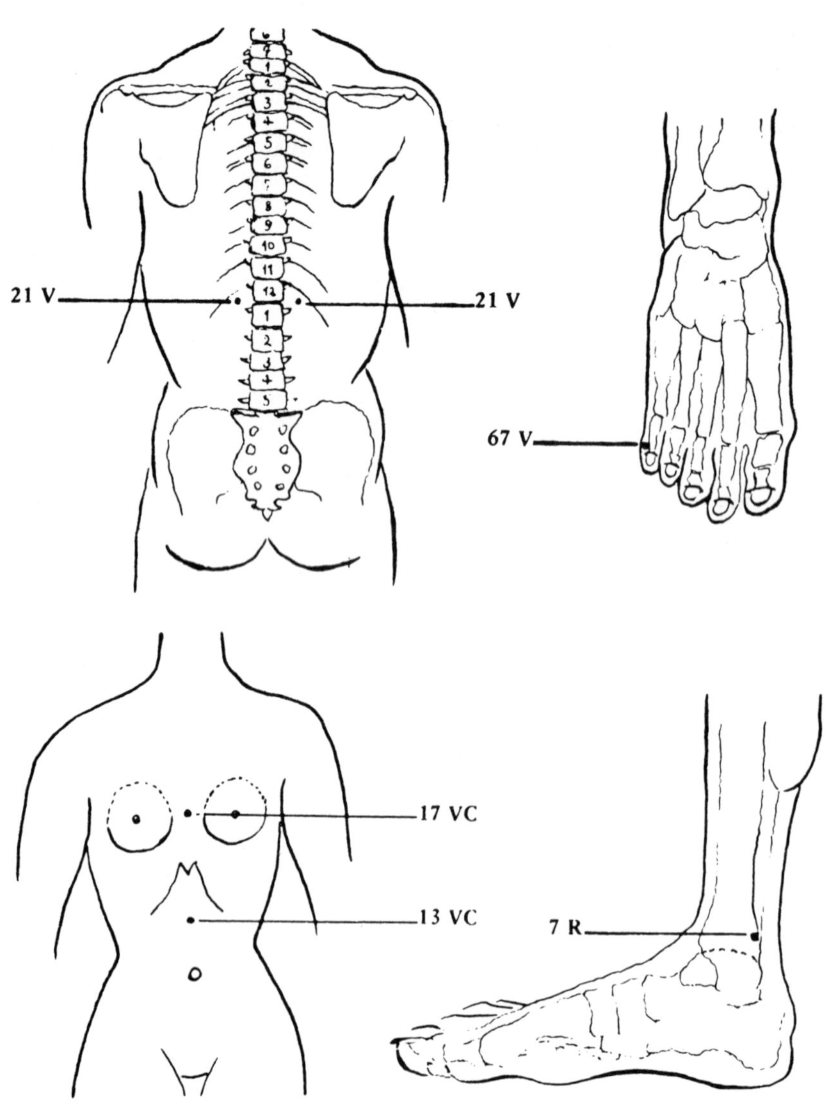

VERS INTESTINAUX

(Taenia compris)

Acupuncture

21° VESSIE « OE-IU » (Assentiment d'estomac)
Un pouce et demi de la ligne médiane entre 12e dorsale et 1ère lombaire.

67° VESSIE « TCHE-INN » (Inn extrême)
2 millimètres de l'angle externe du petit orteil.

7° REINS « FOU-LEOU » (Sourdre de nouveau)
Deux pouces et demi au-dessus de la malléole interne, un demi-pouce en arrière du tibia.

13° VAISSEAU DE CONCEPTION « CHANG-KOANN » (Estomac supérieur)
Cinq pouces au-dessus de l'ombilic.

17° VAISSEAU DE CONCEPTION « TRANN-TCHONG » (milieu de poitrine)
Au milieu de la ligne joignant les mamelons.

Homéopathie

CINA COMPLEXE LEHNING
10 à 15 gouttes (suivant l'âge) 3 fois par jour.

Je sais que même des Acupuncteurs confirmés ne croient pas à l'efficacité de ce traitement ; c'est parce qu'ils ne l'ont jamais essayé.

Personnellement, je l'ai utilisé souvent avec toujours des résultats remarquables.

Disparition des parasites en une à deux séances à 7 jours d'intervalle.

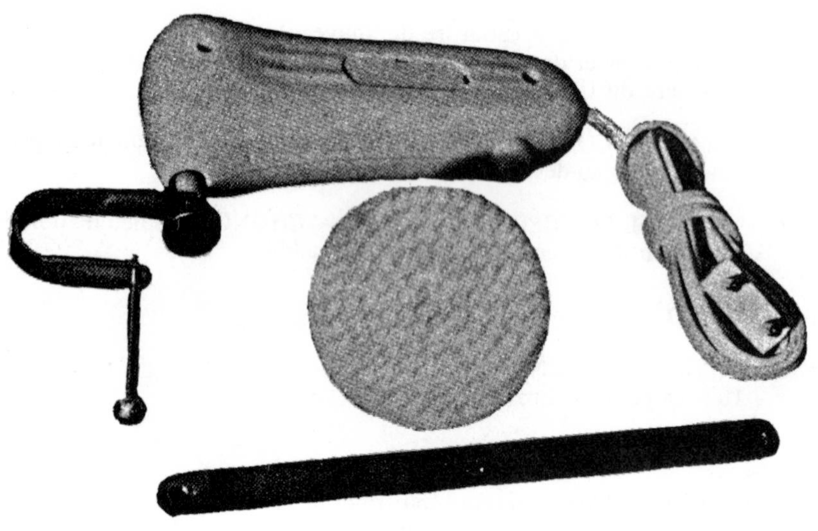

VIBRATION

La vibration est souvent utilisée dans l'industrie.
Elle a une action très valable pour le maintien de la Santé et la guérison des maladies.

Médicalement elle se présente sous de multiples formes, en particulier :

- Vibreur léger se plaçant sur le dos de la main et destiné à augmenter l'action du massage manuel.
- Tabourets vibrants, défatigants.
- Lits de massages, tables vibrantes.
- Sangles vibrantes à utilisations multiples.
- Coussins vibrants et chauffants : défatigants, accélèrent la résorption des œdèmes et la cicatrisation des fractures.
- Vibreurs à main. Très nombreux modèles et nombreux accessoires à utilisation multiples : massages de cuir chevelu, de toutes les parties du corps avec actions préventives et curatives qu'il serait trop long de détailler ici.

  Une action peu connue de la vibration est la VIBROPUNCTURE destinée à permettre l'utilisation par tout le monde de la puissance de l'Acupuncture, *SANS LES AIGUILLES.*

J'ai mis au point un Vibropuncteur fonctionnant sur secteur d'un prix abordable et qui, livré avec 3 accessoires, permet de multiples applications.

En particulier, un Archet de Résonnance donne à chacun la possibilité d'utiliser sur soi-même l'Acupuncture Pratique exposée dans cet ouvrage pour la guérison ou l'amélioration d'affections simples et ce *sans douleur* et sans risques.

Placer la pointe vibrante sur le point chinois, laisser en place 2 minutes; toujours utiliser le point homologue, c'est-à-dire le point symétrique sur l'autre membre.

Dans la maladie qui vous intéresse, utiliser les points indiqués, des deux côtés, une ou plusieurs fois par jour.

VOMISSEMENTS

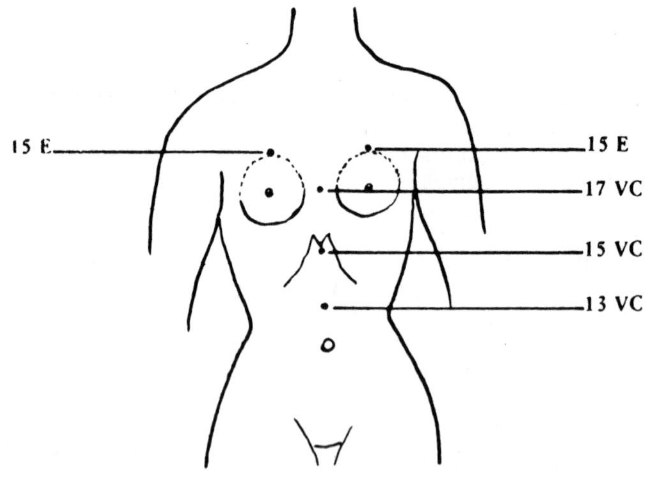

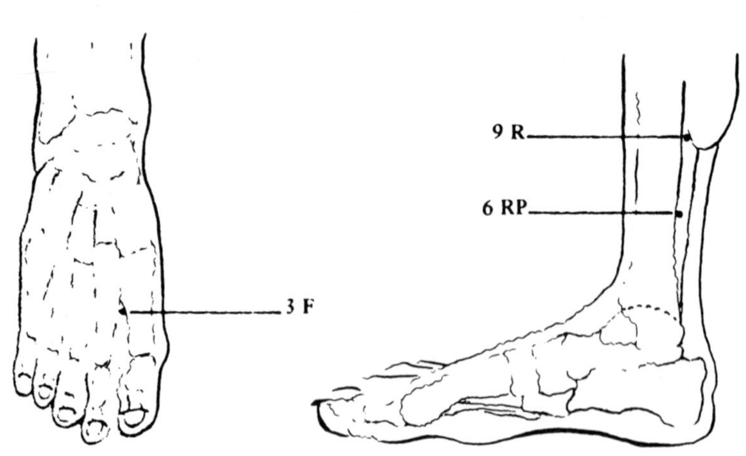

VOMISSEMENTS

(même ceux dits incoercibles de la grossesse)

Acupuncture

13° VAISSEAU DE CONCEPTION « CHANG-KOANN » (Estomac supérieur)
1/2 ombilic – appendice xyphoïde.

15° VAISSEAU DE CONCEPTION « TSIOU-OE » (Queue de pigeon)
Extrémité de l'appendice xyphoïde.

17° VAISSEAU DE CONCEPTION « TRANN-TCHONG » (Milieu de poitrine)
Au milieu de la ligne joignant les mamelons.

15° ESTOMAC « OU-I » (Paravent de la chambre)
Sommet du sein sur la verticale du mamelon.

9° REINS « TSO-PINN » (Rivage bâti)
Au-dessous du mollet, sept pouces au-dessus de la malléole interne, bord interne du tendon du jumeau.

3° FOIE « TRAE-TCHRONG » (Suprême assaut)
Jonction 1er – 2ème métatarsien, sous la tête du 2ème métatarsien.

6° RATE - PANCRÉAS « SANN-INN-TSIAO » (Réunion des 3 Inn)
Face interne de la jambe, 3 pouces au-dessus de la malléole interne, bord postérieur du tibia.

Disparition en une à deux séances.

YOGA

Très schématiquement, le yoga comprend trois enseignements.

1) LES POSTURES

C'est à peu de choses près le seul enseignement connu et pratiqué en France. Quand on croit faire du yoga, on se borne à pratiquer quelques postures sous la direction d'un professeur de culture physique. Sous cette optique, c'est une forme de gymnastique qui peut avoir quelques propriétés bénéfiques, mais très loin du vrai yoga.

Ces postures ne conviennent pas à tout le monde car elles sont faites pour des Orientaux à articulation lâches et non pas pour les Européens.

2) LA RESPIRATION

C'est une technique d'une efficacité thérapeutique beaucoup plus considérable, qui ne doit être pratiquée que sous contrôle d'un instructeur qualifié (un GOUROU dans la terminologie hindoue).

3) LA PHILOSOPHIE

C'est un enseignement trop complexe pour être même effleuré ici.

YOGA

(Quelques exemples de respiration)

La respiration du yoga est une arme thérapeutique extrêmement efficace qui doit être maniée avec précaution. Ne jamais faire plus de 3 à 5 respirations par séance. Une à deux séances par jour.

Ces respirations doivent être faites de préférence le corps nu, la fenêtre ouverte et si possible assis ou allongé sur une couverture de laine blanche. La colonne vertébrale doit être droite, horizontale ou verticale. Avant de respirer, il est nécessaire de procéder aux préparations suivantes :

1) NETTOYAGE DES POUMONS

Lire à trois reprises, d'un seul souffle chaque fois, un texte élevé ou une prière, d'une voix nette et bien scandée.

2) RELAXATION

Allongé sur le dos, relaxer l'un après l'autre tous les segments du corps : membres inférieurs, supérieurs, abdomen, dos, thorax, face, et ceci à plusieurs reprises, puis peser de tout son poids sur le divan et s'abandonner.

3) PRINCIPES GÉNÉRAUX de respiration rythmée, curative et de RECHARGE VITALE.

L'essentiel est qu'elle soit harmonieuse et rythmique. Le rythme se fait en principe suivant les battements du cœur.

Le rythme doit être un triangle tronqué à sa base selon les principes suivants :

– inspiration	1
– rétention du souffle	4
– expiration	2
– vide	bref

ou un multiple de ces chiffres. Par exemple, nous pouvons faire les respirations :

2 – 8 – 4 – 1
3 – 12 – 6 – 1
4 – 16 – 8 – 1
5 – 20 – 10 – 1

– ne jamais forcer et ne pas essayer de battre des records. Le débutant doit, pendant des mois et des années, se contenter de petites respirations 4 – 16 – 8 – 1.

– respirer par le nez.

– dilater d'abord la partie inférieure du thorax par abaissement du diaphragme.

– remplir la partie moyenne des poumons en dilatant les côtes, le sternum et tout le thorax, dans toute leur expansion.

– remplissage des sommets en avançant le haut de la poitrine et en l'élevant le plus possible.

– retenir sa respiration.

– vider en abaissant les épaules, en contractant la poitrine et en rentrant le ventre.

RESPIRATION ÉQUILIBRANTE

Allongé sur le dos, faire trois respirations de chaque côté.
Cette respiration est tonique et favorise l'activité intellectuelle.

1) Aspiration : la narine droite étant bouchée avec l'index droit.
Rétention : les deux narines bouchées.
Expiration : narine gauche bouchée.

2) Inverser.

3) Respecter le rythme du chapitre précédent.

RESPIRATION DE MAITRISE

Si l'on est sous tension (avant un examen, pour combattre le trac, calmer l'énervement de l'attente, etc...) et que l'on ne puisse pas faire une respiration rythmée, faire quelques inspirations et expirations profondes.

RESPIRATION TONIFIANTE

Aspirer par les narines, retenir le souffle, expirer par la bouche en soufflant un jet très fin et puissant comme si l'on voulait éteindre une bougie lointaine.

La même respiration peut être faite d'une manière plus puissante en expirant d'une manière saccadée.

RESPIRATION RÉCHAUFFANTE

Se fait uniquement par la narine droite en évoquant en même temps la sensation de couleur rouge.

RESPIRATION REFROIDISSANTE

Se pratique de 6 à 10 fois.

Avancer les lèvres comme pour faire la moue, mais en tenant la bouche bien ouverte ; tirer la langue le plus possible ; chasser et aspirer l'air par la bouche, lentement, en évoquant la couleur blanche.

RESPIRATION DE REPOS TOTAL

Corps en relaxation sur le dos, paumes des mains à plat.

- aspirer par les deux narines : 3 battements de cœur
- rétention : 3 battements de cœur
- expiration : 6 battements de cœur

Les mouvements de contraction et d'expansion de la cage thoracique doivent être presque insensibles et la respiration très complète. L'inhalation et l'exhalation sont alors perçues comme une sorte de bourdonnement sur lequel il faut concentrer son attention.

RESPIRATION DE RECHARGE VITALE

Se pratique durant 5 à 10 minutes, face à l'est, assis, pieds joints (paumes et orteils), mains jointes (paumes et doigts), les doigts pointés en avant.

Fermer les yeux – pratiquer une respiration rythmée simple.

ZONA

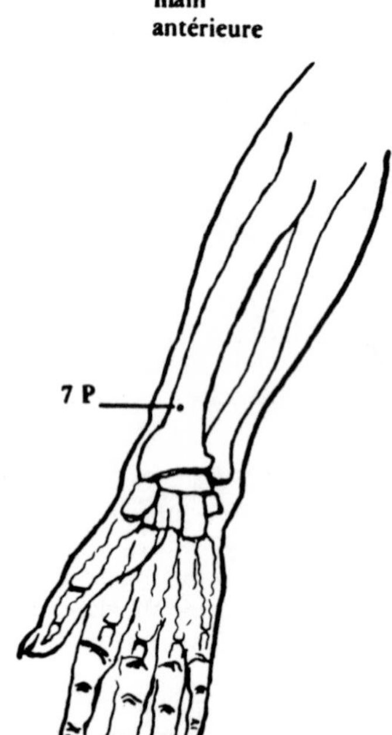

ZONA

Acupuncture

7° POUMONS « LIE-TSIUE » (Creux alignés)
Au poignet, sur l'artère radiale, au bas de l'apophyse radiale.
Piquer parallèlement entre peau et artère.

Acupuncture locale

Entourer d'aiguilles les vésicules ; beaucoup d'aiguilles.
Profondeur de l'aiguille : 3mm.
Laisser en place 3 à 5 minutes.

Homéopathie

BIOTHÉRAPIQUE VACCINOTOXINUM 7 CH
1 dose

PLANTAGO TM
Passer localement sur le trajet douloureux.

Dans la plupart des cas, la douleur disparaît en un très petit nombre de séances.

SÉQUELLES DE ZONA

Même traitement d'acupuncture. L'homéopathie est inefficace.

TABLE DES MATIÈRES

INDEX

A

B

C

D

E

F

G

H

I

J

L

M

N

O

P

R

S

Y

Z